La pasión turca

Colección Autores Españoles
e Hispanoamericanos

Antonio Gala

La pasión turca

Planeta

COLECCIÓN AUTORES ESPAÑOLES
E HISPANOAMERICANOS

Dirección: Rafael Borràs Betriu

Consejo de Redacción: María Teresa Arbó, Marcel Plans, Carlos Pujol y Xavier Vilaró

Diseño colección y sobrecubierta de Hans Romberg

Ilustración sobrecubierta: «Andrómeda», por T. de Lampicka (1927-1928), colección privada, VEGAP, Barcelona, 1993

1.ª a 9.ª ediciones: de febrero de 1993 a julio de 1993
10.ª edición: setiembre de 1993

Depósito Legal: B. 27.517-1993

ISBN 84-08-00251-1

Composición: Víctor Igual, S. L.

Papel: Offset Munken Book, de Munkedals AB

Impresión y encuadernación: Printer, S. A.

Printed in Spain - Impreso en España

ADVERTENCIA

Este libro contiene la vida —fragmentos de la vida— de Desideria Oliván. Está compuesto por cuatro cuadernos y una especie de epílogo.

Los cuadernos fueron escritos de puño y letra de ella, gran lectora y buena aficionada a crucigramas. Se ha respetado, con escrupulosa exactitud, incluso sus contradicciones y alguna reiteración producto del descuido y alguna incoherencia. Sólo se corrigieron ciertos errores sin importancia, como el de llamar Simón a Simeón Estilita, o el de confundir en dos ocasiones el Cuerno de Oro con el Bósforo.

Las páginas con que el libro concluye proceden de lo relatado por Pablo Acosta, un amigo muy afecto a Desideria Oliván.

Los cuatro cuadernos llegaron a manos del editor en el mismo lugar en que fueron traídos a España: una caja grande de delicias turcas.

PRIMER CUADERNO

YO MISMA HABÍA LLEGADO a convencerme de que mi matrimonio era perfecto. Las cuestiones que al principio me planteé dejé de planteármelas. No se resolvieron por eso, pero al menos no las tuve a todas horas delante de los ojos. Miraba hacia otro lado, pensando que la vida es tan grande como el mundo, o más grande aún que el mundo. La desgracia —me repetía— proviene, o se agranda, de no estar pendiente más que de una carencia, de una desilusión, de una añoranza. Si un huerto no da lechugas, no hay que dejarlo yermo, sino sembrar otras hortalizas y encontrar en ellas una compensación.

Ramiro estaba considerado como el muchacho más guapo de Huesca. Ahora me parece que eso no es mucho decir; entonces me parecía suficiente. Era el hermano mayor de Adela, una chica de mi edad, fea y desangelada, con la barbilla hundida, la mandíbula superior en pico, unos dientes pequeños y afilados y unas encías pálidas que enseñaba al reírse, lo que no era frecuente por fortuna. Adela había sido compañera de clase mía en el instituto, y no guardaba de ella los mejores recuerdos. Quizá su fealdad la había transformado en resentida, acusica y empollona; a pesar de todo, nunca sacaba buenas notas. Laura, Felisa y yo éramos las que más la detestábamos: fue esa aversión común lo que desde el primer momento nos unió.

Ramiro había decidido no perder tiempo estudiando una carrera larga. Hizo unos cursos de empresariado mientras trabajaba ya en una sociedad de seguros que acababa de inaugurar una sucursal. Como en todas partes, allí empezó a pisar fuerte también. Lo conocíamos todas y, cuando nos lo cruzábamos en el ir y venir de los Porches de Galicia, antes o después del cine, cogidas las tres amigas del brazo como tres bobas, nos entraba una risa floja y cómplice que a él le hacía sonreír. Era alto y rubio, con los ojos claros. Oficialmente lo conocimos en la romería al Cerro de San Jorge. Iba vencido abril y hacía un día tan tibio que nos habíamos desabrochado las blusas. Las urracas revoloteaban entre los cipreses y los pinos de la ladera. Se oía, suavizado, el runrún de la ciudad y, desde la cima, se la veía dormida con la catedral al fondo. De cuando en cuando, se escuchaba el estridente grito de los pavones que semejaba descender del alto cielo azul. Laura, Felisa y yo organizábamos la merienda cuando se presentó Adela con Ramiro. Nos lo presentó de mala gana. Laura los invitó a merendar, y aceptaron. Lo primero que dijo fue:

—¿Sabíais que esta ermita fue un heroico baluarte en la defensa de Huesca cuando la guerra?

—Sí —contestó Laura—, está escrito en la puerta; pero para lo que sirvió...

Ya estudiábamos las tres en Zaragoza y empezábamos a tener nuestras propias ideas morales y políticas. Supongo que ninguna de ellas se ha cumplido. Una de las más tenaces era reaccionar frente a los matrimonios antiguos, esa cruz de las mujeres de nuestras familias que se limitaban a acatar al marido, organizar la casa y sobrevivir sin personalidad ninguna. Nosotras tres queríamos ser libres, trabajar en lo nuestro y tener opiniones. Laura y yo estudiábamos Letras, aunque ella derivaba hacia la Sicología, y Felisa, Farmacia. Sin darnos cuenta, las tres hacíamos compatible nuestro progresismo, que estimábamos muy avanzado, con la esperanza de un príncipe azul...

Ahora recuerdo —no sé si como fueron, o poniendo yo algo de mi posterior cosecha, tan escasa— las conversaciones que manteníamos las tres en nuestro diminuto piso de estudiantes. Más exacto sería decir que Felisa y yo escuchábamos a Laura. Ella, de tanto en tanto, nos largaba su rollo macabeo, como llamaba a repasar en alta voz sus temas. Las tres entonces íbamos a ser heroínas, a batirnos el cobre por nuestros semejantes, a levantar la bandera de la feminidad y de los logros de nuestro deprimido sexo.

—La debilidad del cachorro humano —comenzaba Laura mientras hacía el té— obliga a cuidarlo y adiestrarlo durante muchos años. Eso lo convierte en superior a los de otras especies, y hace que conserve la curiosidad y la capacidad de sorpresa propias de la infancia a lo largo de toda su vida. Tales virtudes son las que suscitan a los poetas y a los sabios, porque la poesía y la ciencia nacen de la perplejidad.

—Siendo así —interrumpía Felisa, que empezaba a comer la primera los bollos y las pastas—, las niñas, que somos más débiles y más dependientes que los niños, nos transformaremos en mujeres más inteligentes que los hombres.

—Por lo menos, según la educación que nos han dado —intervenía yo—, habremos aprendido a gustar, a seducir, a engañar, a conocer el interior de los varones, a verlos venir y, por lo tanto, a dominarlos.

Laura, molesta, retomaba el hilo de su discurso:

—Las hembras de los mamíferos, primas hermanas nuestras...

—No lo dirás por mí: sólo he comido un bollo —la interrumpía Felisa.

—Esas hembras, repito, son, desde luego, más inteligentes que sus machos. Sencillamente porque luchan por su vida y la de sus crías más que ellos y porque saben a la perfección las tareas de la manada.

—Y, por si fuera poco —interrumpía de nuevo Felisa—, los machos se dedican a pelear por ellas. Que se jodan.

—En realidad —aclaraba Laura—, también se pelean por el alimento y por el territorio. Incluso, sin el pretexto del territorio, ni de las hembras, ni de la comida. Los machos se pelean, en general, por el poder.

—Qué desilusión —exclamábamos a un tiempo Felisa y yo.

—Un momento, un momento: las hembras sólo les conceden el derecho a cubrirlas. Se entregan al más fuerte y, una vez fecundadas, se retiran para dedicarse a ellas mismas y a sus camadas. Hasta hay ocasiones —se echaba a reír con picardía— en que mientras los machos, ya talluditos, litigan sobre quién será el primero, son seleccionados los más jóvenes por el instinto de las hembras, que se entregan a ellos a espaldas de los luchadores... Sucede como a menudo con los hombres: el dominante es vencido por la alianza de los débiles, que imponen su orden nuevo y dejan con tres palmos de narices al macho ganador. Uno cuida la viña y otro se la vendimia. Lo importante para la Naturaleza es perdurar. Y para eso la maternidad es lo imprescindible.

—Bueno, pero a la maternidad se llega por... —comenzó Felisa.

—Cállate de una vez, que me cortas el hilo. Es curioso que, así como la maternidad enlaza a cada hembra con todas las demás, porque significa la solidaridad de la especie y una delegación de la Naturaleza, la paternidad es lo que individualiza al hombre, no sólo frente al resto de los machos de la zoología, sino frente al resto de los hombres. Nosotras, al ser madres, somos más animales; el hombre, al ser padre, es más humano. En los animales la paternidad no es decisiva: se acaba con la fecundación o muy poco después.

—¿Quieres decir que la mujer madre no es humana? —preguntaba yo con asombro.

—No quiero decir nada de eso, puesto que pare hombres. Lo que quiero decir es que, desde que el patriarcado destronó al matriarcado, la Humanidad se ha despegado tanto de su animalidad que nosotras hemos ido perdiendo primacía, poder e independencia. Antes los machos (cualquier macho, era igual) valían para lo que valían y adiós; ahora las mujeres nos vemos limitadas a cumplir el oficio de madres. Hay que ver qué timo el patriarcado. No sé si me entendéis: la repartición de los bienes originó la propiedad privada; la moralidad y el respeto a la familia originaron la prostitución; el nuevo orden machista originó la desigualdad y el desorden; la búsqueda de la fraternidad originó toda clase de diferencias; el establecimiento del derecho dio origen a las jerarquías; las religiones, a la culpa y a las penitencias; nuestras necesidades amorosas y el mantenimiento de la prole originaron el culto a la paternidad... A eso se llama salir el tiro por la culata. A nosotras ya no nos queda otro destino que la familia: somos hijas, esposas y madres nada más. En lugar de educar a las niñas para que deseen por su cuenta y riesgo, se las educa para que deseen sólo ser deseadas.

Felisa y yo nos rebelábamos abandonando las tazas de té.

—Contra eso hay que luchar —gritábamos puestas en pie.

—Es muy difícil. Ya perdimos esa lucha una vez... Claro, que hay que tener en cuenta lo que ha escrito la Beauvoir: hacerse la deseada es muy distinto de ser un objeto pasivo. Una amante no se está quieta nunca: se renueva. Debajo del aparente abandono femenino hay una auténtica promoción; si alguna es elegida es porque subrepticiamente eligió antes; el seductor es seducido de antemano, aunque no lo perciba. Ese juego de los instintos está a nuestro favor, pero hay cosas en contra. Por ejemplo, la materialidad misma de los sexos, de los sexos físicos. —Felisa y yo nos mirábamos al mismo tiempo ruborizadas y orgullosas de nuestro descaro—. El del varón es evidente, exterior, de uso fácil y limpio; en él coinciden la finalidad, la disposición y el deseo; o sea, la función ha creado visiblemente el órgano. Por el contrario, nuestro sexo está oculto (y aún lo ocultamos más, porque el pudor es, por lo visto, nuestra principal virtud); es mucho más complicado y, como mínimo, doble.

—¿Doble? —preguntábamos Felisa y yo en el colmo del asombro.

—Sí, señoras: doble, no os hagáis de nuevas. Por su aspecto: el clítoris y la vagina; por su actitud: tan activa como pasiva; por su ubicuidad: en un sitio el orgasmo y en muchísimos la sexualidad...

—Así es mejor —replicaba Felisa, ya tranquila—. El hombre es más simplón: se gasta en cuanto goza. Mi novio...

—Cierto, pero eso no implica que lo nuestro sea una cosa simple. Simples son un pene y un escroto; lo nuestro es una expectativa, una llamada, un recipiente donde se deposita la simiente de la vida; más, donde se configura la vida, no metafórica, sino materialmente.

Aunque no hablásemos de ellos o lo hiciésemos en abstracto, la vocación de los niños que un día tendríamos entre los brazos se hallaba detrás de todos nuestros pensamientos. Dijéramos que nuestra independencia era el fin de la vida, o que nuestro trabajo iba a ocupárnosla entera, las tres escuchábamos sin querer las voces de los niños que, conscientemente o no, presuponíamos. Era lo que resumía Felisa al exclamar:

—Ah, es que eso es mucho más trascendente que echar un polvo, hija.

—Y más largo y mucho más costoso.

—Yo no estoy descontenta de ser mujer —insistía Felisa—. Si un día quiero tener un pene, lo tendré.

—Por descontado, no faltaba más. Ya lo tienes, menuda eres tú. Pero, de momento, déjanos razonar. Porque de lo que hemos dicho...

—De lo que has dicho tú.

—De lo que he dicho se deduce una desventaja masculina. Una gran desventaja: ser hombre no es un don, es una conquista. No se reduce a tener el pene que tú dices; un hombre ha de probar su hombría: no sólo ante la mujer y ante los demás hombres, es decir, ante la sociedad, sino también ante él mismo. Sin embargo, las mujeres, nacemos ya mujeres; no tenemos que aprender a serlo.

—¿Cómo que no? —saltaba yo, que estaba siempre dándole a mi tema—. Nuestra sexualidad es reprimida y controlada hasta que llega nuestra hora, que no sabemos nunca cuál es, y también después. La educación que nos han impuesto los hombres nos ha vencido, Laura, convéncete; nos ha hecho objetos suyos.

—Ay, hija, de ninguna manera. Cómo se ve que sigues virgen. —Era Felisa, por supuesto—. ¿Por qué no vamos nosotras a conquistar igual que ellos, en competencia con ellos, como seres humanos que somos, dejando aparte la maternidad?

—Porque la maternidad no puede ser dejada aparte, o las que nos quedaríamos aparte seríamos nosotras —le gritaba Laura—. Mira, guapa, el trabajo del hombre, a lo largo de su vida, es transformar en fuerza su debilidad (en cualquier clase de fuerza), y la fuerza bruta en fuerza inteligente, o sea, en poder, y el poder, en imposición sobre los demás, o sea, en una ley. No la ley de la selva, que es anterior, sino otra racional, artificial, humana, que se opondrá con frecuencia a la primera, a la ley natural de supervivencia. Fíjate la distancia que hay desde la destrucción de los menos dotados a decir que los últimos serán los primeros o que has de amar al prójimo como a ti mismo.

—Eso ya es religión.

—La religión es la más humana de las leyes.

—No estoy segura. Yo creo que es la más beneficiosa para ciertos grupos —refunfuñaba Felisa.

—Toda ley es provechosa para quien la impone.

—Bueno, bien —intervine yo ante el temor de que se enredaran—. Pero, si ésa es la tarea del hombre, ¿cuál es la de la mujer a todo esto?

—Las físicas, las del cuerpo: la concepción, el parto, la crianza y todo lo que llevan consigo. Desde este punto de vista el hombre es un ocioso; cuanto hace, lo hace fuera de él mismo. Su trabajo es decorativo, como si dijéramos. La Naturaleza, sin él, se habría organizado de otra forma. Su actividad, aun siendo estrictamente humana, para la especie es superflua. Sería muy difícil convencerlo, pero así es.

—¿Y el arte? —preguntaba yo, que siempre me había sentido interesada por él.

—La creación quieres decir, supongo... He ahí un enigma sin resolver —respondía Laura, un poquito aficionada a lo teatral, y para la que cuanto ella ignoraba eran enigmas sin resolver—. El creador es como un ser bisexual. No porque tenga los dos sexos o los ejerza, sino porque se acumulan dentro de él. Tiene, como la mujer, el don de dar a luz su propio sentimiento a través de palabras o de colores o de formas; y tiene, también, como el hombre, una razón conquistadora que ordena y administra la belleza. Porque, a mi entender, todas las variedades imaginables de la creación se reducen a la bondad, la verdad o la belleza. El arte es lo que es; ni aspira a más, ni consigue más. Si alguien pretende hacer útil sus lágrimas, dejará de llorar...

Yo me acordaba de un día en que mi padre me había reñido y castigado no sabía ya por qué, y en que, llorando apoyada contra la pared del jardín en Panticosa, quise llenar de lágrimas una campanilla azul que corté de una enredadera. Así —pensaba— podrían ver junto todo mi llanto. Pero lo malo fue que dejé de llorar en cuanto me propuse llorar más y contabilizarlo. Laura seguía:

—Si alguien persigue una finalidad distinta de la de recrearse, la obra de arte será objeto de mercado y efímera por tanto. El artista es como un vehículo, un ser prestado a ideas que él no podría siquiera enumerar: un ebrio, y en la embriaguez no hay cálculo que valga. Por eso encuentro que crear se parece tanto a concebir y parir.

—Pero de todo lo que estás diciendo se deduce que la mujer es la Naturaleza, y el hombre la cultura. ¿No podrá la mujer crear también con algo que no sea su sexo? ¿No podremos nosotras hacer arte?

—Te he advertido que el creador es bisexual. La creación está siempre al margen de la división de funciones entre machos y hembras.

—No te contradigas ahora, Laura —intervino Felisa—. Según tú, lo nuestro es parir.

—No sólo eso, cuidado. A veces el poder de parir pasa a un segundo término: la mujer puede animar a su hombre en su quehacer, puede engrandecerlo y darle la importancia que él ambiciona. Así será como un motor oculto de la Historia... Y además parir no basta nunca; el instinto no basta; está el amor: el amor al hombre que nos puso a parir —reíamos las tres a carcajadas— y al hijo que parimos y que nos representa.

—En definitiva —concluía Felisa— todo se reduce a un trueque: por su pene, su trabajo y su dinero, hemos de darle al hombre admiración, obediencia y respeto. Pues vaya un panorama.

—¿Y no hay manera de escabullirse de este callejón?

—Una veo yo a la larga: que nuestros hijos varones dejen de ser *masculinos* al modo que fueron nuestros abuelos, y que nuestras hijas dejen de ser frígidas y envidiosas de sus hermanos, y que se abstengan de sacrificarse por entero a un hombre, y no se confundan mirando su feminidad con ojos masculinos. De esto habría mucho que decir... Si no, la reciprocidad de los sexos seguirá siendo una utopía. Cada ser humano, hombre o mujer, ha de reconciliarse primero con su cuerpo, con la vida y la muerte de su cuerpo; de no hacerlo, jamás se reconciliará con otro ser humano, sea del otro o del mismo sexo. El hombre continuará sin ver en la mujer un igual y un colaborador; no verá más que una enemiga en potencia hacia la que le empuja el deseo, y de la que debe retirarse una vez satisfecho para ponerse a salvo. El hombre enamorado sabe que es vulnerable, tan débil como al principio: no ha hecho nada, no ha adelantado nada; está desguarnecido, enajenado (es decir, vendido), alterado (es decir, hecho otro), y ante esa circunstancia le sobreviene el miedo. Sólo una reacción de frialdad, de alejamiento, de simulación, o sea, de cinismo, le devolverá el sosiego; pero, en cambio, le arrebatará el amor... Ésa es la historia de muchos hombres y de bastantes mujeres: prefieren la potencia económica, el estatus social y el predicamento sobre los otros al amor, y de ahí que conviertan el amor, que es el único camino indefenso para salvarse, en un sentimiento de infelices e incultas mujeres.

—¿Cómo te va con tu novio, Laura? —preguntó Felisa mientras atacaba la última pasta.

—Como comprenderéis, nunca he hablado con él de nada de esto.

—Claro, claro, claro —concluyó Felisa con la boca llena—: una cosa es predicar y otra, dar trigo.

Hoy me estremece pensar que haya pasado tanto tiempo desde entonces, aunque quizá quien haya pasado tanto haya sido yo, o me ha pasado a mí.

Sea como quiera, de aspecto, el príncipe azul era exactamente Ramiro Ayerbe. Aquella tarde junto a la ermita de San Jorge yo deduje que a Laura y a Felisa les gustaba a rabiar. Y que, si él hubiera manifestado una vacilación prolongada, habría hecho papilla nuestra amistad. Pero no fue así; su intención al acercarse a nosotras quedó clara en seguida: se había acercado por mí. Yo creo —ahora, desde lejos— que fue esa elección suya la que me movió, unos años después, a casarme con él: ¿cómo iba yo a despreciar a un hombre que les encantaba a las demás mujeres?

Respecto a él pude sentirme después decepcionada en ciertas cosas; pero su físico era aquél, y no engañaba. Y si en algo no cambió nunca fue en lo que yo consideraba —y él— su principal virtud: era simpático, con labia, con una bonita voz y unas manos espléndidas que movía lo necesario para resultar más convincente. Poco después de dejar de charlar con él, su interlocutor caía en la cuenta de que, desde el primer momento, el tema había sido él y lo que a él le interesaba, y que además el interlocutor se había sentido en la gloria contestando que sí o que no según el gusto de Ramiro, y agradecido porque le hubiera permitido opinar. Nunca dejó de sorprenderme tal instintiva habilidad, sobre todo cuando pude admirarla sin estar yo implicada; por ejemplo, cuando la ejercía para seducir a superiores y posibles clientes.

Si ahora mismo se me ocurriese preguntarme cuándo y cómo me declaró su amor Ramiro, no sabría responderme. Pienso que no se me declaró nunca. Fue, insensiblemente, dando por hecho que éramos novios. Y también mis amigas. Por más esfuerzos que hago, no recuerdo que un día les comentara: «Ya me lo ha dicho», a pesar de que había entre nosotras la mayor confianza, de que nos contábamos todo, y de que casi todo era ocasión para pasarlo bien.

Las veo ahora tal como eran... Cierro los ojos y las veo. Laura, la de más edad de las tres, aunque no mucha, era pelirroja. Su pelo encendido y su cutis transparente, rosáceo, delicado y pecoso, le daban un aire entre extranjero e infantil que ella explotaba. Felisa tenía una nariz descaradísima —muy chata, digo—, una cara redonda y una terrible propensión a engordar. Ya por entonces probaba todos los adelgazantes que veía anunciados en las revistas de farmacia, y creo que eso fue la causa de que se estropeara el estómago. «Padezco del estómago y soy gorda: una contradicción», decía riéndose. Era, de las tres, la de mejor humor; por ella sentía una especial inclinación, pese a que mi respeto era mayor por Laura, mejor preparada y mucho más sensata. Las dos se casaron el mismo año: una en mayo y la otra en octubre, recién terminadas las licenciaturas. Sus maridos, compañeros de universidad, se habían instalado un año antes en Huesca, a instancias de ellas. Marcelo, el de Laura, era abogado laboralista; Arturo, el de Felisa, pediatra. Ellas no tuvieron obstáculos para instalarse; sus familias eran acomodadas, y no hicieron más que cumplir lo que más o menos tenían proyectado: Laura abrió una librería en una calle céntrica, no lejos del mejor hotel; Felisa, una farmacia en un barrio nuevo de gente adinerada. Mi trayectoria, como era de esperar, fue muy distinta.

Mi padre —a mi madre apenas si llegué a conocerla— había perdido su fortuna, que nunca fue muy grande, hacía tiempo. Bastante esfuerzo hizo con pagarme los estudios fuera de la ciudad. Una vez concluidos, yo sentía remordimientos por seguir viviendo a su costa. Me angustiaba no encontrar un trabajo que respondiera a mi preparación. Di clases de literatura en un colegio de monjas; pero sólo duré allí un trimestre: supongo que me encontraron demasiado moderna, puede que subversiva. Mi padre procuraba animarme:

—Vente a la cerería conmigo. Yo necesito ya a alguien que me ayude.

Pero no era verdad; en la cerería, que había abierto cuando su familia se quedó sin dinero, cada vez entraba menos gente, y yo no pintaba nada en ella mano sobre mano.

—Me siento torpe. Me es imprescindible tener una persona en casa —insistía mi padre, con la intención de que yo me sintiera provechosa y no me desmoralizara.

—Gracias, pero no es cierto. He estado cinco años fuera, y tú te las arreglabas estupendamente sin mí.

Mi hermano Agustín había entrado también en los seguros, y vivía con su novia. Trabajaba a las órdenes de Ramiro; aunque Ramiro no mandaba mucho todavía.

—Este Ayerbe tiene porvenir —decían todos—; mucho porvenir. Llegará donde quiera.

Quizá era él quien lo sugería y los demás se contentaban con repetirlo sin caer en la cuenta. Ramiro fue siempre tomado como muchacho modelo: el ídolo de las madres con niñas casaderas y también de las niñas casaderas. De ahí que yo me reprochara tantas veces mi frialdad con él, y alguna —he de decirlo— le reprochara sin palabras su frialdad conmigo. La atribuía a su religiosidad: era muy devoto; iba a misa todas las mañanas y me empujaba a ir a mí, y cada tarde hacía una visita a alguna iglesia antes de reunirse conmigo o antes de que yo lo recogiera a la puerta de la que me indicara. En alguna ocasión me besó, pero sólo en los labios, y, cuando nos despedíamos, en las mejillas. A menudo cogía mi mano entre las suyas y hablaba de sus cosas, hasta que subrepticiamente yo retiraba mi mano, que se me estaba quedando dormida, sin que él lo percibiera.

Después de un año de buscar un puesto de trabajo en vano, aburrida y humillada, un anochecer de sábado, a la salida de misa en San Lorenzo —era noviembre y hacía ya frío—, Ramiro me preguntó, con una naturalidad tan grande que parecía fingida, que por qué no nos casábamos. Yo tenía los ojos en el suelo, que estaba lleno de hojas; con una mano contenía mi falda que el aire levantaba. Por la tarde estuvimos, mientras el sol ardía en la copa oxidada de los castaños, en la rosaleda del parque, donde los novios solían apartarse para estar juntos debajo de las rosas que ahora no había, y yo me preguntaba para qué Ramiro y yo estábamos allí... Levanté los ojos del suelo, le miré a los suyos, y le dije también con naturalidad:

—Tienes razón, ¿por qué no nos casamos de una vez?

No me embargaba la menor emoción, y me lo eché en cara dentro de mí, porque todo coincidía en hacerme creer que estaba enamorada. O por lo menos, todos los de alrededor, con sus palabras y con sus actitudes.

Las bodas, más cuanto más convencionales, son siempre un poco cursis. Ninguna resiste la prueba pasados unos años. Es muy difícil resultar normal cuando se va disfrazada y se anda y se gesticula de una manera totalmente insólita. Ramiro había organizado la boda más convencional del mundo. No quiso que fuese en San Lorenzo, porque allí se casaba demasiada gente y él quería que fuese algo distinto. No quiso que fuese en San Pedro el Viejo, que era mi parroquia, porque allí se casaban los intelectuales y los avanzados, con cuyas ideas él no comulgaba.

Eligió la catedral, porque —eso decía— le proporcionaba una sensación de solidez y de fastuosidad que subrayaría la importancia de la ceremonia. En el fondo, la sensación que le proporcionaba era la de haber llegado ya donde aspiraba ciega y seguramente a llegar.

Pisando el atrio, antes de que empezaran los primeros acordes de la marcha nupcial, yo recordé, sin saber la razón, la pila del agua bendita de San Lorenzo, plana, con sus once hoyitos alineados en curva y uno más en cada extremo, donde el agua se refugiaba y en los que yo, de niña, en brazos de mi padre, me mojaba casi entera las manos. Y recordé el claustro de San Pedro el Viejo, tan severo y tan proporcionado, en el que sólo se hundía lo añadido siglos después... Cuando alcé la mirada ya se oía el órgano. Vi el hirviente y aparatoso retablo de alabastro. Avanzaba entre los arcos apuntados igual que en un teatro; por mucho que hurgaba dentro de mí, no sentía devoción ni exaltación. Me atraía el pasado, no el presente. Al mirar a la izquierda porque una señora alzó la mano para saludar, vi la santa Lucía de mármol blanco, y tropecé de pronto con la niña que fui como si se me hubiese puesto delante, sobre la alfombra, en el pasillo. La niña de aquellas navidades en que mi padre me llevó a un pueblo de Somontano, no lejos de Barbastro, donde había de entregar cirios y velas para la fiesta de la santa, y oí a las otras niñas, coloradas y felices, que cantaban por el aguinaldo...

Santa Lucía bendita
nos viene a visitar,
con los ojos en el plato
pidiendo la caridad.

Ángeles somos,
del cielo venimos,
chullas y huevos pedimos...

¿Qué había sido de aquellas pequeñas que vociferaban de puerta en puerta? Ahora yo estaba allí, casándome, sin diferenciar unas de otras las enrevesadas historias del retablo. Me esforcé en concentrarme y en desechar cuanto no formara parte de la ceremonia. Por fin me encontré frente a Ramiro y pensé: «Qué guapo está.» Por su expresión imaginé que él había pensado igual de mí.

Mi traje —regalo suyo y a su gusto— era para mí un poquito demasiado impresionante. Lo que con él Ramiro había querido era sin duda impresionar y lo consiguió; excesivos perifollos y arrequives y una cola excesiva. En lo único que me hice fuerte fue en el tocado porque no quería parecer esa tarde una mujer distinta; vestida de rara, pase, pero yo misma.

Nos casó el padre Alonso, que era confesor de mi marido y que sólo nos llevaba unos pocos años. En el discursito le dio la manía de hablar de cheques y de compararlo todo con efectos bancarios. Vino a decir que el matrimonio es como un talón en blanco; pueden escribirse en él cantidades fabulosas, pero nada se hará efectivo sin la firma del titular de la cuenta, que sólo es Dios.

—Este cheque de hoy —añadió— tiene esa firma por anticipado. El número de ceros lo aumentarán Desi y Ramiro a medida que lo vayan necesitando, porque vendrán los hijos que son la flor y el fruto del matrimonio, y también al ritmo que se pongan para todo cada vez más de acuerdo, porque desde hoy son dos *in caro una,* en una sola carne.

Yo pensaba que, al fin y al cabo, el padre Alonso era el presidente del Monte de Piedad y que esas alegorías económicas no le eran tan ajenas.

Todos los invitados se hacían lenguas de la buena pareja que formábamos y de lo fantástica que se nos presentaba la vida en común. Los jefes de Ramiro vinieron acompañados de sus mujeres, protocolarias y muy vestidas, y mis amigas, más o menos embarazadas, con sus maridos. Se notaba la admiración en la mayor parte de las caras, y la envidia en algunas: en la de mi cuñada Adela, por ejemplo. Mi padre, que fue el padrino, se echó a llorar en medio de la velación. Me incliné hacia él, a pesar de que la madre de Ramiro, de madrina, me dio un codazo reconviniéndome. A través del novio le oí decir:

—Si tu madre te viera...

Le tiré un beso con la mano, con lo que conseguí que llorara aún más fuerte. Al siguiente día, en el diario, el cronista de sucesos escribió que nos habíamos casado «con la enhorabuena de los ángeles y con el aplauso de los ruiseñores». No tardé en comprender que se había equivocado.

Escucho la llave. Es Yamam que llega. Por fin. Bendito sea.

LLEVO VARIOS DÍAS preguntándome por qué me lancé a escribir este cuaderno. Me vienen a la cabeza multitud de razones, pero ninguna de ellas es válida. Antes (iba a escribir en mi otra vida) leía muchos libros; leía sin ton ni son. Con ello entretenía mi aburrimiento y procuraba distraer mis penas, hasta el punto de negarme a mí misma que las tuviese. Aquí no tengo libros, ni ganas de leer, ni tampoco penas: soy feliz. Podría sugerirme que escribo para llenar las larguísimas horas —o se me hacen larguísimas— en que estoy sola; pero yo sé que no me encuentro sola: a solas, puede —muchas mujeres en este país lo están—, pero sola, no. Tampoco creo que la verdadera razón sea ejercitarme en un idioma que acaso —y no me lo cuestiono— empieza a olvidárseme. Sí sé que no hablo, ni deseo hablar nunca aquí, otro idioma que el mío y con la persona que ahora lo hablo.

Lo cierto es que, con esta letra deformada por haber tomado tantos apuntes y tan de prisa en la universidad, no escribo para nada en concreto; no escribo para nadie, ni para mí siquiera. No intentan estas páginas, que no se dirigen a ningunas manos ni en particular ni en general, que nadie me ame más, ni que alguien me perdone, si es que necesito perdón, ni que un imposible lector me comprenda. No trato de poner en claro mis sentimientos, ni los sucesos que a ellos me llevaron, para conocerme mejor yo misma. Lo que escribo no me compensa de nada; no suple pérdida ninguna; no multiplica, por expresarla y dejar constancia de ella, ninguna ganancia; no procura, a conciencia o sin consciencia, sublimar ningún estado de ánimo. Sencillamente no sé por qué escribo, si es que el escribir necesita un porqué...

O quizá sí. Quizá escribo para sentirme materialmente más acompañada cuando él no está. Y quizá porque, para el que ama, proclamar que ama, aunque sólo sea ante él mismo, es una satisfacción tan grande casi como la del amor. Un amor del que no nos sintamos orgullosos y que escondamos entre silencios y reproches, apenas si es amor, y en todo caso quedará sin ecos y reducido, por lo tanto, a su anécdota. Para mí el amor es, como decía de la gracia de Dios el cura que nos daba religión en el instituto, *diffusivum sui* (no sé si se escribirá así), algo que tiene vocación de expandirse lo mismo que un sonido, que un olor o una luz. Por eso se me ocurre que a lo mejor este cuaderno será como un devocionario dedicado a él (a Yamam digo, que es para mí el amor), como una agenda en que su nombre llene todas mis ocupaciones de cada día cuando no está él presente. Porque cuando lo está, él es mi agenda.

De todas formas, sé que estas páginas carecen no sólo de destinatario, sino de destino, al contrario que yo. O acaso me engaño (me propongo dejar expresas aquí todas mis dudas) y secretamente espero que un día él las leerá. Sin embargo, eso sucedería contra mi voluntad; al menos contra mi voluntad de hoy, que es la que me mueve a escribirlas.

La desnuda sinceridad con que planeo reflejarme en este papel no muy bueno que he comprado en una papelería infantil, y el propósito de no ocultar y de no ocultarme nada, no los he tenido siempre. Recuerdo que, a los dos días de regresar de mi viaje de novios, yendo a la librería de Laura, me topé con el padre Alonso. Fue en la plaza del Gobierno. Estaban en flor los castaños y una brisa templada movía los fuertes plátanos. Nos hallábamos no lejos de la fuentecita pública de hierro, ahora seca, junto a la que yo me detenía, durante todo el bachillerato, en la vuelta a casa desde el instituto. En su pequeña pila se quedaban heladas las primeras aguas de lluvia... El sacerdote me preguntó qué tal me iba. Le había dado la mano, y él se quedó un momento con ella entre las suyas. Me miraba con mucha atención esperando mi respuesta. Durante unos segundos no supe qué decirle. Oculté mis ojos en la fuente, ya oxidada e inútil. Él insistió:

—¿Va todo bien?

En un instante decidí —bueno, no sé si lo decidí entonces o lo había hecho ya— no decir nunca la verdad. Ni a él, ni a mis amigas, ni a nadie. Ni a mí misma. Apunté una sonrisa.

—Sí; muy bien —le contesté.

—No podía ser de otra manera —comentó él.

—No; no podía —dije volviendo los ojos a la fuente.

Entre varias posibilidades, habíamos resuelto a tientas Ramiro y yo pasar nuestra luna de miel en el Caribe. Empezaríamos por Colombia, para llegar hasta donde llegara el presupuesto. Su entusiasmo me contagiaba. Nuestra primera etapa era Madrid, donde debíamos dejar el coche (a Ramiro le encantaba conducir: «Me da fuerza y confianza; me tranquiliza») y tomar el avión hacia Bogotá. Pero salimos demasiado tarde, y estábamos cansados de la ceremonia, de la fiesta y de los preparativos. Ramiro sugirió pasar la noche de bodas —recuerdo que él dijo simplemente la noche— en el Monasterio de Piedra. Dentro del coche yo iba cogida de su brazo y con la cabeza sobre su hombro.

—¿Te dejo conducir bien?

—Hasta hoy no conocía esta manera. Hacerlo al alimón es mucho más sabroso de lo que suponía.

Sin dejar de mirar al frente, me besaba de refilón, y yo posaba mi mano sobre la suya en el volante. Cuando llegamos a Nuévalos eran más de las doce. Yo recordé en lo oscuro, al fondo, la arcada casi italiana de una casa cuya pared era de un azul gris; desde que la vi por primera vez me había encantado. La noche era muy tibia. En el monasterio todo estaba en sombras. Delante de la entrada me estremecí al ver un árbol colosal, callado, seco y frío. Me refugié en Ramiro y, a pesar de ello, tropecé al bajar las anchas escaleras.

Me viene con claridad a la memoria el ruido de nuestras pisadas en una galería de altas bóvedas góticas que da a un patio tenebroso. Íbamos con las cinturas enlazadas; nuestros pasos resonaban juntos; detrás se oían otros, más breves y pesados, volví la cabeza y vi a un mozo que llevaba parte de nuestro equipaje.

—Desde hoy usaremos los dos las mismas maletas —dijo Ramiro, y me pasó un brazo por los hombros.

En el patio, si es que lo era, se oía el aire pasar y repasar entre los árboles.

Yo salí del baño con ese camisón y ese salto de cama, tan historiados como innecesarios, que llevan en su ajuar las recién casadas. Al ponérmelos, el satén me produjo un escalofrío.

—Estás preciosa así.

Me hizo dar una vuelta completa y me abrazó. Yo sabía lo que iba a suceder a continuación, pero estaba tranquila: confiaba en Ramiro.

—Vuelvo en seguida —dijo, y entró a su vez en el cuarto de baño.

Yo vacilaba entre esperarlo de pie, fingiendo hacer algo o buscar algo en el neceser, o esperarlo sentada fumando un cigarrillo, o echada ya en la cama. Cada una de esas posiciones denotaba una postura interior y casi una forma de ser. Me pareció más lógica y directa la última: dejé el salto de cama sobre un sillón y me introduje entre las sábanas. Estaban frías y un poco húmedas. Sentí un nuevo estremecimiento. «No pasa nada, tonta», me dije en alta voz. Pensé en mi madre, y me pregunté por qué pensaba en ella. Me habría gustado que estuviera cerca. «Probablemente lo está.» O que estuvieran en una habitación próxima Laura y Felisa. «Niñerías y sandeces. Detrás de aquella puerta está tu marido. Dentro de un minuto se abrirá y saldrá él, te estrechará entre sus brazos y te poseerá. Al principio quizá te duela un poco, pero sabes de sobra cuánta literatura se le echa a estas cosas.» Deseaba a Ramiro; deseaba estrechar también su cuerpo; verlo desnudo, y que él me desnudara. «Qué alegría más grande: el deber coincide por fin con el deseo.»

En efecto, se abrió la puerta del baño. Ramiro no apagó la luz de dentro; lo vi contra ella; no se había puesto nada.

—¿Quieres apagar desde ahí las demás luces?

Obedecí. Ramiro se había quedado inmóvil. Yo veía su espléndida silueta, con las piernas entreabiertas y una mano ligeramente levantada. Le tendí los brazos. Se acercó. Se sentó en la cama. Nos abrazamos con dulzura y sin prisas. Luego él echó hacia los pies de la cama la ropa que me cubría. Con delicadeza, desató los lazos de los hombros de mi camisón y, sosteniéndome, lo sacó por abajo. Yo pensé que habría sido más fácil sacármelo por la cabeza, pero lo pensé muy confusamente. Nuestras bocas no se despegaban una de otra. Me acariciaba las espaldas, las nalgas, los muslos. Yo acariciaba sus espaldas, que me parecían más anchas que nunca, sus nalgas y sus muslos. Mis pechos se rozaban contra su pecho, y él se inclinó para besármelos. Las brumas del deseo no me dejaban ver ninguna realidad —tampoco quería verla yo—, ni medir el tiempo que pasaba... Sin saber bien la causa, quizá por percibir una distracción suya, como si hubiese hecho un mínimo e intempestivo aparte, me separé de él y abrí los ojos. Ramiro me estaba mirando. Sonreía con una sonrisa infantil y avergonzada, como la de un niño sorprendido en una travesura.

—Te quiero tanto que no soy capaz de demostrártelo. Pero no te preocupes: pasará. ¿Tú me quieres? —Me acariciaba el pelo.

—Sabes muy bien que sí. Ahora quiero ser tuya. Ven ya —dije casi en su oído.

—Eso querría, pero... Nunca me había ocurrido antes. Será que estoy cansado.

Sólo entonces entendí lo que insinuaba. Podía haberle preguntado qué otras veces y con quién había hecho el amor, no obstante preferí decirle:

—No me importa. De verdad. Bésame.

No sé cuánto tiempo transcurrió hasta que fue quedándose dormido. Yo fingí que dormía mucho antes; incluso sospeché que él lo fingía también. Habíamos olvidado correr las cortinas. Una luz que se hacía más y más nacarada entró por la alta ventana que daba a un claustro muy extenso. El cuarto entero tomaba un aire fantasmal. Yo oía la respiración acompasada de Ramiro. Pensé de nuevo en mi madre, y me dormí sobre ese pensamiento. Era como si tuviese apoyada mi frente en sus rodillas y ella me cantara, lejos y dentro de mí a un tiempo, una nana vulgar.

Duérmete, niña mía,
que viene el coco
y se come a las niñas
que duermen poco.

Era abril, pero en Cartagena de Indias hacía mucho calor. Vivíamos en un hotel grande, pintado de rosa y con ventanas verdes. Nuestra habitación daba a un corredor descubierto desde el que se veía un jardín con una vegetación admirable. Los esbeltos árboles desconocidos tenían hojas acharoladas de un verde intenso; las flores se amontonaban unas sobre otras con sus colores imprevisibles. Unos loros y unas guacamayas garrían desde sus perchas o desde las ramas de los árboles floridos. El hotel estaba cerca del mar, pero sólo un par de veces bajamos a la playa, demasiado llena de vendedores, de bañistas, de puestos, de carritos. Nos conformábamos con bajar a la piscina. Tendidos en las hamacas, entre breves chapuzones y vagas frases, entrelazadas las manos hasta que el sudor las ponía resbaladizas, pasaban sin sentir las horas perezosas y perfumadas. Al atardecer íbamos en taxi a la vieja ciudad; bebíamos unas copas sobre las murallas; visitábamos de pasada alguna iglesia o algún patio colonial. Una mañana fuimos hasta el santuario de la Popa. Allí nos hicimos una fotografía con un ay, el perezoso, un animal lentísimo, que me pareció un niño enfermo y ofendido. Me entraron ganas de llorar al verlo posar en brazos de unos y otros turistas, alquilado por un hombre renegrido y tuerto.

Ramiro me compraba en cualquier sitio flores de nombres que en España significan otra cosa, y yo preguntaba el de algún árbol especialmente hermoso. Ahora recuerdo los árboles, pero no los nombres que les daban. Salvo uno, que se llama lluvia de oro.

Un día, muy temprano, salimos hacia las islas del Rosario en un barquito frágil. Nos acompañaban otras parejas, algunas de ellas mayores y con niños. Una, de casi ancianos ya, nos miraba con ternura adivinando que éramos recién casados.

—¿Tú crees que se nos nota tanto?

—¿Me lo notas tú a mí? —me respondió Ramiro.

Tenía en los ojos una gran tristeza. Yo apoyé mi cabeza sobre su hombro y lo besé en el cuello. Pasamos calor, pero fue un día hermoso. Vimos pájaros exóticos, pelícanos grises (comprendí que se llamaran pelícanos), aguas a las que las diferentes clases de corales teñían de matices prodigiosos; un acuario con peces indecibles, con grandes tortugas y pequeños tiburones. Vimos animales que semejaban vegetales, y plantas que semejaban animales. Comimos mal e incómodos, pero animados y unidos más que nunca, en una especie de cabaña pirata. Ramiro nadó hasta una roca próxima, y desde ella me arrojaba besos. Estuvimos toda la siesta con las manos cogidas; sudábamos, pero daba lo mismo. En el viaje de vuelta, entre manglares que se movían al paso del barco como una pradera sacudida por un terremoto, Ramiro y yo nos mirábamos con tanta intensidad que el mundo se redujo a nosotros. Yo sentía su mano resbalar, con una suavidad extrema, por el lóbulo de mi oreja, por mi nuca, por mi brazo, y la sentía también en mi corazón. Hasta entonces no había sabido lo que era el deseo. En ese momento se acumulaban, dentro de mí, los deseos de todas las noches anteriores tan decepcionados. Algo se fundía en mi interior y me dejaba, entornados los ojos, sin respiración y luego me obligaba a respirar honda y repentinamente...

Aquel anochecer Ramiro me hizo suya por fin. Pero lo que sentí no fue comparable a lo que había sentido en el barco de regreso.

En las noches siguientes volvió a ser todo como en las primeras. Salvo que Ramiro había dejado de lamentarse y pedirme perdón. Los dos aceptamos la situación como normal, aunque en lo más hondo de mí una voz me decía que no lo era. Nunca hablábamos de eso, y cuando Ramiro conseguía entrar en mí, resultaba tan precipitado y angustioso que yo empecé a preferir que no lo hiciese. Incluso acabé por desear que aquel viaje de novios concluyera. Esperaba que, en Huesca, las cosas y los amigos que teníamos en común aminorarían la temible sensación de soledad que, en mitad de la noche sobre todo, yo no podía impedir que me embargara.

—¿Va todo bien? —me preguntó el padre Alonso.

Yo sonreí lo que pude, con los ojos sobre la fuentecita de hierro de la plaza y contesté:

—Muy bien.

—No podía ser de otra manera.

—No; no podía —le dije.

Aquel primer verano lo pasamos en Huesca: ya habíamos tenido bastantes gastos con la boda.

—Eso es lo mejor —nos decía la gente—: juntitos, solos en el nido como dos tórtolos. Ya tendréis tiempo de volar afuera.

El piso donde vivíamos era céntrico y suficiente; sin embargo, Ramiro aspiraba a otro mucho mejor. Le había echado el ojo a una casa en construcción, cuyos planos me enseñó con orgullo, como si fuera ya nuestra, una noche. Los extendió sobre la mesa del comedor, apartando los restos de la cena. Un dormitorio principal, dos de huéspedes, tres baños y uno para invitados, y un enorme salón.

—Recibiremos mucho. Para prosperar hay que hacer mucha vida social. Los ascensos se cuecen siempre fuera de la oficina...

—¿Y los niños? —pregunté con un hilo de voz.

—¿Qué niños?

—Los que tengan que venir.

—Ah —se echó a reír—, ésos ya traerán un pan debajo del brazo. No hay que adelantar los acontecimientos.

Nos llevábamos bien. Era atento conmigo. Estaba hasta demasiado pendiente de mí, como si, siendo ya marido y mujer, quedara entre nosotros todavía una zona de nadie que él hubiera de conquistar con amabilidades.

Mis amigas se habían marchado, con sus maridos, a pasar el mes de vacaciones a Sicilia.

—Les habría salido más barato irse a Andalucía, que en el fondo es igual que esa isla —dijo Ramiro.

Yo, con el miedo de quedarme demasiado tiempo sola en el piso, me ofrecí a hacerme cargo de la librería de Laura, que había proyectado cerrarla en agosto. Tenía un dependiente de dieciocho o veinte años, bastante torpe, y que se perdía continuamente sin saber por dónde. Como entraban muy pocos compradores, se me iban las mañanas y las tardes leyendo un libro detrás de otro al lado del ventilador. Las oficinas de Ramiro estaban cerca, y él, a eso de las doce, me recogía y tomábamos juntos un café.

—La casada más bonita de Huesca —decían sus amigos a voces, y él me estrechaba la cintura con un gesto de amo que le caía bien.

Al cerrar, me recogía de nuevo. Nos acercábamos a casa; nos cambiábamos, y cenábamos en cualquier sitio con conocidos suyos con los que había quedado, o con los compañeros que quedaban en Huesca y sus mujeres, si es que no se habían ido.

Yo, sin confesármelo, me encontraba extraña; no acababa de digerir mi estado de casada. Anhelaba y me molestaba a la vez quedarme a solas con Ramiro. Hacia la medianoche volvíamos hacia nuestro piso.

—Hasta mañana, cariño. —Me besaba ligeramente, ya juntos en la cama—. ¿Vas a leer todavía más? ¿Tienes bastante luz? Ten cuidado, amor mío. Te vas a dejar los ojos en los libros; esos ojos tan lindos...

Me besaba, también con ligereza, los párpados. Se daba media vuelta.

—Que descanses —le decía yo.

Los sábados, como si se tratase de una obligación previamente aceptada, tras unos larguísimos preparativos (que, de no tener tan claro su final, sería lo que más hubiese agradecido) y tras un costoso esfuerzo que le hacía sudar, Ramiro entraba en mí. Yo procuraba retenerlo, sentirlo; pero se me notaba —yo me notaba, al menos— la buena voluntad. En ningún momento ni él ni yo perdíamos la cabeza, quizá porque los dos la teníamos puesta donde no debíamos. Luego, sin dedicar una sola palabra a lo que acabábamos, más o menos juntos, de hacer, Ramiro se dormía o lo intentaba, y yo fumaba un silencioso cigarrillo que encendía en el baño nada más quitarme el sudor con una ducha. Poca gente recordaba unas temperaturas tan altas como las del verano aquel.

A mediados de mes, una mañana, telefoneó Laura para enterarse de cómo iban las cosas.

—¿Hay novedades ya?

—No; viene bastante poca gente.

—Si digo de lo tuyo.

—¿De lo mío?

—Mujer, que si esperas ya al niño.

—Qué prisas. Claro que no. —Fingí una risa—. La única novedad es que Adela, mi cuñada, se casa con aquel viudo de Lérida que trabaja en el Gobierno Civil. ¿Sabes quién te digo?

—Pero si es muy mayor y tiene cuatro o cinco hijos.

—Mejor; así le dan a la pobre Adela todo el trabajo hecho.

—Todo, no. ¿Por qué crees que se casa el viudo? Según me contó, las dos parejas lo pasaban bien y no cesaban de encargar niños.

Adela se casó en septiembre, muy poco después de que volvieran Laura y Felisa. Los cinco niños del viudo fueron a la boda tan formalitos y tan poco alegres que me produjeron una pena terrible. Me apeteció sentarme con ellos en una mesa para seis. El mayor tenía doce años. Eran unos chiquillos agraciados y despiertos. Nos divertimos bastante; comimos mucho dulce; nos reímos de la gente pesada. Yo bailé con Suso, el de los doce años, y con Paco, uno de diez. Una niña de siete, Marta, de pelo largo y liso, me dijo al oído:

—Deberías ser tú la que se casara con papá.

Me eché a reír.

—No se te ocurra decir eso a nadie. Tenéis que querer mucho a Adela, porque es buenísima y se va a ocupar muchísimo de vosotros. Es igual que si vuestra madre la hubiera nombrado para sustituirla.

Unos meses después, Adela me dijo a la salida de un funeral:

—Hacéis divinamente no teniendo niños. Así estaréis vosotros mucho más unidos y más libres para lo que queráis y para ir donde os plazca. Mi marido es un pelmazo que no tiene ojos más que para los suyos.

Sentí un ramalazo de ira, y pensé: «Así te verá menos, y eso saldrás ganando.» Y es que la pobre Adela se había puesto más fea aún: descuidada, más gorda, peor vestida y hecha una verdadera facha.

Laura y Felisa se deshacían en elogios de Sicilia. Lo habían visto todo, todo fue perfecto y habían sido muy felices. Sus maridos estaban enamoradísimos y no veían más que por sus ojos.

Total, el destino les había recompensado por su intrepidez de ir tan embarazadas a un viaje semejante. La una esperaba dar a luz a fin de año, y la otra, a mediados de enero. Hicimos el pacto de que, cada verano, las tres con nuestros hombres nos dedicaríamos al turismo.

Yo reía como ellas, bromeaba como ellas; había sido también feliz «en mi pisito que puso Maple, segundo piso ascensor», y también mi marido me adoraba y le gustaba yo y él me gustaba a mí más cada día.

—Y aun dos veces cada día —añadí exagerando no poco.

Quizá —pensaba entre mí— lo que a mí me pasa les pasa a todas las mujeres. ¿No actúo yo como estas dos delante de ellas? Pues a ellas les sucederá con sus maridos igualito que a mí con el mío. ¿O es que ha desaparecido la confianza que teníamos antes para chachareárnoslo todo? Hay cosas que se dan por supuestas, que son como son y santas pascuas; ni se mencionan. A nadie se le ocurre, a mediodía, hacerle a un amigo la confidencia de que para él es mediodía. Cuando salimos con los tres maridos —Marcelo, Arturo y Ramiro—, las tres obramos de la misma manera: nos colgamos de su brazo, nos hacemos timitos insolentes, nos arrullamos, aludimos, veladamente o no, a nuestras relaciones más íntimas...

Pero ¿y el amor? ¿Dónde estaba el amor? «Ya vendrá, ya vendrá...» Nadie nos había dicho que el matrimonio era esto. O, por lo menos, nosotras estábamos de acuerdo en que no nos resignaríamos a que fuera esto... ¿Es que no existe otra cosa que la cama? «Claro que sí —concluía yo mis razonamientos—: está el trabajo de Ramiro y sus aspiraciones, estarán los niños, que me darán tanta lata y han de quitarme el tiempo de pensar en estas tonterías...» Pero la dicha que yo había imaginado, ¿dónde está? No lo que los curas denominan el *deleite carnal*, ya ni siquiera me refería a eso, sino a una cierta realización, a tener la certeza de que algo que va a complementarnos ha sucedido, trascendental y para siempre... «Es pronto aún para sacar consecuencias. Espero que no sea siempre así...» No; no esperes; lánzate tú; no esperes que nadie te cumpla, que nadie te realice: eso será como antes, como siempre, cosa tuya... Pero entonces... «Ya irás viendo las cosas más claras; es pronto todavía...» Sin embargo, esta impresión de fracaso, de vacío, esta impresión de haberme equivocado... «Ramiro es bueno; es guapo y es simpático. Todo el mundo está al tanto. Nadie me creería si yo gritara que no es un marido ejemplar, y no voy a gritarlo...» Pero, por lo menos, me gustaría saber cómo son los maridos de mis amigas. Para comparar; para tener un punto de referencia: el viudo, Arturo, Marcelo. Arturo mira a veces de una manera..., y se le pone una sonrisa así, un poco torcida... No; no sé cómo son, ni lo quiero saber. Si ellas no me hablan claro, ¿por qué he de hacerlo yo? O a lo mejor es que a ellas les va bien de verdad, ¿quién sabe? No creo que me convenga a mí sacar esta conversación.

La implacable monotonía en que me iba a perder se desplomó en seguida sobre mí. Ramiro y yo íbamos a misa de ocho y media o de nueve; comulgábamos juntos, como un ejemplo vivo para todos, aunque yo me cuestionara cada día su necesidad; estaba sola en casa hasta que él venía a comer; me quedaba sola de nuevo esperando cenar con las mismas caras de siempre y las mismas bromas de siempre, frente a frente con Ramiro; al final de cada jornada me hacía una cruz en la frente —«Que tengas buenos sueños»— antes de darme un beso fraternal. En dos o tres ocasiones insinuó que debería confesarme con el padre Alonso; pero yo había resuelto no tener un confesor fijo, no por ocultar la verdad —entre otras razones porque yo la verdad no sabía cuál era—, sino por no verme obligada a soportar preguntas íntimas que procuraba no plantearme ni yo misma y a las que ni yo misma habría podido responder.

Las chicas, Laura y Felisa, estaban ya con sus tripas demasiado pesadas para andar zascandileando. Nos veíamos menos: algunos sábados a la hora de la cena, o a la salida de misa de doce los domingos, antes de ir juntas a la confitería. Y en la confitería nos hacíamos la ilusión de que el tiempo no había transcurrido en los últimos quince años. Una noche nos reunimos para celebrar que a Ramiro lo habían ascendido a jefe de zona.

—No te quejarás —me dijeron—. Y es que un casado inspira más confianza que un soltero.

Me dio por cavilar si se habría casado conmigo sólo por eso. Obervaba a mi alrededor una oquedad, como si alguien me hubiese metido en un fanal transparente. Tenía la impresión de seguir soltera... «Bien, y entonces, ¿de qué te quejas?» Yo me replicaba: «A la soledad de quien está soltero le queda siempre la esperanza, a la soledad de quien está acompañado sólo le queda la desesperación.» «Exageraciones —me replicaba a mí misma, porque era conmigo con quien más dialogaba—: siempre te ha gustado exagerar...» Y vuelta a la rutina. Y vuelta a desear que llegase la Navidad para esperar que algo cambiara; o a acompañar a Laura a sus clases de parto sin dolor, para estar preparada cuando llegase mi ocasión, que no llegaba; o a visitar de cuando en cuando la cerería de mi padre... Comprendiendo él que algo me sucedía, para distraerme me enseñó a hacer velas, cosa que yo no había consentido nunca antes, porque me inspiraba el temor de un seguro de soltería, y me imaginaba con cuarenta o cincuenta años, sola, vendiendo velas detrás de aquel mostrador de madera sobada y oscura. Aprendí —mal— en unos cuantos días. Me había propuesto regalar velas por Navidad a todos los amigos.

—Papá, quiero que me enseñes a hacer velas rizadas, velas torneadas de distintos colores, y aquellas campanitas de cera que subías a casa en cuanto me daban las vacaciones de Navidad en el instituto.

—A tus órdenes, mi sargenta. ¿En cuánto tiempo quieres aprender? ¿O será mejor mandarme que las haga yo? Más limpio desde luego.

Me había presentado en la cerería con un gran mandilón para no mancharme. Mi padre se reía de mí, pero yo barruntaba su emoción, la tocaba casi. «Me habría gustado tanto que tú fueras mi sucesora», me decía a veces.

—Empecemos con las lecciones teóricas. Ésta es la paila donde se hace el caldo; de ella se saca con estos cucharones que parecen cazos con mango largo. Éste es el noque, que se llena de caldo y se mete en este depósito, rodeado de agua al baño María para mantenerlo a la temperatura conveniente.

—¿Y esto qué es? —le interrumpí yo, que estaba mirando como siempre donde no debía.

—Si no vamos por orden, no aprenderás jamás. Eso es para hacer lamparillas de iglesia. Es lo más fácil, pero ahora no se llevan; los curas prefieren las eléctricas. Cada plancha de ésas tiene cien orificios. Se llenan de caldo...

—Pero ¿de qué caldo, papá? ¿De caldo del cocido?

—Un poco de respeto, Desi. De cera líquida. Aunque de cera no tiene mucho. Encima se coloca la mecha y este hierrito de cuatro patas. Luego se refrigera todo con agua fría para que solidifique, y, al destaparlo, salen las lamparillas invertidas.

—Qué facilito.

—Sí; todo es fácil antes de ponerse a hacerlo... Sigamos donde estábamos. Este armazón heptagonal, que quiere decir que tiene siete lados...

—Es lo único que he entendido hasta ahora.

—Este armazón es el arillo o tiovivo. Como ves, está pendiente del techo y es giratorio. Por cada lado tiene una tablilla con veinte arandelas de las que se cuelgan las mechas, que se tensan con este contrapeso cilíndrico de hierro. A cada mecha se le dan dos o tres baños de cera en el noque. Después se hace girar el arillo, y se bañan las mechas de la tablilla siguiente mientras se va enfriando la cera de las anteriores. Y así hasta la séptima tablilla. Puedes simultanear hasta ciento cuarenta velas. Luego vuelve la primera tablilla y se le dan más baños. Y vuelta a girar, hasta que las velas alcancen el grosor que quieras.

—¿Y estas placas de hierro con agujeros de aquí abajo?

—Son las terrajas. Bajan y suben. Sus orificios, que se corresponden con las mechas de las tablillas de arriba, sirven para uniformar a todo lo largo el grosor que desees. Sin las terrajas no se podría decir recto como una vela, ¿me comprendes?

—Te comprendo. ¿Entramos en materia?

Mi padre soltó el trapo a reír. Despacito al principio, y luego a carcajadas cada vez mayores. Cuando pudo hablar, me explicó:

—Todo lo que te he dicho no sirve para nada. Lo que manda es la experiencia. Por ejemplo, cuando la vela tiene cierto diámetro, que no sabría decirte cuál es exactamente, se corre la cera caso de no enfriarse hasta el grado oportuno. Hay que tener paciencia; hay que esperar que se refresque; si no, no agarrarán los baños posteriores. Si la cera está bien fría, la vela toma más cuerpo; si no lo está tanto, menos. Ahí está el quid de la cuestión... Y si hay corrientes de aire, cosa que aquí es frecuentísima (así estoy yo de acatarrado siempre), es necesario tomar precauciones, o la mecha oscilará y se irá el caldo para un lado y se correrá la vela... Pero nada de esto puede enseñarse: se aprende sólo con el tiempo y la constancia.

—Bueno, vamos, ¿en dónde está la cera?

Vuelta a las risas de mi padre; batía palmas como un niño pequeño.

—La cera es contraproducente, hija: es, como decís vosotros, un rollo. Esta cera no es cera; se usa la parafina. De menos graduación para las lamparillas, y de más, para las velas y los cirios. En otros tiempos la Iglesia exigía el sesenta por ciento de cera; pero, incluso entonces, los curas buscaban lo más barato y pedían velas más bajas en cera. Y ahora, por fin, apenas si usan velas.

—¿Y esta cera tan dura?

—No es cera, es carnaúva. Déjala ahí. Es casi como de cristal. Para fundirla, lo he de hacer con parafina fuerte, o, si no, a fuego directo... Pero nada de esto se emplea ya. Ni de esto, ni de nada. Creo que soy el único cerero de la provincia. Cuando me muera, como no me deje hechos yo mis ciriales, no tendré luz de vela en mi velorio.

Estoy viéndolo ahora, con sus cejas pobladas («Déjame que te las recorte. Tienes unos pelos que te llegan a media frente.» «No me da la gana.» «Pues voy a peinártelas por lo menos y a ponerte un poquito de laca.» «Te guardarás de tocármelas como de mearte en la cama.»), con sus manos tan hábiles, con su cuerpo casi quebradizo y lleno de amor y de alborozo, porque yo —la universitaria y la lista de la casa— consentía en meterme con él en la trastienda para oírlo hablar de su oficio y aprenderlo.

—Mírame hacer esta vela rizada. Pero ponte cómoda para que no te entren las prisas, porque las prisas lo estropean todo.... ¿Estás ya? Encendemos la vela de esta palmatoria. Con su llama vamos calentando la vela que queremos rizar. No muchísimo, ¿eh?, y sólo por la zona sobre la que trabajaremos. ¿Me sigues? ¿Ves esta tenacilla? Con ella se pellizca la cera. Así, ¿lo ves?, y queda un saliente muy fino y estriadito, vertical u horizontal, como tú quieras... Otro al lado. Y otro, ¿ves? Y otro. Prueba tú ahora... No; aguarda. Hay que darle agua de jabón a la tenacilla para que no se embace; si no, se formará un engrudo horroroso y se pegará todo. Despacio. Despacito... Ya lo has estropeado. Volvamos a empezar con otra vela.

—Es que esto es imposible. Qué trabajera, Dios.

—No hay nada imposible. ¿No lo hago yo con mis manazas? Lo sé, yo llevo años, y tú tres cuartos de hora. Lo imposible es hacerlo en tres cuartos de hora.

—¿Y las campanitas?

—Eso es lo más sencillo. Se cogen estos moldes de madera...

—Pero si son macizos.

—Es que las campanitas no se moldean por dentro, sino por fuera de ellos... Se meten primero los moldes en agua con jabón, y luego en el caldo coloreado ya, dos o tres veces. Después se echan en agua fría, y se desprenden los moldes de la cera.

—Sí, sí, sencillito... Hay que saber darles los baños; hay que saber si se les dan dos o tres; hay que saber dejarlas pariguales por todos sitios; hay que saber separarlas para que no se rompan... Yo no voy a poder hacerlo nunca.

—No me gusta que digas tonterías. Ya lo creo que podrás. Vamos a divertirnos muchísimo los dos juntos. Y tus amigos tendrán las velas más bonitas del mundo. En el centro de cada una pondremos cuatro o cinco campanitas y, en los extremos, otras más pequeñas. Con este moldecico las haremos. Rojas y moradas y de un verde muy claro, ¿te parece?

—Claro que me parece, pero yo no he venido a que lo hagas tú. Quiero hacerlo yo sola.

—Y tú serás quien lo haga; pero a mí me enseñaron, y yo te enseñaré... Mira, lo más elemental son las velas torneadas que decías. Aquí está este molde de bronce con bisagras, que lo mandé hacer yo. Se abre por arriba, ¿ves?, por la mitad, y se deja caer. Ahora se colocan las mechas, que se tensan con esta palanquita; vuelve a cerrarse, y se echa por estos agujeros el caldo. Luego se pone a enfriar tranquilamente... Para quitar el rastro de las junturas del molde se le dan un par de baños, y se tiñen, con estas anilinas a la grasa, del color que tú elijas. Al final, las terminaremos con un barniz que es un secreto mío. Lo hago con goma de sandáraca y alcohol de noventa y seis grados. Se da en frío. Es lo último que se hace, y proporciona un lustre muy bonito.

Era como un rey que va a abdicar del trono y le entrega al heredero sus prodigiosos poderes. Me enternecí.

—Ten paciencia conmigo.

—La que tiene que tener paciencia conmigo y con las velas eres tú, hija.

—¿Por qué no me muestras los moldes de escayola con que me hacías las velas de animales cuando era chiquitica?

Me llevó a un rincón. Tenía la cara de un niño en la noche de Reyes, y un dedo sobre los labios. En una estantería baja, amontonados, yacían los pequeños moldes de los que salieron velas maravillosas. Junto a ellos, los de los exvotos: brazos, gargantas, niños, manos, pechos, piernas... Un montón de milagros asombrosos. Tomé en mis manos los moldes, toscos por fuera, y amarrados con guitas. Con un rotulador había escrito mi padre: perro, gato, hipopótamo, jirafa...

—Desde que te fuiste a estudiar, no he vuelto a usarlos.

Los besé sin abrirlos. Miré a mi padre como quien comparte un secreto; también yo me llevé un dedo a los labios. Nos abrazamos. Mi padre había menguado tanto que ya era sólo de mi estatura. Mis ojos quedaban cerca de sus orejas.

—También quiero que me dejes cortarte esos pelazos que te salen de ahí; parecen matorrales.

—Cuando hayas aprendido a hacer todo tipo de velas, veremos si te dejo. Antes, de ninguna manera.

Mis amigos tuvieron ese año, en efecto, las velas más preciosas de este mundo. Pero lo cierto es que no las hice yo; sólo serví para estropear alguna que otra y para cortarle a mi padre los pelos de las orejas.

AQUELLA NAVIDAD estuvo en Huesca Pablo Acosta. Había heredado de sus padres una casa en Sallent de Gállego; aunque vivía en Madrid, pasaba en ella alguna temporada. Me lo encontré por la mañana. Yo iba cruzando el parque —hacía un frío horrible y una niebla espesísima— y él estaba corriendo por allí con un chándal verde y morado. La alfombra de hojas era muy alta. Con la visión y el ruido amortiguados, Pablo tropezó conmigo, sin reconocerme, a la altura del quiosco de la música, donde algunos domingos, en nuestra adolescencia, habíamos escuchado a la banda militar. «No saben tocar más que *El sitio de Zaragoza*», decía Pablo, que era aficionado a la música clásica... Me pareció no haber visto aquel quiosco desde entonces hasta ese mismo día, y descubrí que era ochavado, no redondo, y estaba sostenido por parejas de columnas esbeltas. (Sí; pero ¿cuántas, Dios mío? No lo sé; hoy no lo sé. Quizá ocho pares, quizá diez.)

El día anterior, nada más llegar, Pablo me había telefoneado. Quedamos en que vendría a casa una tarde —la siguiente, a ser posible— a tomar una copa. Al verlo en medio de aquel frío helador se me pusieron en pie los veranos de la infancia. Por aquellos años, tan lejos ya como si no hubieran existido, aún teníamos nosotros la casa de Panticosa, que hubo que vender más tarde para pagar mis estudios entre otras muchas cosas. Era Casa Magín, no lejos de la iglesia grandona y gris, con sus dos pisos de campanas. Sobre la puerta, con jambas de mármol también gris, alardeaba el escudo sostenido por dos ángeles sin alas. («Si no tienen alas, ¿por qué sabes que son ángeles?», me reprochaba Pablo.) Tenía un pequeño huerto con una tapia de anchas piedras llenas de verdín y de zarzas. Por las tardes, en verano, yo escuchaba el tañido de las esquilas y el rumor del agua que subía desde el río. Acostumbraba hablar con Dick, mi pastor samoyedo, en voz muy baja para no quebrantar el silencio. Me impresionaban los elevados montes, sobre cuyos picos más altos nevaba muy pronto, y no conseguí nunca adaptarme a ellos y verlos como amigos, porque me hacían sentir, bajo su custodia, más insignificante y desvalida aún de lo que era.

La casa de Pablo en Sallent de Gállego —Casa Boria la llamaban— tenía delante —y lo tiene, supongo— un compás con rosales que su madre cuidaba —eso sí que ya no— como a las niñas de sus ojos. Se subía hasta la casa, tampoco lejos de la iglesia, por calles en zigzag y con aceras escalonadas para salvar los tremendos desniveles. Su portada («Es más antigua que la tuya», me hacía rabiar Pablo) tenía una fecha grabada: 1817. Cuando llegábamos mi hermano y yo, el viejísimo mastín Bordón («Tu perro sí que es más antiguo que el mío», le respondía yo) fingía incorporarse y movía un poquitín el rabo en prueba de reconocimiento; a veces hasta lanzaba un ladridillo para avisar a los de dentro. El pobre Bordón no tardó en morirse; lo enterramos allí mismo al pie de los rosales.

Durante las vacaciones, algunas tardes íbamos Agustín y yo en bicicleta en busca de Pablo; otras, cuando habíamos dispuesto subir al balneario, venía Pablo por nosotros. En el camino a Sallent, dejábamos atrás El Pueyo y Escarrilla, tan chiquito; atravesábamos el túnel de Escarra, en el que nos caían gotas gruesas y gélidas que me asustaban, y el embalse de Lanuza, con su pueblito abandonado a la orilla. Por fin llegábamos a Sallent, que ya habíamos visto desde arriba mucho antes, y nos animaba verlo y nos sentíamos cansados y contentos. La madre de Pablo nos llamaba los tres mosqueteros («Gente menuda, menuda gente», decía, mientras nosotros pateábamos en las escaleras y en los suelos enteramente de madera de la casa), y nos daba unas meriendas riquísimas, que nos sabían mucho mejor que las del ama Marina, la vieja criada que siguió con nosotros después de morirse mi madre.

Me acuerdo de un fin de semana largo, a principios de un noviembre (creo que fue la última vez que estuvimos juntos en Panticosa; yo ya era una mujercita casi bachillera), en que subimos Pablo y yo solos al balneario. El lago estaba rebosante de agua de los neveros; aún lo veía enorme —luego ya no— y sin color ninguno propio, sino de los colores que reflejaba: verde, granate, negro. Me acuerdo del estruendo permanente y ensordecedor de las aguas y de lo melancólico y deshabitado que estaba todo: el balneario, las casas, los hoteles. Yo me entristecí, Pablo, para reavivarme, me decía:

—Qué deterioro, Desi, qué deterioro. Mira: «Se prohíbe merendar en los paseos», y no hay ni meriendas ni paseos; «Se prohíbe pisar los macizos», y no hay macizos; «Bar Aurelio - abierto», y es mentira.

Desde que llegamos, un gato blanco y negro no muy grande maullaba detrás de nosotros («Tiene hambre y está solo», dijo Pablo), como un mendiguito o como un cicerone desocupado, sin dejar de seguirnos. Entre los maullidos del gato, la humedad, el pavoroso silencio que envolvía el estrépito del agua y el atardecer, empezó a entrarme miedo, y me apretaba contra Pablo. Pero Pablo, de vez en cuando, lanzaba un grito para asustarme más y que me apretara más contra él. Nunca hasta esa tarde me había dado cuenta tan claramente de que Pablo era un chico y yo una chica. Me llevé el gato a casa. Sólo estuvo unos días; cuando comió lo suficiente, se fue y no volvió más.

Pablo es ahora altísimo. Muy moreno, con una cara tan española que parece un anuncio de turismo: alargada, de nariz aquilina, pómulos marcados, barbilla partida e, inesperadamente, una boca de labios gruesos. Me abrazó con alegría en el parque y me besó las dos mejillas. Me las dejó mojadas de sudor a pesar de la temperatura. Recordé otra cosa: cuando me hacía rabiar tirándome de las trenzas o poniéndome cigarrones en el bolsillo de mi delantal; yo lloraba de impotencia rabiosa y él reía. Y ahora allí estaba, jadeando, sonriente, crujiéndose los dedos de las manos más nobles que yo he visto en mi vida. «Es un alto cargo de la policía», me había dicho Adela, que siempre estuvo enamorada de él. «Y tan alto», pensaba yo mirando su estatura.

—No pude venir a tu boda porque estaba haciendo el tonto en Nicaragua.

—¿Y cuándo vas a casarte tú, so sinvergüenza? Tendrás novia por lo menos, digo yo.

—Cuatro o cinco —me contestó y cambió de tema—. Esta tarde te llevaré un regalo; estaré en ascuas hasta que te lo entregue. Vaya un viajecito que me ha dado. Y sabe Dios lo que ahora estará haciendo en el hotel.

—Pero ¿qué regalo tan malísimo es ése?

—Ya lo verás.

Nos despedimos, besándonos de nuevo, hasta la tarde. A los diez o doce metros me volví para verlo correr. Estaba aún parado mirándome. Me saludó con la gran mano en alto, como un indio.

Por la tarde fue a casa con un traje de franela gris que le sentaba muy bien. Atado con una correíta verde llevaba un perrillo.

—¡Un salchicha! —dije.

—No exactamente: un primo suyo, es un téckel. Tiene un buen pedigrí, pero no le sirve de nada: es un cochino. —Me alargó la correa—. Tómalo, es tu regalo. De pequeña siempre andabas detrás de un perro al que pudieras llevar en brazos... Éste será un buen amigo de tus niños. Yo no concibo a un niño sin un perro a su lado... La pena es que tendrás que educarlo tú, bajarlo a la calle tú para que haga sus cosas y pasearlo tú.

Yo lo había cogido encantada, y el perrillo me lamía la nariz, los ojos, las orejas, como si hubiese hecho el descubrimiento más extraordinario de su vida. Me senté y lo dejé en el suelo. Él saltó sobre mí y se acurrucó en mi regazo soltando un suspirillo. Pablo, en jarras, sonreía satisfecho. Ramiro trajo unos vasos, el hielo, las bebidas; el perrillo se bajó y fue a olisquearlo; se dio luego una vuelta por el cuarto, y se agachó para hacer un pipí mínimo.

—Será cerdo... Acaba de hacer otro en el portal —dijo Pablo.

El perrillo lo miraba con la cabeza torcida y unas lunitas blancas en los ojos.

—Hay que darle con un periódico en el culete para que se acostumbre a ser limpio.

—Hay que darle con su propio pedigrí —dijo Pablo alargándome un pliego de papel.

El perrillo saltó otra vez encima de mí como quien ratifica una posesión.

—Qué trajín —comentó Ramiro mientras preparaba las copas.

—Es verdad —dije yo—: ése será tu nombre. Te llamarás Trajín.

Le acaricié la cabeza y, como si hubiese entendido, levantó la carita, me miró, se arregostó entre mis piernas y se dispuso a dormir con el cuello apoyado sobre sus dos manos dobladas.

Fue Trajín quien vino a aliviarme la monotonía y a llenarme una parte del creciente vacío que sentía.

Laura dio a luz el día de Reyes. Yo me había vuelto a hacer cargo, durante el mes de diciembre, de su librería. El trabajo, por ser época de fiestas y regalos, resultó bastante agotador, aunque aparte del muchacho inútil de siempre, tenía para auxiliarme a una chica eventual. El día siete de enero fuimos Felisa, ya en las últimas, y yo a la clínica. Llevábamos flores y bombones, de los que Felisa hizo el gasto nada más abrir la caja. El niño era tan moreno que parecía un disparate que lo hubiese parido Laura. Si con un corcho quemado —cosa que propuso su madre— le hubiéramos pintado un bigote, sería igual que Marcelo; su padre podía estar tranquilo.

—Sí; para tener hijos de otros estoy yo. Bastante tengo con el mastuerzo de Marcelo: ahora estará desaforado, después de casi un mes a dieta... Por lo menos a dieta de lo que a él le gusta. Casi temo volver a casa. Menos mal que el niño servirá de parapeto; con él tendré disculpa para negarme cuando esté desganada.

—¿Es que ya no te gusta Marcelo? —le pregunté.

Se incorporó sobre las almohadas, se acomodó bien en ellas, encendió un cigarrillo nada recomendable, hizo el ademán de ajustarse unas gafas imaginarias, y Felisa y yo nos echamos a reír deduciendo que nos iba a soltar uno de sus discursos.

—Escucha, Desi, hijita: lo que le interesa al matrimonio (me niego a decirte lo que me interesa a mí) es un terreno llano donde los niños no puedan despeñarse. El matrimonio está proyectado para eso, no para los momentos de éxtasis —Laura ponía los ojos en blanco de una manera muy cómica—, que son cada vez menos y más cortos. Dice Marcelo que el matrimonio es el máximo de tentaciones unido al máximo de facilidades para satisfacerlas. No es buena esa definición; no hay tantas tentaciones: la repetición y la rutina acaban con todo... Habría que tener tiempo y resistencia para inventar nuevas posturas, nuevos procedimientos, besos y caricias nuevos; pero la confianza y el aquí te cojo aquí te mato lo impiden. Y que se llega a la cama cansada y no apetece acometer proezas. De vez en cuando, quizá sí; muy de vez en cuando: con alguna excitación extra, con bastante alcohol o qué sé yo...

»Y que conste, que fuera del matrimonio (o de la pareja, vamos) los contactos son apresurados, inquietos, no se entrega una de verdad, y eso repercute en el placer. Tú, Desi, que llegaste al altar virgen de capirote, no lo sabrás, pero te lo digo yo: los actos extramuros son más atractivos, pero menos gloriosos en el fondo. Porque, en contraposición a lo que te decía antes, el matrimonio permite ahondar y conocerse y corresponder, cosa que la novedad y la impaciencia excluyen... Y es que los cuerpos también son una asignatura: hay que estudiarlos, aprenderlos, asesorarlos... Una se licencia y después se doctora. Ni que decir tiene que los hombres llegan más adiestrados: las aventuras anteriores nos benefician a nosotras, que somos las que recogemos la cosecha. Yo, a las mujeres que se quejan de cuernos retrospectivos, las llamo idiotas; gracias a tales cuernos lo pasan ellas bien.

»En líneas generales, en esto del matrimonio lo esencial es no temerle a nada: lanzarse a tumba abierta y, si no sale bien, resolver el planchazo con una broma oportuna. Porque el erotismo dentro del matrimonio (y soy una intrépida hablando así) es como el de una casa de putas que está al lado de una iglesia y tiene que mantener severa y digna la fachada. Pero ¿qué pasa dentro? Con las patas por alto, sin la menor vergüenza, los dos cónyuges follan... Ésa es la única posible transgresión. Y casi imaginaria. Cuanto más terremoto y más tomate, más seriedad por fuera; esa contradicción organiza un compincheo entre los dos que, a la hora de la verdad, funciona de película. Es como si fuésemos actores que, durante un par de horas están en escena y ante el público, pero luego, en su camarín, ya solos, sin las estrecheces del papel, se dedican a hacer de las suyas.

»Lo que pasa es que hay que enseñarse a dar pares y nones: fingir hastío, dolores de cabeza, poner cara de susto oyendo un chiste verde que sabes muy bien que pone al rojo a tu marido... Hay que hacer alusiones y provocaciones, guiños y compadreos durante el día, delante de la gente, cuando él no pueda meterte mano, y se le engorde así, aplazándolo, el deseo y todo lo demás... Y hay que inventarse, a cualquier precio, modos de transgredir. Qué palabra, hijas mías: la más grande de todas, porque sin transgresión no hay erotismo ni

Cristo que lo fundó. La Iglesia se lo ha cargado todo: quemó a las brujas, pero dejó vivir a las putillas más pobres para que personificaran al mal y dieran a la vez asco. Y, sobre todo, santificó el matrimonio, con lo cual nos hizo la puñeta: a ver quién le hinca el diente a un sacramento. Ya nadie conserva la imprescindible idea de pecado... Sin embargo, gracias a Dios, algo se nos quedó dentro y tardaremos mucho en expulsarlo: bendito sea el demonio. A él tendremos que recurrir a menudo. Yo recurro con la coprolalia... Qué burras sois, ¿no sabéis lo que es? Hablar guarradas... Tenemos que echar mano de algo que nos permita creer que estamos traspasando los límites burgueses y saliéndonos de la regla. (Está bien, digamos de la norma para que no haya confusiones.) Yo le digo a mi marido cosas tan finas como éstas: «Me gusta tu polla, cabrón. Cuánto me gusta... Ay, no te vengas tanto, que me vas a matar... Así, hijo de la gran puta», y otras por el estilo. Supongo que vosotras actuaréis igual, ¿qué le vamos a hacer? En definitiva, más cómodo y más práctico es eso que irte a echar un polvo con tu marido a una pensión, o a las afueras dentro del coche para poner sal y pimienta al guiso.

»De todas formas, qué difícil es conservar a un marido, y que el marido te conserve a ti, con la misma ilusión y el mismo frenesí de la primera noche. El ser humano tiende a joderlo todo menos a su cónyuge: qué aburrido es el desgraciado. Yo creo que, si llegan los niños, es precisamente para distraernos y que no nos hagamos mala sangre. Anda, que no es lista ni nada la madre Naturaleza...

Las risotadas de Felisa denunciaban que ella pensaba y obraba igual que Laura. Me abrumó asegurarme de que sus vidas eran incomparablemente más divertidas que la mía. No obstante, de boca para fuera, yo me reí tanto como Felisa.

ERA MAYO, y habíamos ido a Madrid a un congreso internacional sobre seguros. Viajábamos en coche no sólo por el capricho de Ramiro, sino por el mío, que quise llevarme a Trajín; para mí había empezado a transformarse en la representación de mi hogar y en mi compañerillo. «Te estás volviendo un poco maniática», me decía con frecuencia Ramiro. Desde hacía una o dos semanas, Trajín había cogido la costumbre de sentarse sobre sus ancas y ponerse de pie —no encuentro otra manera de decirlo— con las dos manitas colgando. Como nos reíamos, él repetía sin cesar la gracia.

—Voy a llevarte a un circo, pequeñajo.

—Parece un monaguillo —decía Ramiro, tan eclesiástico como siempre.

—Le haré un trajecito de negro veneciano y le pondré una bandeja delante para que las visitas dejen sus tarjetas.

Estaba precioso. El largo rabo que tenía de cachorro se le había poblado; le había crecido muchísimo, y muy suave, el pelo de las orejas, de la garganta, de las patas, del lomo; lo tenía de color fuego con puntas negras y ondulado. Por la calle llamaba la atención y conseguía de mí cuanto se proponía.

—Lo tienes muy mimado —insistía Ramiro con ocasión y sin ella.

—No, si te parece voy a tener un perro para darle palizas.

Así que decidí llevármelo a Madrid.

Allí hicimos amistad —yo aún no los conocía— con el principal accionista de la compañía de Ramiro y con su mujer, que eran de nuestra edad poco más o menos. Se trataba de un matrimonio agradable, ligeramente distante con los demás, pero al que yo caí muy bien.

Tenían tres niños: dos rubios y uno moreno, los tres muy guapos. Al presentarme al marido, que se llama Fermín, el mío dijo:

—Desi, mi mujer.

—¿De dónde viene Desi? —me preguntó.

Iba a contestar yo, pero se me adelantó Ramiro.

—De Désirée —dijo sin vacilar.

Yo lo miré; él recogió imperturbable mi mirada. Entendí que Desideria le parecía demasiado pueblerino para Madrid y para sus superiores. Me daba igual: también me resigné, con una sonrisa, a llamarme Désirée, mucho más refinado.

—Qué bonito nombre —comentó Julia, la esposa.

Mientras duraban las sesiones del congreso, ella me acompañaba a hacer compras o a ver escaparates, y a los toros un día. Yo, cuando me era posible, sacaba a Trajín para que conociera Madrid.

—Aquí naciste tú. Tú eres madrileño. Mira qué bonito es tu pueblo.

Y si se quedaba en el hotel, le dejaba unas zapatillas mías junto a la cama y un camisón encima, para que se durmiera con mi olor y tuviese la certeza de mi vuelta.

Al concluir una de las sesiones, me di de manos a boca en el local del congreso con Pablo Acosta.

—Pero ¿qué haces tú aquí?

—Al fin y al cabo soy de la Interpol, y en estas reuniones siempre hay alguna pista que seguir —me respondió riendo y encendiendo una pipa—. ¿Es que te ha sacado a pasear Trajín? —añadió haciéndole carantoñas, porque el perrillo lo había reconocido—. Está muy guapo. Claro, que tiene a quien parecerse... ¿Y ese niño que va a ser su amiguito?

—De momento tendrá que conformarse conmigo.

—Pues date prisa porque, como se acostumbre a acapararte, sentirá luego pelusa.

Pablo siempre me producía el efecto, al verlo, aunque hubiera pasado mucho tiempo, de haberlo visto hacía sólo unas horas. Con él se reanudaba no sólo la amistad, sino la conversación, de la forma más rápida y sencilla. Tenía esa virtud.

—¿Quieres que te lleve a algún sitio en Madrid?

De repente, sin pensarlo, dije sorprendiéndome a mí misma:

—Sí; quiero que nos lleves al zoo a Trajín y a mí.

—A Trajín quizá no lo dejen entrar; pero a ti, si enseño mi carnet, puede que sí.

—Muy gracioso. No creo que te haga falta enseñar nada, porque vas a tu casa.

Fuimos a la tarde siguiente. Ya ante la puerta, el perrillo clavaba las patas en el suelo negándose a avanzar, asustado por el olor. El portero nos advirtió que no podía pasar y que sería un riesgo inútil. Trajín se quedó satisfechísimo dentro del coche. Pablo y yo paseábamos, entre jaulas y niños, sin orden ni concierto. Parecía que los dos nos hubiésemos quitado muchos años cuando nos asombrábamos a la vez que los pequeños ante las jirafas, o nos entusiasmábamos con las cabras monteses, o yo me amparaba en sus brazos ante la mirada fija de un león. Pablo me conducía con una mano sobre mi hombro y yo me sentía protegida y alegre. «Si Ramiro fuera como Pablo», me dije; pero luego pensé que no era eso lo que quería decirme: uno y otro no eran incompatibles; entre Pablo y yo había un sentimiento fraternal y constante. De pronto vi un letrero con una flecha: «Macaco cangrejero — animal peligroso.»

—Vamos a verlo —dije llena de curiosidad.

El macaco y su hembra vivían en una jaula equivalente a una pequeña habitación. La hembra iba y venía desatentada sin cesar, como una mujer hacendosa un sábado en su casa. Subía y bajaba, y, cuando se cruzaba con su macho, él intentaba trincarla con un propósito demasiado evidente. Ella, sin molestarse, le hacía cara, le enseñaba los dientes y continuaba su marcha insensata. El macaco, indiferente a los continuos desprecios, se tomaba el pene con dos dedos, se lo frotaba unos segundos y ¡hala! La verdad es que, en su aspecto, no había nada extraordinario: bajito, peludo, semejante a las monas y de un color corriente dentro de su especie. Lo imprevisible eran sus órganos sexuales: los testículos tenían un bellísimo color turquesa y se mostraban turgentes y aterciopelados, con ese halo luminoso y difuso que tienen en el árbol ciertas frutas, y el pene era pequeño y de color quisquilla. En el escaso tiempo —escasez muy justificada— que estuvimos delante de la jaula, el juego del macaco y la macaca se repitió tantas veces que ya no tuve más remedio que declarar:

—Ahora comprendo por qué es un animal peligroso. Cualquier hombre se sentiría humillado ante tan espectacular sobreabundancia.

Pablo, apretándome el brazo, soltó una carcajada.

Por la noche, mientras nos empolvábamos las narices en el aseo de señoras del restaurante donde cenábamos, sin entrar en más explicaciones, le comenté a Julia mi intención de consultar a un ginecólogo. Le dije que empezaba a estar alarmada por no quedarme encinta. Ella se reía.

—¿Por qué tanta prisa? ¿No estáis mejor como estáis?

—Puede; pero yo quiero asegurarme de que no estoy incapacitada para tener hijos. Los niños son lo que más ilusión me hace del mundo.

—Nosotros tenemos un amigo íntimo que es un tocólogo espléndido. Si tanto te preocupa, mañana lo llamo y nos vamos a verlo.

Tres días más tarde cuando almorzábamos en casa de Julia y Fermín, el médico, que sabía que me encontraba allí, me telefoneó.

—Estás perfectamente. Eres una mujer de libro. A pocas he visto en mi vida tan normales y tan dotadas para la maternidad como tú. —Y añadió un poco en broma—: Si no tienes hijos, puedes estar convencida de que no es por ti. De modo que no pierdas la esperanza; es cuestión de insistir.

Le di las gracias y colgué el teléfono. Pero tardé unos minutos en atreverme a volver al comedor. Me recosté contra la pared; el mundo se me estaba cayendo encima. Se conoce que dejé de respirar; de repente sentí que me asfixiaba y aspiré hondo y suspiré. Junto al teléfono había un espejo; me miré en él y vi que había palidecido. Era muy confuso lo que experimentaba, no lo puedo explicar. Me habían estafado; algo o alguien me había hecho objeto de un timo espantoso; en algún juego cuyas reglas ignoraba, me había jugado la vida y la había perdido... «Tan pronto, tan pronto...» Abrí el bolso que me traje sin darme cuenta, me di un poco de color en la cara y regresé al salón. Julia me buscó los ojos.

—¿Quién era? —me preguntó Ramiro.

—Mi hermano, desde Huesca. Dejé dicho en el hotel que veníamos aquí.

—¿Va todo bien?

—Sí, sí —le contesté mirando a Julia—. Todo va bien. Todo está normal.

El sol se está poniendo. Cuanto veo es gris plomo, menos un desgarro rosa en el Oeste. El gris de la ciudad es más oscuro. Sobre las nubes que cubren el sol, desflecadas, hay un gris plata que azulea hacia el Este. La línea del horizonte es muy precisa; en él se juntan las curvas del caserío, los ángulos, los minaretes. Las primeras luces eléctricas rompen la uniformidad gris. Se va la luz del sol. Yamam tarda. No quiero escribir más.

Durante los meses que siguieron traté de adaptarme a mi desgracia; pero no podía impedir mirar con recelo a Ramiro, culparlo de ella. Y, sin embargo, estaba claro que de él dependía todo; debería entregarme a él apasionadamente, procurar que me penetrara y me tuviera el mayor número de veces posible. Él comenzó a mirarme con recelo también; no decía nada, pero, por algún gesto de desagrado, comprendí que me encontraba ávida e insaciable. ¿Cómo explicarle por qué sin ofenderlo, sin aclararle que no era su cuerpo lo que me interesaba, sino lo que tenía que darme precisamente él para hacerme fecunda?

Sucedió en el segundo aniversario de nuestra boda. Habíamos invitado a cenar a unos cuantos amigos. Concluida la cena fui a mi dormitorio, donde los habíamos dejado entre almohadones, a buscar al hijo de Laura y al de Felisa, y volví al salón con uno en cada brazo y Trajín dando saltos a mi alrededor para alcanzarlos. Los niños sonreían, a medio despertar, al ruido de mi voz, al ruido del perrillo, al ruido de la vida.

—Qué madraza eres, hija —dijo Felisa con la boca llena—. Con lo que te gustan los niños (más que a mí, desde luego), ¿por qué no os decidís a tener uno de una puñetera vez?

Me pareció una ocasión pintiparada. No dudé ni un segundo en responder.

—Yo no puedo tenerlos. Me lo dijo un tocólogo que consulté en Madrid. Ya es hora de que todos lo sepáis.

Con mi cuñada Adela allí, estaría esa misma noche enterada Huesca entera. Se hizo un silencio tenso, que yo corté hablándoles a los dos pequeños con esa voz tan tonta y tan artificial que ponemos para dirigirnos a un bebé.

Una vez que se fueron los invitados, Ramiro, que había participado desde mi intervención muy poco en la charla (charla que se reanudó con las frases previsibles: «Eso nunca se sabe. Pues sí que no hay ahora medios para tener hijos: demasiados», «Ya verás como acabas harta de hijos», etcétera), se acercó a mí, me levantó la barbilla, me obligó a mirarlo y dijo con cierta solemnidad:

—Lo del médico, ¿es verdad?

—Sí.

—Primero, no te desanimes: Dios está por encima de los médicos. Y segundo, si sucediese lo peor, yo no te reprocharía nada. Me basta contigo para ser feliz. ¿Me oyes?

—Sí; te oigo.

—Tenemos muchas cosas en común, muchas cosas por las que trabajar juntos, muchas que conseguir. Y muchas ilusiones compartidas. Sin ir más lejos (y la coincidencia es como un milagro), me han ofrecido la representación para toda la comunidad autónoma. No te dije nada antes porque estoy tratando de conseguir la residencia en Huesca, que sé que a ti te gusta; pero creo que será cosa hecha. —Me acarició la mejilla—. ¿Estás contenta?

—Muy contenta. Enhorabuena. Tú te mereces todo, Ramiro. Enhorabuena.

Se me saltaron las lágrimas. Estaba muriéndome por dentro de desolación y de ganas de gritar. Cuánto pesa un secreto... Pero Ramiro, aunque estaba engañado, había sido tan cariñoso que no podía dejar de serlo yo con él. Además, ¿quién habría dicho que no era suya la razón?

Me hizo el amor aquella noche mucho mejor que nunca. Entre sus brazos yo pensaba —no podía evitarlo, pero con cuánto afán habría querido dejar de pensar— que a lo mejor todo tenía remedio. Debajo de Ramiro, pero distante de él, yo imaginaba a Trajín, de pie, mirando con curiosidad a una cosita sonrosada que se movía dentro de una cuna y que pedía su almuerzo a grito herido.

No; no hubo remedio. Ramiro, convencido de que era inútil intentarlo —y, por descontado, atribuyéndome la falta a mí—, se puso en manos de la Divina Providencia. Después de misa, pedíamos los dos, con las nuestras cogidas, «el bien de la descendencia». Pero la verdad es que él lo procuraba cada vez con menos convicción y menos ímpetu, hasta que casi dejó de intentarlo. Supongo que se le antojaba lascivia y lujuria hacer el amor sin la posibilidad de la procreación. Yo lo encontré lógico en él, y me fui metiendo más y más dentro de mí misma. Por fin, le pedí que me consintiera dormir con Trajín en uno de los dormitorios de huéspedes mientras no los tuviéramos. Opuso una moderada y convencional resistencia; pero aquella misma noche Trajín —que antes dormía en la cocina— y yo nos acostamos en la misma cama. No dejó de ser un descanso. Ya empezaba a estar harta de ficciones, aunque las mayores no habían aún comenzado.

El ama Marina, que todavía vivía con mi padre aunque frisaba en los ochenta años, intentó por todos los procedimientos a su alcance que se resolviese nuestro problema. Me llevaba borrajas para que las comiese, porque aseguraba que tienen poder fecundante. Yo pensaba entre mí que se las tendría que dar a Ramiro, pero me las comía, porque siempre me han gustado. Un día, a la hora de la siesta, se presentó con una garrafa llena de agua de siete fuentes distintas —según ella era el mejor medio de conseguir la fertilidad—, todas acreditadas: la de Aínsa, la de Puyerruego, la de Montanny, tan milagrosa, la de San Benito de Luzán, la de Santa Elena de Biescas, la de San Elías de Valcarce y la de San Blas de Villanueva de Sigena. Yo bebí hasta el último sorbo sin éxito. Y, por si era poco, en la noche de San Juan, volví a beber agua de nueve barrancos que el ama Marina había logrado, con mucha tarea suya y muchos favores ajenos, reunir.

Aquel verano no fue caluroso. Durante él estuve muy a menudo con mis amigas y sus hijos, porque no habían salido de viaje ese año dada la edad de las criaturas. En el mes de septiembre, cuando ya empezaban a dorarse las ramas de los árboles de nuestra calle, yo las veía desde el balcón una mañana. Estaba limpiando la casa; bueno, la casa no, todo eso que no se le ocurre limpiar nunca al servicio: los marcos de los cuadros, los libros, los suaves cercos de los vasos en las mesas de cuero. Iba de una habitación a otra seguida de Trajín, con un pañuelo liado a la cabeza y otro en la mano.

—¿Por qué no te quedas quieto en un sitio? Vienes detrás de mí como si fueras un perro. Déjame, hombre, estoy trabajando.

Me miró sin levantar la cabeza, vi sus lunitas blancas debajo de los ojos, y me eché a reír. Luego me puse en cuclillas a su altura.

—¿Sabes lo que vamos a hacer? Vamos a ir a buscar un trabajo para no pasar todo el tiempo haciendo el ridículo. Un trabajo al que pueda llevarte. Y tu trabajo va a consistir en ser bueno y en estarte quietecito. —Trajín me lamía la cara—. No, descuida; no te voy a dejar aquí solo esperando: vendrás conmigo y todo el mundo te querrá mucho. Pero me tienes que prometer que no te harás pipí, ni enredarás, ni distraerás a los compañeros si es que no nos dan un despacho para nosotros solos, que no creo.

Cuando llegó a comer Ramiro se lo comuniqué sin rodeos. Necesitaba trabajar; necesitaba sentirme útil y llenar mis horas. Buscaría algo que me permitiese acompañarlo en sus viajes y tener a Trajín.

—Muy difícil va a ser —comentó.

—Tampoco aspiro a ser jefa de Estado, ni a cobrar un sueldazo. Una cosa modesta.

—Escúchame bien, Desi: tú ya estás haciendo tu trabajo. Me ayudas más de lo que puedes imaginar. Mis ascensos se deben a ti tanto como a mí. Sabes recibir espléndidamente; eres encantadora; quedas como los ángeles con todo el mundo; mis jefes te adoran, y sus mujeres no digamos. Fermín me ha llamado esta mañana y se ha deshecho en elogios a ti. Dice que ya te querría él como su relaciones públicas y que qué envidia me tiene porque dispongo de ti... Así que ya lo ves.

—Ramiro, hijo mío, tú no necesitas relaciones públicas; tú eres el mejor con muchísima diferencia.

Nos reímos los dos, apoyados uno en otro, y por fin

obtuve su permiso y la promesa de que me ayudaría a encontrar un trabajo.

Pero no fue él quién lo encontró, lo encontré yo. Y por casualidad. Había tenido que ir al instituto donde estudié el bachillerato para que me dieran un certificado, o para que lo pidieran desde su secretaría a la facultad de Zaragoza a ver si les hacían un poco más de caso que a mí. Lo necesitaba para hacer uso de él al ofrecerme en cualquier sitio. La secretaria del instituto, una mujer de pelo blanco cuidadosamente peinado, me miró sorprendida.

—Pero qué coincidencia: la semana pasada se ha casado la chica que me ayudaba aquí. Si quieres aceptar el puesto, no necesitas pedir ese certificado.

—¿Podría traer a mi perro? Es de tamaño pequeño y está educadísimo —mentí.

—¿Escribe bien a máquina?

—No, se atropella; pero tiene, en cambio, don de gentes para tratar con los alumnos.

—Entonces, aceptado, tráetelo, siempre que no sea preciso darle de alta en la Seguridad Social.

Desde el primer segundo tuve claro que me iba a llevar bien con aquella señora.

Era una oficina con mucha luz y alegre; el suelo, de parqué, aliviaba la gelidez de los pasillos. Estaba siempre llena de muchachos muy jóvenes que planteaban problemas insolubles que podían resolverse con cinco minutos de atención. Me ponían de continuo ante los ojos mis tiempos en aquel instituto destartalado e irremediable, al pie de aquellas mismas ventanillas, tratando de impedir que se colaran delante de mí los listillos de turno, y llena también de problemas insolubles. Los archivos los teníamos al lado, y en ellos la joya de la casa: el expediente de don Santiago Ramón y Cajal, cuyo nombre ostentaba el instituto. Debo confesar que yo nunca lo vi.

Llegaba cada mañana con Trajín, al que se le alegraba el trotecillo en cuanto veía la puerta principal. Atravesábamos el vestíbulo, con su solado de mármol rojo, sus altos zócalos de otro mármol entre rosa y gris, y su escalera, que de niña me pareció grandiosa y ahora me parecía petulante. Torcíamos a la izquierda, y tomábamos el ancho corredor, cuyos ventanales daban al patio, y cuya solería de baldosas blancas y grises tanto me gustaba para correr patinando en esos años en que siempre se está a punto de llegar tarde a cualquier sitio. Al oír retumbar los ecos de las voces y las carreras de los nuevos niños, me trasladaba de época, de deseos y de esperanzas.

Recién pasada la Purísima, asistí a un reparto de premios en el salón de actos. No debí de hacerlo: me decepcionó de tal forma que tuve que salirme. Yo había representado allí un auto sacramental de Calderón; hice de La Tierra, uno de los Cuatro Elementos de *La vida es sueño*. Aquel lugar y aquel escenario que encontraba celestiales eran un espanto; las diez columnas que había considerado tan valiosas como las del Partenón las veía ahora toscas, excesivas y sin gracia. El salón olía a humedad y a abandono, y pensé mientras salía cuánto redimimos los lugares de nuestra infancia, con la inconsciente intención de redimirla a ella y seguir siempre considerándola un deslumbrante paraíso del que un día fuimos expulsados. Porque perder un paraíso es menos insoportable que no haberlo tenido.

La verdad es que en el instituto ganaba una miseria, pero tampoco el trabajo era matador —el período de matrículas había pasado ya—; por el contrario, me rejuvenecía y me remozaba. Por otra parte, con el pretexto del horario, dejé de ir a las misas de Ramiro: eso salí también ganando. Acudía sin desayunarme al instituto y me desayunaba con Elisa, la secretaria: solterona, bienhumorada y amante de los gatos, que sentía muchísimo no poder llevarse los suyos a la oficina, y que transigía con Trajín «porque tiene cosas de gato: es soboncete y egoísta. Quien quiera saber lo que es un perro faldero que venga aquí y lo vea».

Una mañana Trajín desapareció. Lo busqué por todas partes, hasta en los lugares más inverosímiles. El alboroto que oí dentro de un aula, no lejos de la secretaría, me indicó por fin dónde estaba. Los chicos lo llamaban por su nombre, jugaban al toro con él, aprovechaban la novedad para subirse encima de los bancos. El profesor, que era el de Historia, reclamaba inútilmente silencio y atención. En cuanto abrí la puerta, Trajín, meneando el rabo con una absoluta falta de remordimientos, vino hacia mí y me siguió fuera. A mediodía me visitó el catedrático de Historia, que tanto me entusiasmaba cuando fui alumna suya. ¿Cuántos años hará ya de aquello? Diecisiete o más. Pues, en contra de lo que era de esperar, ya que el tiempo había nivelado nuestras edades, lo vi convertido en un viejo. Elisa me había dicho que seguía soltero.

—Perdone usted lo de esta mañana, don Mariano. —No dudé en piropearlo—: Está usted más joven que cuando yo galopaba por esos tránsitos.

—Todavía sigues galopando por ellos. Quiero decir que eres la misma: la prueba es que estás aquí; pero ahora lo haces acompañada por ese endemoniado perro... Siempre se vuelve a los sitios a los que se pertenece: es lo único que he aprendido de la Historia. Por eso se afirma que los criminales vuelven al lugar de su crimen.

—¿Tan mala estudiante fui que me compara usted con los criminales?

Miraba por encima de mí, como si viese acercarse a alguien a mis espaldas...

—Eras una chiquilla prodigiosa. Tenías los ojos tan abiertos que con ellos podías devorar el mundo. Nunca he conocido a nadie (y son muchos años dando clases) de quien me importase menos que supiese o no supiese una lección. Tú estabas por encima de los textos.

Se reía, y sus ojos continuaban mirando detrás de mí.

—Quizá lo que usted notaba es que me enamoré perdidamente del profesor de Historia.

—No; no de mí. Estabas enamorada de todo simplemente. La vida era un regalo que acababan de hacerte; no sabías cómo disfrutarlo mejor. Las reglas que te daban para usarla no te satisfacían... En mí viste a alguien un poquito rebelde y nada más. Fue esa similitud la que te atrajo.

—¿Luego usted lo notó? —Él inclinó la cabeza como para mirar a alguien de menor estatura—. ¿Yo era rebelde, don Mariano? —Él reiteró el movimiento de cabeza.

—Y lo sigues siendo, aunque no lo parezca. Yo, en cambio, si lo fui un día, no lo soy ya. Pero tú lo serás hasta el final... A la edad en que te conocí hay muchos que en apariencia se rebelan; los que tenemos costumbre de tratar a adolescentes sabemos que son muy escasos los que persisten. La mayoría son unos simples egoístas maleducados.

—Pues aquí me tiene usted a mí con un rígido horario, una oficina y un perro. Dígame si cabe menos rebeldía.

—Desi, Desi Oliván, ¿verdad?: hay ocasiones inesperadas en que, para que el corazón ascienda más de prisa, se hace necesario tirar el lastre, los horarios y hasta los perros por la borda... Si se te presenta una ocasión así, tíralo todo: no lo dudes. Yo lo dudé, y mira en lo que he terminado.

Se alejó casi arrastrando los pies por el pasillo de losas grises y blancas.

También conseguí que Ramiro no me fuera a buscar al final de la mañana. Yo volvía a casa, a paso ligero en el invierno y despacio cuando lució de nuevo el sol, pasados ya los santos capotudos: san Antón, san Fabián y san Vicente, que menean con sus capas el aire y se llevan la niebla. Trajín, insensible al clima, olisqueaba todo, marcaba un territorio sin fronteras, se entretenía con cosas increíbles. Yo, procurando no chocar con la gente a la que ni veía, reflexionaba con cierta vaguedad, e iba comprendiendo que la forma de dicha que había soñado, y para la que quizá me preparé toda la vida, no la iba a tener nunca. Pero, no obstante, como no me había muerto, tenía que vivir, y era preferible vivir lo mejor posible y desde luego sin herirme yo misma. Acaso lo que a mí me sucedía le sucede a casi todas las mujeres: todas, seguramente, echan de menos algo con que soñaron... Yo tenía que llenar una ausencia que ahora disminuía de tamaño. Sin darme cuenta ni proponérmelo empecé a ser más cariñosa con Ramiro: le cepillaba las hombreras al salir; le gastaba bromas por el pelo que se dejaba en peines y cepillos; lo calibraba imparcialmente si lo veía por la calle, y seguía juzgándolo esbelto y atractivo más que el resto de los hombres. Llegó un día en que me sorprendí riendo a carcajadas de no me acuerdo qué salida suya.

—Estás abandonando tu discurso interior, Ramiro; estás siendo simpático: te preocupan las cosas de los otros.

A él le molestaba bastante eso del *discurso interior*. Yo no aludía a él desde antes de casarnos:

—Tú tienes una idea dentro de tu cabeza, que te afecta a ti solo y hablas sólo de ella. Si alguien te interrumpe para referirse a otra cosa, tú urbanamente lo permites y pones cara de atender; pero, apenas se descuida el interlocutor, tú vuelves a tu tema en el punto exacto en el que lo dejaste. Y esa táctica puedes emplearla de veinte a treinta veces cada día. Estoy segurísima de que no te enteras en absoluto de lo que te ha hablado nadie. Y yo menos que nadie.

—No digas tonterías —me replicaba él—. Si mi profesión consiste precisamente en escuchar las latas de los demás.

—O en hacer que las escuchas. Tú, con tu discurso interior tienes de sobra.

El discurso interior de Ramiro, para mi desgracia, había marcado los límites de mi vida.

A Laura y a Felisa apenas las veía. Nos separábamos casi sin sentirlo; dentro del reducido mundo de Huesca —«que mira hacia el poniente, no hacia el levante», como solía decir Marcelo—, pertenecíamos a sectores distintos: quizá más sus maridos que nosotras; pero ellas tenían por añadidura sus obligaciones maternales. (Las dos me habían prometido nombrarme madrina de sus segundos vástagos.) De vez en cuando se acercaban por la secretaría. A mí me punzaba un incierto dolor al verlas con el cochecito a las dos, o a una de ellas; charlábamos un rato, fumábamos un pitillo y luego se iban a su mundo. Sin embargo habíamos hecho un serio pacto: el próximo verano viajaríamos juntas, con nuestros respectivos, a un lugar resplandeciente.

—Yo no quiero países nórdicos —les decía—. Yo no quiero Suizas. Todo eso lo tenemos aquí y más bonito. Yo quiero un país exótico, donde nos puedan ocurrir aventuras tremendas.

Salvo en lo de las violaciones, ellas estaban enteramente de acuerdo. En mis frecuentes ratos libres, yo consultaba atlas del instituto; meditaba pros y contras; hacía hasta cálculos económicos, y me enteraba de las temperaturas y de las fechas mejores, que nunca coincidían ni con julio ni con agosto. Cuando les comuniqué el resultado de mis investigaciones, las dos soltaron sendas carcajadas.

—Hija, Desi —se reía Felisa—, en mi vida he visto a nadie más convencional. Después de dos meses de estudio, creí que se te habría ocurrido un país nuevo, de esos que se inauguran cada día en África. Para elegir Egipto no hacía falta más que mirar un poco para atrás: todo viene de allí...

—Todo, no —me defendía yo—. También están Grecia y Siria y Marruecos...

—No le hagas caso, Desi —intervino Laura—. Nosotras ya lo habíamos tratado: antes que nada, Egipto. Las tres de acuerdo. Ahora sólo nos queda convencer a esos petardos de maridos.

Los convencimos. Marcelo fue el encargado de la organización. Entre él y la agencia de turismo lograron que hiciéramos un viaje bastante deficiente; pero, dado nuestro afán por pasarlo bien y nuestra avidez de espongiarios, no lo recordamos después sino con gusto. Por lo menos, yo. Marcelo y Ramiro nos dieron la tabarra con sus tomavistas: tenían el convencimiento de que lo que no se llevasen grabado ni lo habían disfrutado ni existía. Felisa y Arturo, en cambio, se habían hecho con una guía muy detallada y la leían escrupulosamente ante los monumentos, que en realidad apenas si miraban. Les bastaba comprobar que eran sin duda aquellos a los que aludía su libro; leían el texto, y buscaban a continuación el siguiente. Laura y yo éramos incansables.

Al principio, aún sin facturar los equipajes en el aeropuerto, estuvimos de acuerdo en que nuestros compañeros de viaje eran gente de tres al cuarto, tristes oficinistas y sus anónimas mujeres incultas.

—Eso mismo estarán opinando ellos de nosotros —nos advirtió Laura—. Y ya que vamos a pasar juntos por fuerza tres semanas, más prudente será poner al mal tiempo, si es de veras malo, buena cara.

Después descubrimos, en efecto, que los oficinistas y sus mujeres eran, por lo general, personas sencillas, movidas por la curiosidad o por el interés de aprender, que preguntaban sin complejos lo que no entendían y que a veces ponían a nuestra guía —una muchacha fina, preparadita, pero que, sacada de su retahíla, se convertía en una gallina desplumada— en verdaderos bretes.

Entre nuestros acompañantes había algunos muy peculiares. Por ejemplo, una señora mayor, que viajaba con su hija y con su yerno, que se echó a protestar ya en el aeropuerto, y a la que Egipto le caía como un tiro aun sin verlo.

—Es gente sucia, sin higiene: negros, ¿qué les vas a pedir?

Porque ella quería haber ido a Italia para ver el Moisés de Miguel Ángel; en su casa tenía un álbum de reproducciones y, según su confesión, lo adoraba. Laura insistía en que el Moisés que la señora quería ver era la cunita en que Miguel Ángel había sido criado.

Venían también tres hermanas solteras, de edades un poquito avanzadas, que se llevaban entre sí admirablemente bien, tenían mucho sentido del humor, y eran afectuosas y educadas. Vivían en una capital de provincia no muy distinta a Huesca, y eran huérfanas de un médico conocido que les había dejado su nombre y muy poco dinero. Con ellas solía salir un periodista medio ciego, famoso en la dictadura, que tomaba nota del precio de todo para incluirlo en las crónicas que enviaba a un periódico de pequeña tirada. Quien hacía la guerra por su cuenta era una gorda, con andares de oca y pies muy delicados, que se perdió en el Jan el-Halili por comprar baratijas y tambores para todas sus amistades. Ese barrio, como leía Felisa, era de origen y trazado fatimí, y a pesar de ser tan laberíntico, se construyó calcándolo de las ciudades romanas, con su cardo y su decumano como calle principal y transversal, pero con abundantísimas y enloquecedoras afluencias y diversificaciones.

—Un buen ejemplo de sincretismo —concluía.

Lo cual no nos sirvió para encontrar a la gorda. Costó Dios y ayuda y una hora larga, y fueron las tres hermanas, estratégicamente distribuidas, las que lo consiguieron.

Mientras los otros cuatro se daban a sus vicios, Laura y yo contemplábamos los atardeceres sobre el Nilo. Las esbeltas siluetas de los remeros de las falucas, con su elegante pantalón negro ajustado a las piernas, se destacaban contra el cielo y se reflejaban en el agua. Yo sentía un extraño tirón que me atraía y vinculaba a aquellos seres de ojos profundos y brillantes y de gruesas pestañas; a aquellas mujeres colosales, que avanzaban por las aceras como bulldozers, ante las que tenías que apartarte salvo que quisieras morir apisonada; a aquellos niños sonrientes y pedigüeños y a aquellos baladíes, venidos de no se sabe dónde a curarse a El Cairo o a perderse definitivamente en él. Rodeada del caos de la ciudad, yo percibía el latido de su intimidad entre mis manos como el corazoncillo de un pájaro que, después de recorrer el cielo, hubiese caído sin saber cómo en mi poder.

Esa misma impresión de grandeza y humildad fue la que me produjo también, en el museo, el sarcófago de Ramsés II. Nadie habría dicho que, en aquel túmulo extraño —cubierto con un terciopelo azul oscuro y sin lustre, sobre el cual habían cosido tres lotos de tela amarilla, uno de ellos sin flor, ceñido por un alambre con sellos de plomo para impedir que alguien lo levantase, y situado en una encrucijada de pasillos—, descansase la infinitud del faraón. Si Laura y yo lo supimos, fue porque nos lo indicó un escritor español que visitaba el museo con uno de los directores. Se trata de un escritor al que yo admiro, y al verlo me sobrevino un insuperable deseo de saludarlo. En Egipto tenía en común con él la nacionalidad, y esa coincidencia me autorizó a acercarme. Él contemplaba aquel túmulo, y le decía algo al que luego nos presentó como su secretario, mientras tomaba unas notas en un pequeño libro. Yo le interrumpí, pidiéndole perdón, para saludarlo, y él, como si nos conociéramos de antemano, me dijo:

—Aquí, en este cruce, entre armarios vacíos, yace Ramsés II. Por lo visto, fue a una exposición sobre él y su megalomanía en París; allí lo descontaminaron y lo desinfectaron en el Instituto Pasteur. Y ya de retorno, lo pusieron provisionalmente donde está; no lo han vuelto a mover. Qué terribles son las provisionalidades de las gentes del Sur, nosotros incluidos. Después de esto, amigas mías, ¿qué vanidad cabe?

Se despidió de nosotras y continuamos la visita por diferentes itinerarios. Laura también admira a ese escritor; pero yo creo que, como dueña de una librería, lo admira más por lo que vende que por lo que escribe. Ella lo negaría, por supuesto.

Las pirámides de Guiza sobrecogieron a Ramiro, pero por lo contrario de lo que era de esperar: le parecieron mucho más pequeñas de lo que se imaginaba. Felisa, con su guía en la mano, afirmó que la televisión estaba acabando con «el placer de los viajes», porque en ella, aislado y bien fotografiado, todo parece mayor, más imponente y más limpio. Dos días después, Laura decía de la gran pirámide:

—Como ya no nos cuesta esfuerzo verla, apenas si la vemos. Cuando algo se incorpora a la costumbre (y somos para eso muy rápidos) se transforma en una fotografía. Hemos venido por ella, y ahí está: por fin nuestra. Pero ¿de verdad es nuestra? Tiene más de cuatro mil años, que la han puesto escarpada y leprosa, y la han transformado en un monumento a la inutilidad. No sirve para nada de aquello para lo que fue construida, salvo que fuese construida como un desafío o un espectáculo. Nada sabemos de ella... O sea, que es todo menos nuestra. Lo único que podemos hacer es mirarla; nunca la entenderemos.

En Sakara (me acuerdo, de pronto, de unos ruidosos arrullos de palomas sobre la pirámide escalonada) nos montamos en camello, naturalmente para que Marcelo y Ramiro nos grabasen con sus tomavistas. Felisa, cada vez más gorda, se resbaló de su camello muy despacio, y se dio en la arena una buena culada, entre las risas de los camelleros, de la gorda de Jan el-Halili y hasta de las tres huérfanas.

—Podía haberme roto el cóccix —dijo muy enfadada, y no nos dirigió la palabra en el resto de la mañana.

Al día siguiente, que era domingo, Ramiro preguntó en el hotel dónde podía oír misa y, sin hacerle mucho caso, lo mandaron —nos mandaron, porque yo fui con él— a una iglesia copta, situada en una calle estrechísima y precedida por un jardincito. En ella, por supuesto, no había misas, pero Ramiro se conformó con rezar de rodillas y asistir a una extraña ceremonia con muchos cantos y muchísimo incienso.

—Los coptos conservan mejor que nosotros, en sus lugares de oración, el espacio místico que eleva con más velocidad el alma hacia Dios.

Cuando se enteró de que en aquel mismo sitio fue donde, según la tradición, habitó la Sagrada Familia en su huida a Egipto, tomó con su cámara hasta las telarañas del último rincón. Para él fue lo mejor del viaje.

Fuimos en un vuelo, que llamaban doméstico y a mí me parecía sin domesticar, hasta la primera catarata del Nilo para subir en barco desde allí hasta Luxor. Arturo y Felisa coincidían conyugalmente en que la mugre era insoportable y en que quizá cogiéramos lo que no teníamos. Cuidaban sus comidas; espantaban sin cesar las moscas; se precavían contra las infecciones, y vivían en una continua sospecha. Acabaron por no salir del barco, donde estaban encantados, y por localizar y reconocer los templos desde él, tras consultar su guía, mientras nosotros bajábamos a la ribera.

Los amaneceres y los anocheceres sobre el agua, y las orillas llenas de una vegetación hermosa y cimbreante, me ratificaban en mi amor por una tierra a la que veía como una reconciliación para mí, o como un reencuentro. (Ahora creo que fue una premonición.)

De noche, bajo las claras estrellas, cuando el calor disminuía, nos sentábamos los seis en nuestras hamacas sobre cubierta, un poco aparte de los otros, y charlábamos con una recuperada complicidad. La tercera noche hablábamos sobre el amor, antes de que Laura y Felisa, a las que el viaje servía como un eficaz afrodisíaco, se retirasen a hacerlo en sus camarotes con sus maridos. A ellos se habían insinuado antes con los pies descalzos y con un descaro que Ramiro encontró lamentable, y que yo envidié y a la vez me divirtió muchísimo. Laura había propuesto un juego: teníamos que averiguar quién era el amante y quién el amado no sólo de nuestras tres parejas, sino de las que venían en el viaje y de otras que todos conociéramos. Según ella, nacemos con el papel de amante o de amado repartido, y ése es el que representaremos durante nuestra vida entera.

—No quiero decir que unos estén todo el día salidos, pegando saltos como las monas, y otros, imperturbables, boca arriba. Claro que el amado es un poco amante, y el amante, algo correspondido; pero la actitud previa y esencial la tiene cada uno señalada. En cada relación amorosa hay, en último término, un devoto y un Dios, un amo y un esclavo; hay quien rompe a hablar y hay quien responde. Para opinar, habremos de tener en cuenta lo que sabemos y lo que intuimos: el primer golpe de vista es importante.

Pensamos un ratito y comenzamos a votar. No me acuerdo de cuál fue el resultado en otras parejas. Sé que yo detuve un momento la votación con una duda.

—¿Y si la pareja es de dos amantes, o de dos amados?

—Eso es difícil que se dé —respondió Laura—; pero, en cualquier caso, una pareja de amantes es violenta, echa chispas y es improbable que dure mucho tiempo; en cuanto aparezca un amado, uno de los amantes se irá con él. La vida de una pareja de amados puede ser larga, en cambio, porque los dos son acomodaticios —hizo una mueca de desdén—; pero será bastante sinsorga y más bien sosa.

El escrutinio fue, según Laura, muy desfavorable para ella: salió como amada, con Marcelo como amante. Felisa fue designada amante, y Arturo, que se quejaba de la votación, amado. En cuanto a mi pareja, cuyo diagnóstico yo esperaba sobre ascuas, se calificó a Ramiro de amado y a mí, de amante.

—Este jueguecito es una frivolidad —dijo Ramiro.

Por qué nadie querrá que se le considere amado, me preguntaba yo. Después que se levantó la velada, me quedé en cubierta, cara al anchísimo cielo, idéntico al que tantos amantes y amados habían visto y ven. Ramiro pretextó el madrugón del día siguiente para despedirse, y me puse a pensar sobre ese grave dilema del amor. El amante tiene mejor prensa: es el que más sufre; el que más pierde; en el tapete verde se juega entero contra unos cuantos duros: ganar unos duros a costa de la vida no es ganar. Es el agente, el provocador, el generoso... ¿Y si fuese también el exigente, el que, cuando se abre la apuesta, sólo aspira a los duros que el otro arriesga, y, una vez ganados, quiere más, más, y más? ¿Y si, en un momento dado, el amante tuviese suficiente consigo mismo? El amado es el pretexto del amor, su motivo; ya está en marcha el sentimiento, ya él no es imprescindible; bastan sus huellas. El dolor, el recuerdo, el temblor del recuerdo; él ya fue usado. El amante no necesita pruebas; le sobra con su amor, con su amor propio de amante. El amante llega, inviste y reviste al amado con prendas que él trae: mantos, bordados, oros, velas, como a un paso de virgen andaluza. Cuando aquello se acaba, recoge sus riquezas y va en busca de otra imagen que enjoyar, que dorar, que adorar... El amante —razonaba yo— se repone a sí mismo, porque saca la fuerza de sí mismo. El amado, que la recibe del otro, la pierde si el otro se va, pierde su identidad, se deteriora su fe en el mundo y en las promesas infinitas. El amado es irremisible, porque es el reflejo de una luz, porque depende. ¿Quién es, por tanto, el dios, y quién el idólatra? ¿Quién el verdugo y quién la víctima? Me hacía perder el sueño un tema que, al fin y al cabo, a mí no me afectaba. No me afectaba entonces.

Antes de abandonar el barco, donde pasamos fondeados un par de noches, nos ofrecieron una fiesta de despedida. Aconsejaban asistir disfrazados de egipcios y ponían a nuestra disposición maquillajes y ropas. Ramiro estaba guapísimo, a pesar de haber ganado unos kilos desde que nos casamos, vestido de algo confuso; con la piel morena y el pelo rubio encarnaba el vistoso resultado de un buen mestizaje. Admirándolo, yo pensaba que Egipto, para nosotros, había sido demasiado casto. Quizá opinaba lo mismo una especie de Cleopatra, que creía esconderse bajo un gran antifaz, y que no era otra que la gorda de Jan el-Halili. Coqueteó con Ramiro durante toda la noche, insinuándosele y ofreciéndosele, a pesar de que él me utilizó constantemente como escudo protector. Felisa y Laura, que parecían dos coristas de *Aida*, se dedicaron a asediar, por juego, a dos muchachos que no habían consentido unirse nunca a los otros participantes del grupo, y que resultaron ser una pareja homosexual que se llevaba de maravilla, y de la que me habría gustado saber —porque por sus físicos no resultaba evidente— cuál era el amante y cuál el amado.

A la otra mañana, mientras aguardábamos el avión en el minúsculo y desaseado aeropuerto, le dio a Laura por hablarnos del discurso de Aristófanes en *El banquete de Platón*. La culpa fue de Ramiro. Tomábamos un pésimo café cuando él con un gesto de asco que atribuimos al brebaje comentó:

—Qué repugnancia me inspira esa gentuza homosexual. Les tengo un odio físico.

Los dos muchachos, sin molestar a nadie, entretenían la espera paseando del brazo.

Laura, que se disponía a mojar un dudoso dulce en el café grisáceo, se detuvo y dijo:

—Pues está muy claro, hijo. Cuando amaneció el mundo, los sexos de los seres humanos eran tres: hombres, mujeres y andróginos; los andróginos eran hombre y mujer a un tiempo. Entonces los humanos tenían forma esférica, como si fueran dos de los de ahora unidos por el pecho, con la espalda y los costados en redondo y con cuatro brazos, cuatro piernas y dos caras. Los dos sexos, idénticos salvo en el caso de los andróginos, estaban situados en las partes exteriores de la esfera. Pero esas criaturas no se portaron bien, y los dioses decidieron castigarlas disminuyendo su vigor. Las partieron por el eje, en el estricto sentido: de aquel hombre salieron dos hombres de hoy; de aquella mujer, dos mujeres, y del andrógino, una mujer y un hombre. Zeus y Apolo tuvieron que realizar unas complicadas operaciones de cirugía plástica para reducir lo que sobraba: crearon el ombligo como un corcusido que recogiera la piel, y le dieron la vuelta a la cabeza. Pero, al quedarse aquella naturaleza cortada en dos, se abrazaba una mitad a la otra y se morían de hambre y de inactividad al no querer hacer nada por separado. Esto obligó a Zeus a compadecerse, y trasladó desde la espalda las cositas de cada cual a donde hoy las vemos, aunque apenas nos dejan verlas. Desde ese punto y hora, cada mitad busca con gozo su mitad complementaria; igual que dos medias naranjas. En consecuencia, los que eran andróginos, buscan el sexo diferente; pero los que eran sólo un hombre, es decir, más hombres que los otros, y los que eran sólo una mujer, es decir, más mujeres, buscan la mitad del mismo sexo que les falta. O sea, Ramiro, que yo no me atrevería a descalificar, por no ser hombres o por no ser suficientemente mujeres, a quienes lo que les pasa es que son distintos de ti precisamente por lo contrario... Además tú, que eres tan católico, deberías ser más comprensivo. Creo recordar que en el Evangelio se dice que son muchas las moradas de la casa del Padre. El Padre no va a ser menos que Zeus.

Habíamos terminado de desayunarnos, si aquello era un desayuno, y estaban a punto de llamarnos a gritos para embarcar, cuando Ramiro concluyó:

—Eso lo habrá dicho Platón, o quien sea, desde su paganismo. Pero por la Iglesia está condenado ese vicio nefando. Y, aunque no lo estuviese, por mucho que tú lo justifiques, a mí me seguiría dando mucho asco.

Yo lo miré asombrada.

ESTE FIN DE SEMANA los niños están tristes: se lo noto en la cara. El niño, que es bastante rubio y blanco de piel, me observa cuando cree que no lo miro yo. A través de un espejo que hay enfrente del sofá, lo veo pendiente de mí. Cuando lo llamo, baja los ojos y finge jugar con un pequeño camión. La niña, más morena, abraza a su muñeca como si no tuviese en este mundo otra cosa más que ella. Me dan pena. Me he sentado en el suelo y los he llamado junto a mí. Su español es muy cortito, pero he intentado contarles un cuento, precisamente de *Las mil y una noches,* devolviéndoles así algo que es más suyo que mío. Noto que no me atienden y que sus ojos se dirigen a la puerta del apartamento. Esperan a su padre. Me gustaría poder decirles hasta qué punto yo también. Supongo que yo no significo nada para ellos, o quizá peor: personifican en mí la causa de sus pequeños pesares —¿por qué pequeños?— de hijos de padres separados. También me gustaría decirles hasta qué punto ellos significaron, y significan aún, una desgarradora llaga para mí; decirles qué feliz sería yo si ellos no existieran. (Lo mismo que con su desvío me están diciendo ellos.) Pero hoy los veo muy tristes. La tristeza de los niños provoca en mí una tremenda desolación... Tomo a la niña y la aprieto contra mí como ella aprieta a su muñeca. No sé qué hacer para distraerlos. Sentados los tres sobre el precioso kilim de color burdeos, nos sentimos juntos y solos. Ni ellos a mí, ni yo a ellos, nos habríamos conocido sin Yamam. Él es nuestra única comunicación: no en vano Yamam quiere decir *el único*.

Qué larga se está haciendo la tarde. Me asomo a la ventana apaisada del salón y veo el aparcamiento no demasiado lleno hoy sábado.

—Aquí hubo un jardín —me dijo Yamam el primer día.

¿Quién iba a pensar que mi paisaje cotidiano de esta ciudad tan soñada, tan llena de un aura de majestad y misterio, la más codiciada de todas las ciudades de la Historia, sería un aparcamiento? Sonrío, ya que no puedo hacer otra cosa. Abro la ventana, subo a los niños en dos sillas y nos ponemos a seleccionar coches, a preferirlos, a cambiarlos. Con el ruido del exterior no hemos oído abrirse la puerta. Llega Yamam y nos abraza a los tres.

Fue precisamente por la terrible prolongación de las horas desocupadas por lo que decidí trabajar en Huesca, y por lo que pronto tendré que decidirlo aquí.

El aburrimiento de aquella ciudad y el de la secretaría del instituto (que tenía sus altos y sus bajos, sus tensiones y sus dificultades, pero sólo si se miraba de cerca y día por día) hicieron que el año siguiente al viaje a Egipto se pasase muy rápido. Cuando llegaron de nuevo las vacaciones de verano me cogieron desprevenida. Parece que el aburrimiento extiende el tiempo como si fuera de goma y lo hace insoportable. Pero sólo si se le soporta mientras transcurre; una vez transcurrido, como nada trascendental sucedió, se funden uno y otro y otro aburrimiento, y producen una pieza única, a la manera de un *patchwork*, en la que nos envolvemos sin distinguir los pedazos, y allá van idénticos los días como las semanas y los meses.

Lo más destacado que ocurrió en aquel curso fue que Trajín ejerció por primera vez sus funciones sexuales. Una niña del piso de abajo de la casa nueva, entusiasmada con el perrillo, había conseguido que sus padres le regalasen una téckel. El pretexto para ello fue una larga gripe que degeneró en un leve trastorno pulmonar. Como hubo de hacer reposo y dar luego grandes paseos por la montaña, se encaprichó con tener una pequeña camarada. Al segundo celo de la perrilla, el padre, lleno de excesivas precauciones, me preguntó en la escalera si yo tendría inconveniente en cruzar a Berta (tal era el nombre de la téckel, no de la niña) con Trajín. Subió Berta, rubia y con cara de pícara, y antes de que su dueño y yo nos hubiésemos tomado el primer café, quedó enganchada con Trajín, del que me sentí de repente tan orgullosa como si fuese mi hijo. Quizá temía, no sé por qué —o sí lo sé— que hiciésemos los dos el ridículo. La pequeña Berta tuvo cuatro cachorros tan graciosos que yo iba desde el instituto, a media mañana, para disfrutar de ellos y para que Trajín fuese conociendo a su prole. Pero Trajín olía a los cachorros con total indiferencia. A los dos meses, escogí un machito —al que tenía derecho— y se lo di a mi padre. Yo suponía que cada vez se encontraba más solo en la cerería y en su casa, y cada vez menos necesario.

Quizá una vida diminuta, tan subordinada a la suya, al requerir su compañía, le diese compañía. Como el cachorro había salido a la madre, y era rubio, mi padre le puso, con cierta grandilocuencia, Toisón.

Desde Semana Santa proyectamos el viaje del verano las tres parejas juntas. Resolvimos casi de común acuerdo, a pesar de las protestas de los higienistas, ir a Siria. A mí me atraía Alepo desde que leí en el bachillerato el *Otelo*, que habla de un turco de allí mientras se degüella. Y Damasco fue una de las ciudades veneradas de mi niñez... Era como si el destino, en anillos concéntricos, estuviese atrayéndome hasta donde él me aguardaba sentado. Por parte de mi madre tengo sangre andaluza; quizá era ella la que me empujaba, o quizá fuese la mía propia anticipándose: la sangre sabe mucho más de lo que nos creemos, pero sólo en contadas ocasiones nos dejamos llevar por sus impulsos.

Para mí Siria fue un gran deslumbramiento. En la secretaría, tan pacífica de ordinario, había leído mucho sobre su historia. Desde un extremo del Mediterráneo volábamos al otro extremo. Desde una tierra que es el rabo sin desollar de Europa y que tiene tanto de África, volábamos (para mí sería un ensayo general) a otra tierra, también al borde de Europa y en el dintel de Asia. De nuestras mezquitas transformadas en catedrales volábamos a sus catedrales transformadas en mezquitas. De nuestro amontonamiento de culturas, al suyo. Un médico sirio, compañero de Arturo en la universidad, hablándonos de su país, nos dijo:

—Agradezco la devolución que nos vais a hacer de nuestra visita. Los sirios venimos aquí hoy para aprender de nuestros abuelos españoles.

Lo cierto es que ellos son los abuelos de todos: allí está la cuna del hombre, cuando aún Babel no había diversificado las lenguas y las razas. Allí están las primeras ciudades del mundo; el honor de ser la primera se lo disputan Hama, Damasco y Alepo: las tres son sirias.

En Hama, sobre cuyo solar se han sucedido docenas de ciudades, me hicieron llorar las crujientes norias que juegan con la luz y el agua del Oronte. Fue en un atardecer color de rosa: el mugido del agua tenía ese color y la luz del poniente se escuchaba. La colina de Alepo, la Gris, donde acampó Abraham, estaba formada por los escombros de las civilizaciones mucho más antiguas aún que él en ese sitio. Y Damasco, versátil e invariable, viva como la vida, más adaptable a ella que Roma y que Bizancio (al escribir Bizancio me ha temblado la mano), es la constante superviviente de sí misma...

Casi todo eso es lo que yo había leído. Hoy, en el primitivo cementerio de Alepo, hay un campo de fútbol; dentro de su gloriosa ciudadela se hace teatro; frente al lienzo de la muralla de Damasco por donde se descolgó san Pablo, recuperado ya de su ceguera, hay un parque de atracciones... A pesar de todo, por debajo, todo queda. Un día en que el sol calentaba de manera especial, visitamos Ugarit: entre sus ruinas duermen tres mil quinientos años; de allí salió el primer alfabeto del mundo. Laura compró su reproducción en una tiendecita: una especie de dedo índice de arcilla con treinta menudos signos grabados. Laura, la librera, con aquella reproducción entre sus manos, se echó a llorar.

—No seas tonta —le decía Marcelo—. Mira ahora por lo que le da... Si lo sé, no venimos.

A Ramiro lo que le emocionó fue ver la columna sobre la que san Simeón del desierto, el Estilita, ese cochino, vivió cuarenta y dos años arrojando inmundicias a sus semejantes. Se halla entre templos en una de las numerosas ciudades muertas.

—Todo esto —murmuraba— es como hacer unos ejercicios espirituales. Como leer el Kempis: todo pasa «como las nubes, como las naves, como las sombras».

Lo decía tan ampulosamente como si estuviera recitando a Amado Nervo. Mientras, yo pensaba en aquellos titanes que habían construido sus edificios para la eternidad. Porque nada —ni el amor, ni las guerras, ni la vida— iban a ser nunca distintos de los suyos... Y nada quedaba de lo que hicieron más que el asombro.

Cómo Ramiro no se daba cuenta de que los dioses habían pasado y se habían ido, unos detrás de otros, sin dejar más rastro que aquello que en su nombre habían hecho los humanos: unos humanos tan efímeros como ellos, pero no más.

Eso seguía pensando cuando nos levantamos antes del amanecer en Palmira, para ver los primeros rayos del sol acariciando las esbeltas y doradas ruinas dentro de aquel oasis. El gran templo de Bal, las torres funerarias, las tumbas, los palacios caídos, las calles, el mercado, el foro, el teatro, el desierto acechando alrededor... ¿Qué quedaba de todo? El sol y el viento. Los seres humanos —me decía yo sin comentarlo con Ramiro— inventaron a sus dioses, y les dieron unos nombres y unos cultos. Todos los dioses, en definitiva, fueron sólo un dios: la sed de sus adoradores frente a la sed de sus enemigos. Porque el hombre, no los dioses, es el peor enemigo del hombre; para protegerse de él mismo los inventan.

Yo notaba algo decisivamente fraternal en aquel viaje. Como si los árabes andaluces murmuraran dentro de mis venas incomprensibles oraciones. Nada muere del todo; el olvido no existe. Creí entonces, y hoy lo sigo creyendo, que estamos hechos de lo que en apariencia olvidamos... Antes de acostarme me miraba en el espejo del baño en los hoteles, y me interrogaba: ¿de dónde vienen estos ojos oscuros, este pliegue tan singular de los párpados, esta boca tan voraz, este pelo negrísimo, este furor por seguir viva a pesar de todos los pesares? Comprendía a la reina Zenobia de Palmira, la sentía más imperecedera que las derrocadas columnas de su casa, más viva que yo misma. Y entonces, mirándome a los ojos, confiaba. «Queda tiempo aún —me repetía en voz muy baja—: espera.» De alguna forma, tenía razón Ramiro: también para mí aquel viaje fue provechoso como unos ejercicios espirituales.

Nunca he podido comer sola: se me hace un nudo en el estómago. Cuando en Huesca no tenía más remedio que hacerlo, ponía de cuando en cuando una docena de huevos a cocer; llegada la hora, comía un huevo duro y un yogur, y de pie, para no darme cuenta que estaba comiendo. Jamás me ha gustado aprovechar que tenemos un agujero en la cara para echarme por él cosas con tenedores, cucharas y vasos. Si no tengo enfrente a alguien con quien hablar o a quien atender, no como. Trajín y yo comíamos en un minuto, cada cual su pitanza; al acabar, él, de pie también, rebañaba con la lengua mi tarro de yogur. Aquí me pasa igual... Peor, porque no está Trajín. Cuando estoy sola lo echo mucho de menos. A él y a Yamam; pero mi perrillo no vendrá. Yamam, aunque tarda siempre, aunque siempre viene después de la esperanza, cuando ya se ha acabado mi paciencia acaba por llegar. Ahora, por ejemplo.

Ramiro, mi marido, al que ya me unía una aceptable amistad, empezó a perder pelo y ganar peso. Su esplendor de unos años atrás se volvió un tanto opaco. Quien lo conocía después aún le tomaba por un tipo magnífico; pero los que lo vimos en su punto culminante, si girábamos la cabeza y recordábamos lo que fue, no dejábamos de sentirnos consternados. Como Laura dijo una noche:

—Las personas que tienen un cuerpo modelo son las que, si se descuidaran, serían gordas. El secreto de la belleza es la medida justa de las formas, no estar delgados como espátulas, y para que las formas sean bonitas han de embridarse; en cuanto se desbocan aparece la deformidad.

—Si lo dices por mí —comentó Felisa, que siempre se daba por aludida—, te lo agradezco. Pero es una observación que me llega demasiado tarde. —Suspiró—. De todos modos, gracias por recordarme que no hace tanto estuve como un tren.

Aunque Ramiro se había anticipado, hay una edad en que los hombres aspiran al placer de la comida y al de estar rodeados de ciertos lujos, más o menos asequibles. Acaso a falta de otros placeres, Ramiro se entregó a ésos. Se preocupaba en serio de que la casa estuviese bien puesta, de que hubiera flores —sobre todo cuando teníamos invitados—, de que la comida fuese exquisita y los vinos, bien seleccionados por él.

—El único consuelo que nos queda, en esta civilización tan rácana que nos ha tocado, es la calidad de vida.

A veces todo aquello resultaba un poco chocante para los que nos conocían de tiempo atrás. A Ramiro lo acusaban de esnob. Yo no le recriminaba esa actitud; siempre he creído que cada cual debe hacer, sin daño para nadie, lo que le apetezca en cada instante.

Fue por entonces cuando se compró aquel coche. Era bastante llamativo: por la marca, por el tamaño, y por un color plata que lo hacía único en Huesca y muy visible. «He visto a tu marido en la plaza López Allúe.» O «Ramiro estaba delante del hotel.» Y qué hará allí, me preguntaba. Hasta que caía en que era el coche lo que veía la gente. La verdad es que a mí no me agradaba estar tan localizada en una ciudad como Huesca, donde ya es de antemano difícil desmarcarse; pero no me opuse —ni siquiera se me ocurrió— al capricho de Ramiro.

Lo peor del coche es que podía ponerse a una velocidad endiablada. Yo sé lo que es ese transporte —en la acepción real y en la alegórica— de la velocidad. Lo he sentido con Ramiro algunas tardes en que salíamos de la ciudad camino del parque de Ordesa o de la frontera, o llegábamos a Zaragoza en media hora escasa, dejando atrás, vistas y no vistas, las canteras de Almudévar, con la excusa de una película o de una merienda o de una visita. Yo siempre le rogaba que no corriera tanto; sin embargo, en el fondo me gustaba correr tanto como a él.

A todo esto Felisa me había venido hablando —hasta la pesadez— de una echadora de cartas asturiana, llamada Celina, a la que ella consultaba en algunas circunstancias. Como no teníamos muchas distracciones, me pareció divertido que me adivinaran el porvenir. No es que yo crea en videncias, pero tampoco dejo de creer; admito la posibilidad de que alguien sea capaz de asomarse por un resquicio al futuro, o de que tenga más poderes que el resto, o que las cartas u otro cualquier procedimiento sean vehículos por los que se transmitan determinadas advertencias. Felisa me condujo a la casa. Cuando Celina me hizo una seña para que entrara en el *sancta sanctorum*, se quedó en el saloncito —que era bastante cursi y lleno de piel falsa y macasares— esperándome.

La cartomántica era una mujercita limpia, menuda, con el pelo blanco muy atusado, la tez sonrosada y un traje negro con algunos brillos y cuello y puños de color marfil. La habitación donde iba a hacerme la lectura era muy pequeña también: cabían una mesa camilla, dos silloncitos y poco más. A un lado, sobre una repisa, un Corazón de Jesús y dos velas encendidas; sobre la mesa, un tapete circular de macramé y una pantalla. Hablamos unos minutos. Me preguntó si era de Huesca, si creía en las cartas, si toda mi familia era aragonesa... Después, producida la impresión de sensatez y de llaneza que pretendía, apagó la luz del techo y dejó la de la pantallita que alumbraba la mesa. Entonces vi mejor sus manos, muy pálidas, gordezuelas, con venas azuladas y uñas pulcras y con un esmalte transparente. Llevaba en la derecha un anillo con un rubí cuadrado. Sacó la baraja envuelta en una seda morada; quitó el tapete, y cubrió la mesa con otra seda igual. Me mandó barajar; recogió el mazo de cartas y lo igualó con dos golpes muy sabios.

—Corte con la mano izquierda. —Lo hice—. Toque los dos montones.

Después distribuyó en varios montoncillos las cartas y fue descubriendo la primera de cada montón.

—Permítame decírselo, señorita (o mejor, señora, ¿no?): usted no es muy feliz. Pero no va a pasar mucho tiempo sin que esta situación cambie... Hay en su vida un hombre rubio y otro moreno. Créamelo; eso se dice siempre, pero en su caso está clarísimo: a mí misma me desconcierta verlo tan claro... Y hay, o habrá, una mujer cercana a usted que no le profese mucho afecto... Veo viajes. En uno de ellos aparece el hombre moreno. Al rubio le sucede algo —es como si fuese en otro viaje—, y hay un peligro, pero lo supera. Bueno, hay en realidad dos peligros: el físico lo supera; el otro, esta carta me dice que no —tenía en la mano un cinco de espadas—, porque esta carta es de él, no de usted... El as de bastos marca una nueva etapa en su vida: aquí está. Usted va a tener muchas satisfacciones; va a parecerle mentira lo que ahora está viviendo... Ésta —levantaba con desgana una sota de copas— no me gusta mucho. Tiene que tener cuidado con la vida a la que se lanza... acompañada —subrayó la palabra—. ¿No tiene usted hijos? Yo estoy leyendo aquí que los tendrá. No me gusta esta carta —insistió tocando con un dedo la sota—. Económicamente, mucha suerte, viene un tiempo buenísimo. Y la salud, espléndida. —Levantaba cartas con solemnidad—. Otro as —era el de espadas—. Su vida no es de términos medios, señora. Va usted a conocer los extremos de todo —me miraba a los ojos—: esperemos que sea para bien. Pero usted va, casi sin mirar, hasta las últimas consecuencias: qué valiente. Ve usted, el as salió invertido: eso querrá decir que tendrá descendencia.

—¿Tardará mucho?

—¿El hijo? Esta carta me dice que no. Sin embargo, debo decirle que yo no calculo con mucha precisión el tiempo. Lo mismo que puedo garantizarle que sucederá lo que le digo, no puedo predecir si tardará un año o acaso un poco más... El rey de oros asegura que el parto es feliz. Vamos a olvidar este nueve de bastos...

—¿Por qué?

—Porque no siempre las cartas casan bien unas con otras. Son como las personas: en ciertas condiciones, se contradicen... ¿Tiene alguna pregunta concreta que hacerme? —Sin esperar mi respuesta añadió—: Baraje usted de nuevo.

—¿Me puede ampliar algo sobre el hombre moreno? —pregunté, mientras repetía la primera operación.

Celina descubrió y sostuvo en la mano un caballo de copas:

—Lo conoce en un viaje. Influirá en su vida, vaya si influirá. No es de aquí, creo. —Levantó un siete de oros—. Es positivo para usted, por de pronto, en el aspecto económico. —Una sota de bastos—. Me permito advertirle que se trata de una persona muy especial, señora: muy especial y definitivo. Al menos, para usted. —Un ocho de copas—. ¿Me atrevo? Sí; me atrevo a decir que tendrá amores con él. Seguro. —Bajó la voz—. ¿Otra vez el as de espadas, y ahora? Amores, sí... Hasta el final. Hasta el final. —Me miró con curiosidad. En sus ojos había una chispa como de admiración. Sonrió—. Quizá hemos hecho esperar demasiado a doña Felisa —concluyó, amontonando las cartas antes de levantarse.

El 21 de marzo, el mismo día en que comenzaba la primavera, me telefonearon desde el hospital: Ramiro había tenido un accidente de consideración. El coche estaba destrozado, a la izquierda de la carretera, a la altura de las canteras de Almudévar, y unos convecinos que venían detrás lo reconocieron y avisaron a una ambulancia. Salí, dejando a Trajín en mi dormitorio. Todavía no había empezado a anochecer.

En el hospital me recibió Arturo, a quien unos compañeros le habían dado la noticia.

—Está en muy buenas manos. La recuperación será larga, porque tiene un golpe en la columna vertebral. No te asustes por la herida de la cara; eso es lo de menos: la cirugía plástica hace hoy milagros y lo resolverá... Y no te hagas mala sangre, querida Desi, que tienes marido para rato.

Entré en la UVI. Ramiro seguía sin conocimiento; tenía cerrado el único ojo que se le veía. Las vendas le ocultaban la cabeza y me pareció que yacía sobre un lecho de escayola. Le cogí la mano; estaba llena de arañazos. Daba la impresión de que no le quedaba parte sana en el cuerpo.

—¿Puedo estarme aquí?

—Es mejor que salga usted, señora. Aquí no podrá hacer nada. Cuando vuelva en sí la llamaremos.

En el pasillo me esperaban Laura y Felisa. Felisa me abrazó y se echó a llorar. Laura la reprendió.

—Eres tonta. Desi va a creer que Ramiro está peor de lo que está. —Me acarició la cara—. He hablado con Zurita, que es el traumatólogo de la residencia, y me ha tranquilizado. Tenía una operación, por eso no está aquí; pero me encargó que te transmitiera su absoluta confianza en que todo irá bien. La cosa podría haber sido mucho peor.

—Los médicos dicen siempre lo mismo.

—Y siempre tienen razón.

Era de madrugada cuando salió del coma. Continuaba lleno de tubos, de sueros, de apósitos, pero me habló.

—No pasa nada, Desi. No sé cómo fue. Era una recta...

—Deja eso ahora. Descansa. No tienes que hacer más que recuperarte. En medio de todo, hemos tenido suerte.

Dejé mi trabajo en el instituto. Hablé seriamente con Trajín, que no se acostumbraba a quedarse solo. Acabé por llevarlo con mi padre, aunque al viejo le fastidiaba, porque el sinvergüenza enseñaba a su hijo toda clase de trapacerías y perfidias. Yo me pasaba el tiempo junto a la cama de Ramiro. Fueron días largos, en que no estaba en realidad en ningún sitio.

Por fin, me autorizaron a llevármelo a casa. Él, que no había estado mal nunca, era un pésimo enfermo: malhumorado, chinchoso y quejica. Sólo cuando venían sus jefes a verlo desde fuera se ponía encantador y se hacía el resignado. También con el padre Alonso que, desde el primer momento, se ocupó de atenderlo —sólo espiritualmente, claro— y de que escuchase por televisión la misa del domingo. A mí, con su voz suavona, me recomendaba paciencia.

—A Ramiro debería usted recomendársela. Es el paciente más impaciente que yo he visto en mi vida.

Se instaló en el cuarto una cama articulada para que yo pudiera incorporarlo sin que se moviera. Las semanas y los meses transcurrieron pesados como siglos. Y se sobrentiende que aquel verano no realizamos nuestro viaje anual. Laura y Felisa se solidarizaron en parte con mi inmovilidad, y decidieron pasar sus vacaciones en Cádiz, mitad en la sierra, mitad en las playas. Regresaron contando maravillas.

—Nos debían obligar a conocer nuestro país antes de salir fuera de él —le decían a todo el mundo.

Yo, para dejar más espacio a médicos y curas (curas en todos los sentidos), me llevé a mi habitación todas mis cosas: la ropa, los libros, los recuerdos de antes de casarme... Se convirtió en una habitación de soltera, y allí hacía mi vida cuando Ramiro descansaba. Me transformé en una sacrificada enfermera que utilizaba para recuperarse (también en todos los sentidos: en el del reposo y en el del reencuentro) sus cortas horas libres. Si Ramiro se quedaba dormido, yo, con un dedo en los labios para advertirle a Trajín —otra vez en casa— que no hiciera ruido, salía de puntillas de su cuarto y me iba al mío, que era mi reino y mi refugio. Sólo con entrar en él me sentía mejor.

No hubiese cambiado por nada esas horas o esos instantes de soledad, en que fantaseaba como una niña que aún no hubiera empezado la ardua carrera de la vida; en que inventaba personajes y soñaba despierta, apoyada en los libros que leía con más glotonería que nunca. Me busqué una mecedora y no es que me traspusiera con su balanceo, sino que me introducía en un país secreto, mío en exclusiva, que no había intuido hasta entonces, y que valoraba más cuanto menos —y a ratos perdidos— podía disfrutarlo. Con Trajín a mis pies, adujado y dormido, me movía adelante y atrás, ya el libro en las manos ya en la falda, ya la cabeza inclinada sobre el libro ya sobre el respaldo, un poco fuera de mí y un poco dentro, hasta que Trajín oía —o presentía— algo en la habitación vecina, y yo me levantaba para volver al tajo.

El oído de Trajín tenía más de vaticinio que de otra cosa. Con frecuencia, cuando llegaba al cuarto de Ramiro empezaba a despertarse, y él creía que no me había movido de su cabecera.

—Deberías salir. Deberías recibir a tus amigas. Te estás marchitando aquí, a mis pies.

Eso opinaban todos:

—Desi se está portando con una abnegación insuperable.

El mismo padre Alonso me dijo dándome golpecitos en la mano:

—Eres una santa. Una santita. Te pongo de ejemplo a mis penitentas.

Todos ignoraban que, desde la época de mi adolescencia, nunca me había sentido más satisfecha y más cumplida. Como un gusano de seda dentro de su capullo en vísperas de su misteriosa liberación.

Es verdad que, de pronto, sin la menor noción del porqué, me sobrevenían momentos de desánimo y ganas de echarlo a rodar todo. Momentos en que consideraba que nada merecía la pena, y que mi vida era tan dispersa como las cuentas de un collar cuyo hilo se ha roto. Entonces volvían a abrumarme las cuestiones que parecían para siempre rechazadas. Entonces se levantaban mis sentimientos más elementales y más femeninos: la certidumbre de que alguien me echaba a faltar y me estaba buscando con pasión —no sabía quién, ni dónde, pero no era Ramiro—, que era urgente que apareciese yo, mientras en aquella casa mortuoria se deshojaba y perdía un tiempo irremediable; el hondo deseo de saberme deseada, de ver en unos ojos brillar la ansiosa codicia del varón, esa codicia que te toca como si fuese una mano; la urgencia de abandonar, en unos hombros fuertes, mi carga de desgracia y de soledad...

Había recibido una carta de Pablo Acosta. Enterado del accidente de Ramiro, me escribía desde Norteamérica, donde estaba por razones de su profesión, quitándole importancia y dándome ánimos. Me mandaba besos para Trajín, «que es mi representante al lado tuyo, y estoy segurísimo de que se porta contigo tan bien, por lo menos, como querría poder portarme yo».

Cuando Ramiro mejoró y pudo levantarse, yo cogía a menudo a Trajín y nos dábamos largos paseos por las calles a la ventura. Hasta el extremo de que casi siempre tenía que preguntar a un transeúnte por dónde volver a casa. Las calles estaban mojadas por la lluvia y veía reflejarse las luces como clavos ardientes, o veía el sol destellear al ocaso, con luces anaranjadas, en los cristales de las fachadas que daban al Oeste. Sentí como nunca la fascinación de la calle; la libertad de andar sola junto al trotecillo de Trajín, seducido por esta nueva vida; la sensación de anonimato por los barrios desconocidos, interrumpida a veces por alguien que me saludaba, o por alguien que comentaba —supongo— mi locura de andar y andar sin propósito alguno.

Unas veces, al tuntún, me dirigía a las zonas llamadas residenciales, que siempre había entrevisto desde el coche. Otras, a los barrios más humildes. Descendía, por ejemplo, a la Porteta de San Vicente, mirando bien el pavimento para no desnucarme, y desde la ya inexistente muralla, cruzado el río, me dirigía al barrio del Perpetuo Socorro, donde nunca había estado, y paseaba allí por sus anchas aceras desgarbadas. O visitaba a mi padre en la cerería, y nos entreteníamos viendo entretenerse uno con otro los dos perros, hasta que escuchaba las campanas del cercano monasterio de la Asunción. O recorría mis itinerarios infantiles predilectos: los que zigzaguean por las callecitas que suben y bajan alrededor de la catedral: Doña Petronila, Doña Sancha, Alfonso de Aragón... Allí vivían ya casi sólo gitanos, y ladraban muchos perros al paso de Trajín. Siempre me encantó ver los plátanos en ángulo de la placita de los Fueros, y la de Lizana, con sus seis acacias y su farola también triangular, a la que bajaba por Pedro IV para salir por la calle de Sancho Abarca a la antigua plaza del mercado...

Qué curioso que ahora, al recordarlo, es cuando caigo en la cuenta de lo que hacía, de mis estados de ánimo de entonces, o de mis depresiones y de sus consecuencias. Durante aquellos meses no analicé; tuve que conformarme con ir viviendo como me dejaban y con defenderme lo mejor que podía. Y aprendí en los libros —más por la deducción que por la lectura— dos verdades: cuántos hombres han escrito sobre el alma de la mujer sin entenderla, y que en mis circunstancias se halla la mayoría de ellas. Todas las que lo están giran los ojos en torno suyo por si encuentran la dádiva del amor. Lo hacen sin advertir que lo hacen. Si son vulgares, caen en manos de unos y de otros; si son —me arriesgo a decirlo— como yo era, son ellas mismas las que se lanzan a amar con enardecimiento, con una entrega y con una exigencia que sólo puede explicar su descompuesta suerte anterior. Éstas apenas necesitan una disculpa para ponerse en pie y avanzar hacia lo que entienden que es su destino: una disculpa que cualquier hombre puede suministrarles.

Yo sabía qué peligrosos eran tal estado y tales circunstancias para mí. Por eso, cuando los demás me alababan, yo sonreía en silencio, y acabé por alejarme de ellos adentrándome en mí misma. Sólo un fragmento de mi vida consideraba que era bastante parecido al que estaba pasando: cuando me sobrevino por primera vez la menstruación, y yo asumí —sola, entre mi padre y mi hermano, sin ninguna amiga íntima todavía— la certeza horrorosa de un riesgo, y recurría a mi madre recién muerta y no recibía ninguna claridad. Entonces, como en esta segunda ocasión, me supe aislada, indefensa y fuerte a la vez, generosa y egoísta, y algo en mí —una voz que di en pensar que era la de mi madre— me instaba: «Vive, tú vive. La principal obligación que tiene cualquier ser vivo es ésa. No consientas que nadie te lo impida.»

Ramiro, por fin, pudo retornar a su trabajo. Usó, durante unos meses, un bastón para darse seguridad. Había perdido aún más de su atractivo, y ahora definitivamente. Me pareció, al verlo de pie, muy desmejorado. Las bolsas en los ojos, las mejillas surcadas por arrugas, la gran cicatriz que le cruzaba el rostro y un leve redondeamiento de las caderas me sorprendieron a la brusca luz del exterior. Mientras estuvo en casa, en el escenario cotidiano y aliado, no lo noté.

El primer día que salió fue para oír, rodeado de los amigos más próximos a quienes habíamos invitado, una misa de acción de gracias que celebró el padre Alonso en San Pedro el Viejo. Era a principios del otoño, una mañana límpida. Todavía flotaba por el aire la tibia bocanada que el verano concede antes de despedirse. Yo llevaba a mi marido del brazo, y me pareció que acompañaba a un hombre muy mayor, al que me unían hondos lazos de afecto, pero con el que nunca había vivido un amor recíproco.

Esto era así, tenía que aceptarlo; no valía la pena darle más vueltas al asunto.

SEGUNDO CUADERNO

HOY EMPIEZO un segundo cuaderno, y sé menos que nunca para qué. No he releído lo escrito, pero supongo que será como el vuelo de una de esas falenas de la noche, que van achicando sus círculos hasta quemarse en la luz que las atrajo desde lejos.

Ayer, sentada en un banco bajo un gran plátano que hay cerca de los jardines de la universidad, junto al pasaje de los Libreros de Antiguo, oí cómo el viento provocaba el roce de dos ramas y producía un sonido chirriante. Me vino a las mientes otro igual: el que hacía un columpio de mi infancia campesina, durante un verano dorado y ya imposible, que mi padre colgó para mí cerca de la puerta trasera de la casa de Panticosa... Mi falda subía y bajaba al vaivén del columpio, y yo reía nerviosa, y miraba acercarse y retirarse las ramas, la cara de mi padre, el muro de la cerca, hasta que el lazo que llevaba en el pelo se desprendió y voló un segundo en el aire y cayó como una mariposa también muerta. Sin embargo, las cosas que nos suceden no tienen para nosotros verdadero sentido hasta después, cuando son ya inmodificables y nos han dicho para siempre adiós. ¿Tengo yo algo que ver con aquella niña? ¿Era aquella niña de verdad feliz? ¿Qué opinaría Pablo o mi hermano Agustín de ella? ¿Soy feliz ahora? ¿Importa más la felicidad, o importa más la vida? Quizá esté hoy en uno de esos instantes bajos, de desaliento, que en la época del accidente de Ramiro me embargaban; pero no me enteraré con certeza hasta que haya pasado. Y entonces será inútil saberlo: el hecho de haber sido pasajero no me servirá de consuelo ya. Ninguna dicha de mañana es capaz de borrar la desdicha, real o imaginaria, de hoy.

Lo mismo pensé ayer cuando, habiéndome levantado para regresar, interrumpió mis recuerdos un hecho lamentable. De la universidad salían unos treinta estudiantes custodiados por unos cuantos policías. Se cruzaron conmigo, jóvenes y serenos, sin violencia alguna ni en sus actitudes ni en sus rostros, y montaron en un autobús, que arrancó rompiendo con su sirena el aire. En seguida la voz del almuédano volvió a romperlo con su llamada a la oración. Ni las palomas de la plaza, que cubren como frutos las copas de los árboles, ni los abundantes vendedores de cualquier cosa instalados en ella se conmovieron con la detención de los muchachos ni con la llamada del almuédano; el aire, sólo el aire.

MI PUESTO EN LA SECRETARÍA del instituto había sido cubierto; por otra parte, yo ya no disponía de tiempo para mí. Aprendí a conducir con mucho esfuerzo, porque no estoy dotada para la mecánica. Compramos un coche corriente, y yo llevaba y traía a Ramiro de la oficina a casa y viceversa. Fue el tiempo en el que más paseé. Había días en que, desde la entrada a las nueve, hasta el mediodía en que recogía a Ramiro, me dedicaba a andar. A veces incluso Trajín, tan aficionado a callejear, con los ojos o con algún ladrido se me quejaba. Me convertí en un preso al que se le da libertad a ciertas horas, y que ha de presentarse a otras fijas ante una autoridad que sella sus papeles. Hablaba con muy poca gente; elegí calles donde no viviera nadie conocido. Entraba en mercados lejos del centro, o en las vetustas tiendas donde ya nadie compra, o iba al mercadillo de zapatos o de telas de la plaza de los Tocinos. A lo mejor pasaba de prisa por la librería de Laura, que se había ofrecido a pagarme un sueldo si la ayudaba por las mañanas; lo rechacé: yo quería estar sola, desenvolverme sola, no fingir más. Y no sabía por qué, ni me lo preguntaba; ni sabía en qué pensaba, ni si pensaba siquiera... Aquel tedio de antes no lo sentía ya. Era como si me hubiese liberado —no con una sacudida de hombros, sino del pensamiento— de la carga pesadísima que todavía gravitaba sobre mí, pero ya con la seguridad de que su peso iba a aminorarse. Como si hubiese cumplido la mayor parte de una condena, y contemplara, a través de las rejas, el mundo antes tan inalcanzable —o simplemente no visto o no imaginado— de la libertad. Pero ni entonces, ni aún ahora, podría decir la causa de tales sensaciones. El corazón tiene razones que la razón ignora.

Felisa había tenido su segundo hijo. Fue una niña. No dudó en cumplir su promesa de que yo fuera la madrina; Ramiro, en consecuencia, fue el padrino. Él eligió el nombre: Désirée.

—Al fin y al cabo, quiere decir lo mismo que Desideria.

Yo no me molesté en aclarar que no era así, y me habría parecido bien cualquier nombre. Pero sí estuve a punto de decirle a Ramiro, que el suyo, en nuestra ciudad, era más chocante que el mío: Ramiro se llamó el rey que organizó la juerga de cabezas cortadas que se conoce con la sarcástica denominación de *la Campana de Huesca*; Ramiro *el Monje*, también en eso un poco como mi marido. A pesar de todo, nada dije. Entonces muy a menudo elegía el silencio; si se me ocurría una frase ingeniosa o una respuesta rápida o cualquier comentario, me los callaba. Había aprendido a dialogar conmigo misma y cada vez me importaban menos los demás.

Aquel verano, Felisa y Arturo tenían que pasarlo en la ciudad por la niña reciente. Laura y Marcelo nos propusieron —ya que los higienistas se quedaban— que fuésemos a Turquía. Yo, para negarme, di la excusa de la debilidad de Ramiro. No me atraía Turquía y, por si fuese poco, por primera vez en mi vida tenía pereza de salir de mis costumbres: mi casa, mi cuarto secreto, mis libros, mis paseos. Pero Marcelo insistió: hasta había encontrado alojamiento para Trajín en casa de Felisa, que lo adoraba. Y, por su lado, Ramiro quería compensarme de *mis sacrificios* con un viaje *exótico*, de esos por los que él sabía mi entusiasmo. Me impidieron esgrimir ningún argumento concreto contra el viaje ni contra Turquía. No conocía casi nada de ella; con dificultad la habría situado, entera, sobre un mapa. Pero sentía contra los turcos esa enemiga subconsciente e histórica de los europeos, que procede de la ignorancia y que lleva directamente a mayor ignorancia. El turco era para mí un concepto ominoso, amenazador y cuajado de inopinados albures... El tiempo, sin demorarse, iba a demostrar que yo estaba cargada de motivos.

YAMAM PASA DOS DÍAS fuera. No ha querido llevarme. Se trataba, según me dijo, de un viaje de negocios especial. No ha querido tampoco que los niños, a los que les correspondía, dejasen de venir a esta casa: así yo no estaría sola. Yamam ha conseguido que los niños estén solos conmigo, y yo sola con ellos.

He pasado gran parte de la tarde haciendo crucigramas que me mandan de España unos clientes del Bazar. Los autodefinidos se me dan mejor que las palabras cruzadas. No sé si en realidad quiero estos libritos para no olvidar mi idioma, o para distraerme con estas fáciles dificultades, puesto que en las últimas páginas vienen las soluciones, o para que las definiciones me susciten recuerdos en cadena. Cómo conducen unos a otros por vínculos imprevisibles, y cómo la observación de tales lazos conduce a otros a su vez. Pero, me pregunto de qué me sirven los recuerdos.

«A veces son negocios limpios que encubren otros sucios», con nueve letras. *Tapaderas,* será. Me viene a la cabeza, sin aparente razón, mi pequeña tienda de alfombras en el Coso, y se me escapa el alma a aquella época en que el secreto y una sutil esperanza hermosearon muchos días de mi vida... «Demostraciones materiales de cariño» con cinco letras. No; *dones,* no. Y me pongo a pensar en la otra palabra, en las demostraciones recibidas por mí —*besos*— y en la ambigüedad de cualquier demostración. A veces me irrito, como esta misma tarde. Leía: «No es su real significado, pero pueden ser cornudos»; imposible que a ninguna persona normal se le ocurra *predestinados.* Pero cuando me dan ganas de escribir al editor poniéndolo verde es cuando el número de letras o su orden están equivocados. Me parece de juzgado de guardia que, por un error suyo, se agraven los obstáculos de quienes se brindan a jugar creyéndolo. Qué abuso de confianza, pienso. Y también sobre abuso de confianza me distraigo: ¿quién no ha cometido alguno? Y cuanto más grande y firme la confianza, mayor será el abuso. Sin embargo, no me remuerde la conciencia...

La niña, Safia, grita desde su dormitorio... He ido, la he tomado en mis brazos, la he acunado. Me he puesto a cantarle una nana.

Duerme, niña chiquita.
Mi niña, duerme,
que mi cuerpo es la cuna
donde mecerte.

Sin éxito: escuchar un idioma extranjero la ha despertado más. En vista de eso, le he hablado muy bajito, como si le contara un confuso cuento tranquilizador. Quizá ha tenido una pesadilla: sé muy bien lo que es eso. Poco a poco, ella ha vuelto a quedarse dormida, y yo, a mis crucigramas. Y ahora, a este cuaderno, cuya utilidad pongo más y más en duda, aunque de ningún modo sea la utilidad lo que me mueve a escribirlo.

Dos días sin Yamam es demasiado tiempo. Me gustaría dormirme ahora y despertar el lunes.

DESDE SALÓNICA, todo fue un lío de mares, de islas, de penínsulas. Cerré los ojos. Antes de llegar, ya estaba harta de Turquía.

Cuando el avión empezó a descender para aterrizar en Estambul se me cayeron los palos del sombrajo que aún quedaban en pie. Ya el vuelo había sido complicado, con rachas de mal viento y baches que nos hacían saltar y me subían el estómago a la boca. Además, con los componentes del *tour* viajaban una serie de señoritas, de distintas nacionalidades, seleccionadas en un concurso de belleza en Madrid, que asistirían a la final en Estambul. *Miss Simpatía, Miss Elegancia, Miss no sé qué...* Desde hacía media hora se habían empezado a acicalar, a pintar o a repintar, y a colocarse sus respectivas bandas. Iban vestidas como para un baile, porque la televisión las recibiría en el aeropuerto. Todas eran, por descontado, muy jóvenes, muy guapas y muy tontas.

Desde el aire, Estambul era una ciudad desprovista de embrujo: bloques de cemento fríos, amontonados y simétricos como construcciones militares, iguales o peores que los de cualquier gran ciudad, unas colinas baldías y resecas, caravanas de coches por las carreteras... Y, ya en tierra, señales e indicaciones en un idioma extraño, pero con nuestro alfabeto, cuando yo creí que estarían en árabe; lo tomé como un agravio personal. Crecía en mí un injusto resentimiento previo: aquel país no me iba a gustar nada. Tal prejuicio se agravó con los trámites de entrada, con la fealdad de las instalaciones, con la escasez de carritos para los equipajes, con la tardanza de su salida a la cinta continua. A cada instante me encontraba más tensa.

—No te había visto nunca así, hija mía. No sé lo que

te ocurre —dijo Laura—. Viajar a cualquier sitio, por horrendo que sea, siempre te ha producido una expectación. Has esperado el prodigio en cada pueblo, pero lo que es en éste...

—Será que soy mayor —le contesté un tanto desabrida.

—Pues cómo seré yo —se echó a reír y me volvió la espalda.

Después de un retraso que se me hizo interminable, se organizó la comitiva. Marcelo consiguió cambiar un poco de dinero y pagó una cantidad que había que abonar en alguna ventanilla, cosa que, por lo visto, no había resuelto la agencia de viajes. Fuera ya del aeropuerto, el autobús que debería llevarnos a la ciudad no estaba. Otra media hora en blanco. Convencí a Ramiro de que se sentara sobre una maleta. Cuando llegó el autobús nos acomodamos como pudimos. Marcelo se encargó de controlar que nuestro equipaje fuese cargado en él. Un aire de aprensión y de desconfianza se había propagado entre nosotros cuatro y también en el resto del grupo, que, no obstante, era de gente joven y simpática. Laura y Marcelo se sentaron delante de nosotros. Cerré los ojos y reposé la cabeza en el espaldar de la butaca, no sin cierto recelo. Arrancó el autobús. Atravesamos las tierras áridas que habíamos visto desde el aire. Volví a cerrar los ojos. El autobús estaba en silencio...

De repente, una voz masculina, acogedora y profunda, en un castellano con un acento inidentificable, lo llenó todo.

—Muy buenas tardes.

Hablaba a través de un micrófono; sin embargo, yo me sorprendí contestando «buenas tardes». Miré hacia delante. Vi al conductor y, a su lado, a otro hombre. Un cuello rotundo, una nuca fuerte, el nacimiento de un pelo muy oscuro. La voz, espesa y cálida, volvió a hablar.

—Estamos en Bizancio, en Constantinopla, en Estambul...

Yo no podía separar mis ojos de aquella nuca, de

aquel cuello, de aquellos hombros. Iniciaron un giro. Atisbé el rostro al que correspondían. Escuchaba mi propia respiración agitada. Tragué saliva con dificultad. ¿Qué me estaba pasando? Se había alejado todo, ensordecido todo. Allá delante, el rostro, vuelto ahora, sonreía.

—Bien venidos.

Tuve una náusea. Vomité. Oí lejísimos la voz de Laura:

—Se ha mareado. Ya la encontraba rara...

El rostro aquel estaba sobre el mío; unas manos firmes sobre mis hombros, una sonrisa.

—No es nada —dijo la voz muy cerca—. ¿Verdad que no?

Yo estaba sola con él. Tuve la impresión literal de que me derretía; creí que mi falda no podría ocultarlo. Cerré los ojos avergonzada. Me invadió la certeza de que lo más importante de mi vida acababa de sucederme. ¿Cómo se puede tan claramente saber algo? Fue una certeza animal, básica, previa a todo razonamiento, opuesta incluso a cualquier razonamiento... Abrí los ojos y miré los suyos. Los miré como quien pide piedad. El autobús no se había detenido; pero ¿dónde había ido a parar Ramiro? Su brazo estaba junto al mío. Respiré hondo, o sollocé, no sé. Laura enjugaba con una servilleta de papel la mancha de mi vómito. Creí oírla preguntar:

—¿No estarás embarazada?

Yo, pendiente de los ojos aquellos, negué con la cabeza.

—Brava —dijo la voz—. Ya está bien. Brava.

Me rozó con su mano la mejilla izquierda; yo alcé mi mano hacia el lugar rozado, y él se alejó pasillo adelante.

Escuchaba la voz como se escucha una música, que no dice sino lo que cada oyente desea oír. Yo no deseaba oír nada concreto: sólo la voz, sólo la densidad compacta de aquella voz que me hablaba a mí sola y me soltaba al oído frases sueltas sobre la historia de Estambul: extraordinarias vulgaridades que yo recibía en vilo. Estaba sonriendo. Ramiro me acarició una mano suavemente.

—Veo que te has recuperado.

Yo retiré asustada mi mano.

—Sí.

El guía —porque él era evidentemente el guía, y además así lo había dicho: el guía que tendríamos durante todo el viaje— se llamaba Yamam.

—Que quiere decir el único —agregó sonriendo a su vez.

Su sonrisa era la más abierta y la más seductora que yo había visto nunca: se contagiaba, hacía sonreír a todos. Tras ella, una dentadura blanca y muy sólida. «Morderá», pensé. «Hará daño al morder.» Estaba de espaldas a la marcha, vuelto hacia mí, de pie, con una mano apoyada en el respaldo del primer asiento y la otra sosteniendo el micrófono, con las piernas ligeramente abiertas...

—Constantino VII, emperador de Oriente, dio al Asia Menor el nombre de Anatolia; significa *País donde el sol nace*... Quiero advertirles que los turcos somos europeos como ustedes —sonreía aún más; no parecía posible, pero sonreía más—. No han de tenernos miedo. Europa siempre ha oscilado, respecto a nosotros, entre el temor y el encantamiento; a Europa siempre le atrajo el riesgo... Aquí nació la civilización occidental; con Tales de Mileto, con Anaximandro, con Heráclito. Aquí nacieron los dioses, los héroes y los apóstoles cristianos; la *Ilíada* y la *Odisea*. Aquí estuvieron dos de las siete maravillas del mundo...

Me miraba; estoy segura de que me miraba, y yo no podía dejar de mirarlo.

—El café, el sorbete, la otomana, el diván y las pasas son inventos turcos. ¿Y quién no ha oído nombrar, o no ha probado, las delicias turcas? Nuestros baños, señores, son famosos en el mundo entero. —Sí; me miraba—. Cuando ustedes aún estaban en la oscuridad de la Edad Media, nosotros vivíamos en un mundo de placeres y voluptuosidades... No todos, claro.

Rieron los viajeros. «¿De qué se ríen? —pensé—. Me está hablando a mí.»

—Estambul hoy no es más que lo que no ha sido nunca —decía sonriendo todavía—. Los rascacielos son ya tan Estambul como Santa Sofía, la Mezquita Azul y el Topkapi, que es lo que ustedes han venido a ver. Está a caballo entre dos mundos, entre dos mares, entre dos continentes. Los turcos decidimos llamar a la antigua Constantinopla con tres palabras griegas: *eis ten polin*, Istanbul, que significa *dentro de la ciudad*; donde ya estamos, como ven. Aunque hay quien asegura que Estambul fue la torpe manera de pronunciar los romanos Constantinopla: torpe y apresurada...

Yo oía fragmentos de su monólogo; oía las risas de los turistas. Nos habíamos adentrado en una zona de árboles; habíamos cruzado un río o un canal. Yo no miraba afuera. Yo miraba los ojos profundos, las pestañas espesas, la nuez que subía y bajaba por aquel cuello redondo, y las manos, las manos... No era demasiado alto. Llevaba una camisa de manga corta, que descubría sus brazos, musculosos y con un vello oscuro. La parte superior del pecho también se veía poblada de ese vello... Cuando frenaba el autobús se le marcaban los muslos bajo los pantalones.

—Ahora vamos a llegar al hotel. Descansarán un poco, o lo que ustedes quieran... ¿Está usted ya bien? —Me preguntaba a mí; era a mí. No pude contestar—. ¿Seguro? —Afirmé con la cabeza—. ¿Del todo? —No pude contestar.

Habían empezado a apearse. Ramiro me tomó del brazo.

—Deja, deja —me desasí.

Llegué a la puerta del autobús. Él estaba, sonriente, sobre la acera. Al verme alargó las manos.

—¿Me permite?

Bajé ayudada por él, mirándolo sin sonreír. Dije:
—Gracias. Perdóneme.
Pensé: «Es todo tan convencional como el anuncio de una colonia en la televisión.» Ya a la entrada del hotel me volví:
—¿Sí? —dijo él, que me estaba observando, y se acercó.
No sabía qué decirle.
—¿Yamam?
—Sí
—Yo me llamo Desideria.
—Es un nombre bonito.
—No, no —negué moviendo la mano.
—Como usted —dijo él—. Tan española...
—Usted habla muy bien mi lengua.
—No; muy despacio.
—Nunca la he oído hablar mejor a un extranjero.
Nos quedamos callados, atentos uno al otro.
—Bien venida —murmuró con su voz asombrosa, ahora sí que sólo para mí.
—Bien hallado —murmuré también yo.
Inmediatamente comprendí que era una tontería. Ramiro se aproximó con el equipaje de mano.

Desde ese mismo instante comenzó a girar Estambul en torno mío como un gran carrusel cuyo eje fuese Yamam. O como un tobogán por el que me deslizara viendo pasar vertiginosamente a ambos lados mezquitas, paisajes, calles, mosaicos, todo, con la esperanza de que al final de la caída me esperasen los brazos de Yamam. Era una emoción sin la que ya no habría podido vivir, una tensión insoportable que me obligaba a acechar su mirada, a ignorar a los demás, a estar suspendida de sus labios que hablaban de cosas indiferentes para mí, o que me interesaban sólo porque él las decía. No sabría explicar qué sentimiento me colmaba, ni siquiera que fuese un sentimiento y no una necesidad. Parecía como si sólo estuviésemos iluminados él y yo, y en un trasfondo sombrío, como fantasmas mudos, los otros, todos los otros. Veía moverse las bocas de Laura o de Ramiro, pero no lograba escuchar lo que decían. Sólo al final de cada jornada, cuando Yamam se había despedido hasta la mañana siguiente, me era dado oír, pero como a una gran distancia: «¿Estás bien?» «¿Te encuentras bien?» «¿Qué tal lo has pasado hoy?» «Cansada, estoy cansada», contestaba. Y me metía en la cama para recapitular sus gestos, sus ojos, sus manos, sus sonrisas; para tratar de adivinar algún significado tácito, algún mensaje que me sacara de la incertidumbre que me quemaba el corazón; para abandonarme, solitaria y agonizante, en la orilla de un río por el que Yamam se alejaba bogando... Si dormía, soñaba con su cuerpo, lo sentía tendido junto al mío, con su brazo bajo mi cuello, y yo me desvanecía, me evaporaba sobre su pecho, dejaba de ser yo. Lo que había llamado *mío* hasta entonces dejaba de existir.

Visitábamos las Cisternas junto a Santa Sofía. Lloviznaba fuera. Yo bajé la escalera en primera fila, inmediatamente después de Yamam. Las escasas luces de la amplia cripta se reflejaban en el agua, y se prolongaban en ella las columnas. Resonaban las voces, y el ambiente, cálido y húmedo, se prestaba al encubrimiento. Él nos mostraba un pedestal invertido con una medusa labrada en el mármol: el resto de una historia aplicado a sostener otra historia. Se había agachado, y yo también. Me rozó la mejilla al indicarme con la mano cómo debía mirar. Su mano estuvo rozándome unos segundos más de lo preciso. Nos miramos; yo no sonreía, él, sí. Tan fuerte latía mi corazón que me extrañaba que los otros no lo oyeran.

Al subir a la superficie desde las Cisternas, él hizo una última observación y señaló las últimas columnas. Cuando todo el grupo volvió la cabeza, me besó en el cuello con una inesperada rapidez.

Una complicidad dulce y continua se estableció a

partir de entonces, entre él y yo. Todo lo que comentaba, lo comentaba para mí; si abría un paraguas, era para tocarme al dármelo o al cobijarme con él; si decía «vengan por aquí», era para poner su mano sobre mi hombro y dirigirme. Si yo le consultaba una duda o le pedía una aclaración, era para embobarme ante él sin oír su respuesta; si fingía un tropiezo, era para reclamar su mano y asirme a ella con más fuerza de lo imprescindible. Cada vez que subía al autobús o bajaba de él, encontraba su apoyo. No veía más, ni me importaba más, ni quería saber más. Entre un contacto y otro se proyectaba, ajena, la ciudad como en una película. La película invadía la pantalla, mientras en las butacas, a oscuras, desentendidos de ella, nosotros dos nos estrechábamos, nos buscábamos, nos deseábamos, sin decirnos una sola palabra.

Había momentos, cuando me quedaba sola, en que me reprochaba: «Estás trasladando al alma de Yamam todos los sentimientos de la tuya. Haces lo que el amante suele hacer. Y te equivocas como el amante se equivoca.» Pero me sacudía, sin darles crédito, esos reproches.

La tercera tarde él propuso que los interesados en el arte bizantino cristiano fuésemos a la iglesia de San Salvador en Cora, transformada en el museo Kariye. La visita se haría a una hora intempestiva para no perturbar el orden y los itinerarios generales. Laura prefirió salir de compras con su marido e ir al Bazar egipcio; yo convencí a Ramiro de que permaneciera descansando en el hotel. Los interesados formábamos un grupo muy reducido.

—Cuentan las tradiciones que, antes de la edificación de las murallas durante el reinado de Teodosio II, en el año 413, existía ya aquí un monasterio...

Visto ya el exonartex, pasamos al nartex interior, muy estrecho. A la derecha de la entrada central hay un retranqueado. Yamam se apoyó en él contra la pared, y quedó arrinconado para dejarnos una perspectiva mayor con que contemplar los mosaicos de enfrente. Yo me situé delante de él y me dispuse a escuchar, más o menos, sus explicaciones. Aquel lugar preciso estaba más en sombra que el resto, porque su situación impedía la llegada directa de las luces, la natural y la eléctrica. Yamam nos mostraba el luneto que da al oeste sobre la entrada a la nave central.

—Fíjense en el donante Teodoro Metoquites. Ofrece al Cristo entronizado una maqueta de esta iglesia. La característica más llamativa de su vestimenta es su sombrero en forma de turbante...

Yamam me tomó con delicadeza la cara, desde atrás, y me la levantó para que mirara el mosaico. Todo mi cuerpo estaba concentrado en el tacto de aquellos dedos, hasta que sentí que su cuerpo se apretaba contra mí todo él, de arriba abajo. Yo retrocedí —retrocedió mi cuerpo— oprimiendo el suyo contra la pared. El resto del grupo seguía con la cabeza alzada contemplando los mosaicos. Su pecho contra mi espalda, su calor contra mi calor, una presión sin nombre a la altura de mis nalgas... Me mordió la nuca, y yo, obediente al silencioso mandato, deslicé mi mano hacia atrás y acaricié su miembro endurecido. Me sobrevino un gozoso desmayo, que dejó en mis ingles una huella mojada. Vacilé, estaba a punto de caer con los ojos cerrados. Su fuerza me sostuvo por la cintura, mientras sus pulgares endurecían mis pechos. No dijimos ni una sola palabra.

Al salir, desde el jardincillo posterior a la mezquita, a través de unos árboles, se descubría un Estambul incomprensible, muy distinto del que nos habían enseñado desde la zona opuesta. Me acerqué a Yamam para pedirle una información. Él se me anticipó.

—A Estambul hay que verlo desde todas partes —dijo dirigiéndose al grupo en general—. Aquí lo estamos viendo por detrás. Pero todo él es hermoso, desde cualquier punto de vista. —Se dirigió a mí—. Se lo aseguro. Créanme.

Ya de regreso en el hotel:

—Aún falta media hora para que el resto del grupo se incorpore —dijo.

Invitó al chófer del autobús a un café en voz muy alta.

—En ese bar de enfrente. Ahora voy yo.

Sentí que me avisaba de algo. Desde la entrada del hotel, retorné al autobús diciendo que había olvidado algo.

—Espere. La ayudaré a buscar.

Subimos. Cerró con fuerza la puerta. Me cogió de la cintura, me dobló contra el primer asiento y me mordió los labios. Luego sin una sola palabra, me penetró sobre el pasillo. Mi cabeza se movía sin orden ni concierto: no veía nada, ni siquiera sé si tenía los ojos abiertos; me estaba muriendo de alegría —no de placer, sino de alegría— una vez y otra vez; me oía a mí misma sollozar... Todo estaba bien: el mundo y mi vida se justificaban por haber llegado allí... Cuando él salió de mí, mi cabeza se dobló sobre mi hombro. Me levantó en sus brazos. Yo caminaba como una sonámbula. Me costaba trabajo abrir los párpados. Habría seguido para siempre allí.

No tardé en sentir doloridos y dichosos la espalda, el cuello, las caderas, los muslos, como si hubiese hecho un violento esfuerzo. En un rincón del vestíbulo, sentada en un sillón, con la cabeza descansada en su respaldo, aguardé que bajara Ramiro. Era imposible que no percibiera en mi cara lo que había sucedido. La felicidad me iluminaba entera: yo lo había notado cuando entré a arreglarme en el aseo. Sin embargo, Ramiro no notó nada.

—¿Merecía la pena la excursión?

—Sí, sí, claro; merecía la pena.

Supe que estaba perdida y que de ninguna manera podría dejar de estarlo.

A partir de ahí, el viaje se redujo a encontrar otra ocasión en que sentir su cuerpo confundido con el mío y el mío fundido bajo el suyo. Nos vigilábamos como dos fieras en celo trasmitiéndonos una avidez sólida y confirmada. Habían dejado de afectarme todas las satisfacciones y las penas y los gozos y las inseguridades que me afectaban antes. Me eran indiferentes las fatigas y las necesidades que pudieran lastimarme, siempre que lo tuviera a él. Procuraba salvar las apariencias, pero, puesta en el trance de elegir, ni me habría planteado la cuestión. Estaba obsesionada por aquella mano derecha suya que, extendida con la palma hacia mí, se movía no sé si dándome la seguridad de un reencuentro o recomendándome prudencia.

Había anochecido sobre la cubierta. Navegábamos por el Bósforo. (No sé si antes o después del viaje a Capadocia. Sí; fue antes.) Los del grupo cantaban las canciones habituales que sabe todo el mundo. Yo le hice a Yamam una seña con la cabeza, y bajé a los servicios. Él no tardó. Junto a un ojo de buey nos besamos, entrelazadas nuestras piernas. Yo apretaba su sexo turgente —«Es mi cetro», pensé—, y él restregaba su boca contra mis pechos. Luego nos besamos en un arrebato, y me supo mi boca a la suya, y lamí y mordí su lengua, y froté mi lengua contra sus encías, y la alargué hasta el fondo de su paladar. Sobre su hombro, antes de perder la razón, había visto la luna llena; después ya no la vi. Girábamos. Mis labios atarazados, mis párpados humedecidos, mi cuello y mis pechos dejaron de ser míos; míos eran sus muslos duros, su pene, su cintura tan estrecha, su boca bajo el bigote que me arañaba, y el bigote también... Alguien descendía por la escalera. Él se separó; yo traté de impedirlo, pero él me rechazaba. Allí seguía, tras el ojo de buey, la luna llena. Demasiado convencional, demasiado bonito: no dije nada. Él, por fin, después de tantos días, me habló con ligereza.

—Hay luna llena, ¿la ve usted?

Dos jóvenes del grupo se cruzaron con nosotros y entraron en los servicios.

—¿Qué tal? ¿Cómo lo pasan?

Al subir a cubierta me temblaban tanto las piernas que tuve que detenerme, asida al pasamanos de la escalera.

Cuando me ayudó esa vez a bajar del autobús me dejó un papel en la mano: «Quédese sola mañana en el Bazar.» Hasta que conseguí dormirme —y aun dormida— no pensé en otra cosa. Ni por un segundo dudé en hacerle caso, ni me preocupó cómo conseguiría zafarme de Ramiro y los otros. Me regocijaba con lo que sucedería cuando, en efecto, me quedara a solas con él.

Llegados al gran Bazar, le hablé aparte a Laura: quería comprarle a Ramiro unos gemelos sin que él se enterara; dentro de unos minutos yo desaparecería. «Ocúpate tú de él.» Ella sonrió comprensiva. Escuché a Yamam:

—Para evitar perdernos, lo mejor será que nos citemos en esta misma puerta dentro de una hora. Lleva el nombre de la mezquita contigua. Se llama Nuruosmaniye, la Luz de Osmán. Recuérdenlo... Así, cada cual comprará lo que le apetezca sin tener que soportar las compras de los otros. Regateen mucho, por favor. Los comerciantes de este Bazar intentarán engañarlos hasta cuando les regalen algo: no se fíen. —Sonreía—. Y fíjense, sin alejarse mucho, por dónde se van, para saber desandar luego el camino. Igual que Pulgarcito. Hasta luego.

Echó a andar sin mirarme. Le seguí. Tras unas cuantas revueltas, entró en un pequeño comercio y me esperó dentro, al lado de la puerta. Tiró de mí hacia una escalera angosta. En el primer rellano había otra puerta. Pasamos dentro; la cerró. Sobre el suelo, un montón de alfombras. Me echó encima de ellas, desnudándome mientras yo lo desnudaba a él. Es lo último que recuerdo. Lo que siguió fue un pozo luminoso. ¿Me asomé yo al brocal? ¿Me hundí en su fondo? No lo sé; no sé más.

SIEMPRE HA SIDO ASÍ. Cada vez que Yamam y yo nos enzarzamos es como si quisiéramos abolir la frontera invisible que nos separa. Nos desprendemos de las ropas con tal ferocidad que no me extrañaría que un día terminásemos arrancándonos la piel. Estamos comiendo, o reposando, o charlando sobre un tema trivial, y, de repente, una mirada o una palabra o una risa nos abalanzan al uno sobre el otro para disipar una distancia que se nos antoja insoportable.

Me he preguntado en alguna ocasión si no será que, cada uno a su manera, rebosamos un líquido o un humor que exige ser vertido dentro del otro, librarse de él para alcanzar el sosiego. Pero no: es más que eso. Nos asaltamos igual que si del asalto dependiera nuestra vida y la tuviésemos que defender rabiosamente... Y, sin embargo, tampoco es cierto eso, porque lo que sucede en realidad se asemeja mucho al aniquilamiento. Cada uno desaparece o agoniza en los brazos del otro, escudriñando en el otro, trocando su vida por la de él, hasta llegar al estertor final, al paroxismo, que es una aleación, un extravío recíproco, tras del que cada uno va volviendo, volviendo poco a poco en sí, distinto ya del otro nuevamente. Qué pena da volver; sería un buen momento para morir. «Morir de gusto», se dice; se dice y no se hace. No me sorprende que se hable de la tristeza después del coito; se ha evaporado un momento único de gloria, y aunque pueda repetirse mil veces, cada momento es único... Por el ojo de la cerradura, a través de la puerta secreta, se ha visto el paraíso; una parte distinta del paraíso en cada lance...

Y, cuando todo cesa, yo no recuerdo nada. Voló el ave feliz. Como prueba de que estuvo sólo me deja las agujetas del esfuerzo, de las posturas increíbles que el cuerpo accede satisfecho a adoptar. ¿Cómo haber vivido tantos años sin esta razón de ser? ¿Cómo volver a recuperar la despreciable máscara diaria?

Es para averiguarlo por lo que, desde el primer combate, me propuse no abandonarme del todo, estar atenta, no enloquecer, subirme —o que suba una parte de mí— a un ángulo del techo de la alcoba, y observar desde allí para saber lo que sucede. Pero jamás me ha sido posible conseguirlo. Y creo además que enterarme de lo que hago y sufro y gozo no me alegraría tanto como ese naufragar a la deriva en el río que es Yamam. Ese salir entera fuera de mí, sin dar razón de mí, hacia Yamam, que supongo también fuera de sí, y juntos, hacia el país del aturdimiento, del alarido y de la turbación, de la falta de respeto, de la falta de leyes. Un país para dos en que sólo cabe uno, sin tabúes ni prohibiciones, sin lógica y sin generosidad, pródigo y despilfarrador, incrédulo en cualquier cielo y en cualquier infierno que no sean los suyos...

No obstante, cuando reflexiono con serenidad, comprendo que la verdadera unión de dos amantes tendría que producirse fuera de la cama, fuera de ese desahucio del sexo, que nos embarga y nos desaloja para que dejemos de habitar en nuestro cuerpo y nos instalemos en el cuerpo del otro. Porque yo me acuesto con Yamam cuando él deja de ser Yamam, y él conmigo, lo mismo. Somos ya dos lapas, dos rémoras anónimas, dos ventosas recíprocas, sin proyecto común, sin pasado ni futuro, y también sin memoria... Y así, ¿qué unión puede llegar a producirse? Pero, si no es así, ¿qué otra unión cabe?

En aquellos primeros días de Estambul yo no obraba con ningún fin, ni en función de nada; me arrastraba una ola mucho más poderosa que yo, y ni se me pasaba por la cabeza resistirla. Entendí entonces todo lo que Laura, en unas circunstancias muy distintas, había hablado de la transgresión: o lo sentí más que entenderlo. Ese furor desconocido, esa agitación, ese transporte —en todos los sentidos, como el del coche—, ese desprenderse de sí para acceder al otro y darle paso al otro que accede a uno, eran una batalla y una paz instintivas.

A nadie que me hubiese tratado podría convencérsele de que la comedida Desi, la convencional Desi, se había convertido en una loca desaforada, a la que yo misma desconozco, a la que ni siquiera escucho cuando chilla sus exigencias y sus satisfacciones. Una loca que —me reprendo por ello— asusta a veces a Yamam, que es quien provoca su locura... Es un desorden de aullidos, de ademanes, de fruiciones que a quien los viese grabados —con los tomavistas de Arturo o Ramiro, por ejemplo— le darían miedo y asco. Es un seísmo lo que ocurre: bastante tengo con salir con vida. Me olvido de mí entonces, y me olvido luego —si es que lo llegué a saber, que no creo— de todo el avatar. Aunque una última inquietud, un último rezago de sabor se queda dentro de mí: mi piel lo sabe, mis rincones recónditos lo saborean. El cuerpo y sus sentidos tienen buena memoria. Por eso considero que se trata de un éxtasis divino, lindante con los dioses y obra suya: de tal modo me siento elevada por encima de mi propia condición, la de antes y después del enardecimiento y del orgasmo. Ahora sí creo en la realidad de aquella explicación que en *El banquete* da Aristófanes: un ser se complementa.

Y es que mi personalidad —quiero decir la visible, la oficial— se queda fuera. Insisto: yo, la que esto escribe, fuera. Si por un segundo yo coincidiese en la cama con la loca —o contra una pared, o encima de un sillón, o dentro de un coche—, sospecho que la loca recuperaría de golpe la razón, y el placer se terminaría. Tiene que ser así: el deseo cautivo, cuando se le da suelta, rompe el muro de la convención y del recato, y por la grieta se evade todo cuanto conservábamos dentro reprimido, y vocea y alborota y disfruta, dejadamente y sin pudor, antes de que se reconstruya el muro de su cárcel. Porque eso somos —lo he sabido muy bien—: una cárcel. Yo me he fugado de ella en parte, o mejor diré que estoy en situación de liberarme de ella, en libertad condicional, porque de veras no me evado más que cuando estoy abrazada a Yamam y olvidada de mí.

Es probable que eso quiera decir que todavía tengo las rozaduras de las esposas y de los grilletes en muñecas y tobillos: residuos, resentimientos, ansiedades a los que aún no me atrevo a darles libertad. Bendito sea el sexo y su desorden, y la pasión que nos desata: ellos nos redimen de nuestros lastres y de nosotros mismos. Aunque también supongo que, si no estuviéramos reducidos a prisión —si fuésemos siempre desenfrenados y procaces—, no gozaríamos tanto con esa libertad provisional a la que aludía, con esa libertad, efímera y compartida, que lleva de la celda común a la huida común. El ser humano añora cuanto no tiene y se le van los ojos tras lo que está distante o ha perdido. Si Yamam y yo estuviésemos, como en aquel borroso principio, todo el día ensartados, quizá lo que nos atrajera fuese ir a ver Estambul, que nos unió, cogidos de la mano, o pasear por el patio de la Mezquita Azul con las cinturas enlazadas.

No sé si he escrito lo anterior para desahogarme. Pero hoy —para mí siempre tarda él demasiado— pienso que está bien que él trabaje, y yo esté aquí anhelando que vuelva, y que vuelva por fin, y que me tome, y que obtengamos juntos la recompensa por haber esperado, y que yo —no yo: la loca en que me transfiguro— sea su recompensa y la prisión en que entre libremente, y él sea mi recompensa y mi prisión.

LO QUE DEL RESTO de Turquía vi después lo vi a través de los ojos de Yamam.

A ningún turista le ha parecido tan misteriosa y tan cautivadora la Capadocia, con su paisaje de esculturas. Hay un valle cerca de Cavusin en que lo obligado es ver *chimeneas de las hadas*, y yo sólo vi falos, mientras Yamam se reía de mí correteando entre ellos. A ningún turista le habrán sorprendido más las viviendas trogloditas de Ortahisar, si es que recuerdo bien su nombre, tan altivas; a ninguno le habrán impresionado más las ruinas de Pamukale, *el castillo de algodón*, de Hierápolis o de Éfeso.

—El amor de los hombres construyó las ciudades, y el desamor las destruyó: quizá es el tiempo la peor forma del desamor; pero cuanto estuvo en ellas está todavía en ellas: en la única columna que aún hay en pie del templo de Artemisa sigue estando Artemisa...

Yo escuchaba su voz y sus explicaciones como quien escucha una canción. No me molestaban los viajes de autobús, que agotaban a mis compañeros, ni los horarios rígidos, ni las comidas indigestas. Cuando él señalaba con un dedo reclamando sobre algo la atención, no sé si lo percibía con sus ojos o con los míos. Nunca había sentido una ingravidez tal. Avanzaba por un mundo en estado de gracia, que era bello, recién estrenado y mágico porque surgía bajo la vara de prestidigitador de Yamam y sus amables órdenes. Nunca un maestro —creo— habrá tenido una discípula más fiel y más sumisa.

Y así las cosas, impávida a los agotamientos y a los madrugones y a los trasnoches, me sobrecogí cuando escuché a Ramiro, ya de vuelta en el hotel de Estambul:

—Por fin esto se ha acabado. Ha sido una experiencia más bien dura. Demasiado para mí; te lo confieso ahora.

Salíamos para España al mediodía siguiente. Yo había cogido un vaso; se estrelló contra el suelo.

Entre los componentes del grupo, Laura había hecho una colecta para regalarle algo a Yamam. A todas las insinuaciones de qué le gustaría, él se negó a responder y a aceptar nada. Ante la insistencia de Laura, desconcertando a todos, Yamam dijo que agradecería más que nada una muñeca grande, de esas que en España dicen cuatro o cinco sandeces. Laura creyó que era una broma, pero no, y nadie se atrevió a preguntarle el porqué de semejante antojo.

Costó mucho encontrar la muñeca, porque era de importación, y nosotros, poco expertos en Estambul; fue el chófer del autobús, a quien dimos una buena propina, quien nos la proporcionó. Yo fui la elegida, «dada la simpatía mutua que os habéis manifestado», para entregársela. Era casi la primera vez que dialogaba con Yamam de forma *normal*.

—Gracias por todo —le dije—. Ha sido usted muy amable. Que esta muñeca haga que nos recuerde con el mismo cariño que nosotros le recordaremos. Aunque la pobre no sepa decir lo que nosotros querríamos que dijera. Muchas gracias.

Él, sonriendo con naturalidad, desenvolvió el regalo.

—Es una preciosidad —dijo, y besó la cara de la muñeca mientras me miraba.

Me es imposible expresar la desesperación que sentía ante el final de mi aventura. No era un dolor concreto, ni sólo espiritual: me dolía el cuerpo entero; estaba desmadejada, como si todo el cansancio acumulado me lo hubiesen vertido encima de repente. Desde el día anterior a la salida, el estómago no me admitía nada: era una bolsa de cuyas cintas alguien había tirado; incluso el agua vomitaba. Sin oír a quienes me hablaban, sentía escarpárseme materialmente la vida, igual que un condenado a muerte en su última noche. Él había dicho que no nos acompañaría al aeropuerto, y se despidió, uno por uno, de la gente del grupo, incluidos Laura, Marcelo y Ramiro. A mí no me dedicó ni una frase de adiós... Aquella noche no concilié el sueño ni un minuto, y casi hasta la salida para el aeropuerto hube de quedarme en la cama, imposibilitada de sacarle partido a un cuerpo que durante el viaje tan leal me había sido.

Enferma y descompuesta, bajé al vestíbulo con unas grandes gafas oscuras. En tanto Ramiro se ocupaba de las maletas, me tocaron en el hombro. Era Yamam:

—Puesto que tanto interés y amor ha demostrado hacia mi país, acépteme este par de libros. Uno de ellos es de nuestras alfombras. Quizá usted querría abrir una pequeña tienda de ellas en España. Yo, si me lo permitiese, sería su socio desde aquí, y estoy por garantizarle el éxito económico. Trátelo con su marido. En el caso de que usted se animara, nuestra amistad, que acaba de nacer, se haría más grande y más estrecha.

Yo dejé de oírlo. Contemplaba, con la intensidad de una sordomuda, el movimiento de sus labios, y su presencia era el mejor obsequio que jamás me habían hecho. La tienda se me ofreció como un cabo de soga para un náufrago que se ahogara.

—Sí, sí; claro que sí. Se me debía de haber ocurrido.

En la comisura de los labios noté un sabor salado; sin duda estaba llorando. Nos dimos la mano; él, con el índice, me acarició la palma, como una contraseña. Y echó a andar calle abajo sin volver la cabeza.

Cuando en el autobús abrí el libro de las alfombras, leí la dedicatoria: «Para Desideria, que siempre volverá.» Debajo iban escritos su nombre, su dirección y su teléfono: unos datos que, en cierta forma, lo humanizaban a mis ojos y que yo agradecía, pero que también le arrebataban las proporciones indescifrables que ante mis ojos tuvo durante aquellos irrepetibles veinte días.

VOLVER AL AMBIENTE de Huesca, y al de mi casa en concreto, fue como si me cortaran la cabeza para añadirla a las de *la Campana*.

A las preguntas de Felisa contestaba que Laura podría responderlas mejor. No contaba nada, no recordaba nada; se me había quedado la mente en blanco para lo que no fuese mi obsesión. Las tardes se acortaban, y yo permanecía sentada, sin enterarme de que la luz se había retirado, hasta que llegaba alguien y me lo advertía. Con un libro en las manos o en el regazo, sin leer, indagaba dentro de mí, evocando, cada segundo, cada gesto, cada fracción, cada poro de la piel de Yamam que me dio tiempo a ver. Si trataba de hacer algo, lo estropeaba, y se me caía de las manos cualquier cosa: una cuchara de servir, un salero, el importe de una factura... Era como si no calculase bien las distancias o no tuviese fuerza en los dedos. Así lo comentó un día mi cuñada delante de mí, que no le prestaba la menor atención.

—Está cambiada. Está distraída. Se le va continuamente el santo al cielo. No anda donde repica.

Lo que sucedía es que no repicaba donde ella creía. De pronto, rememorando cualquier nimiedad, me subía desde el vientre un temblor tan grande que me tenía que sentar donde me cogiese o apoyarme en un mueble. «Me lo notan; no puedo disimular tan mal», me repetía. Y el caso es que escuchaba lo que comentaban de mí, de mis ojos perdidos, de la sonrisa que súbitamente y sin mi permiso aparecía en mi cara, de mis manos cruzadas y olvidadas. Lo escuchaba, pero a lo lejos o con sordina.

—¿En qué estará pensando? ¿La habrán embrujado en ese país, hijo, Ramiro?

Eso opinaba yo también. Y añadía que era preciso dejar de estar parada en el pasado, tomar tierra, regresar a la vida anterior, conformarme con lo que me habían dado, dar por concluida aquella historia... Pero era rigurosamente incapaz de obedecerme.

En uno de los escasos libros de Ramiro había leído que los místicos, con unas técnicas de concentración muy simples, se provocan el vacío de la mente y el alma, para que la idea de Dios los llene por entero sin dejar hueco alguno. Yo no sé lo que a mí me había sucedido: si es que ya tenía ese vacío dispuesto y Yamam no hizo más que llegar e investirlo de plenitud, o es que, con un nuevo vacío de cuanto me rodeaba, me estaba disponiendo a subir una escala más alta. Sea como fuera, le escribía a Yamam cartas candentes: unas las echaba al correo, y otras, no. Y, en voz alta, en cuanto me quedaba sola, le hacía apasionadas protestas de mi amor...

También intenté comunicarme por teléfono con él. Fui a la Telefónica por temor de que en las facturas se trasluciesen mis llamadas. Cuando me encerraba en el locutorio me flaqueaban las piernas. Tenía la boca seca. Las dos primeras veces contestó una voz de mujer, brusca y varonil, hablando en turco; yo colgué. Sólo a la tercera, cuando me resignaba ya a no volver a oír nunca su voz, descolgó el teléfono Yamam. Pese a los ruidos y las interferencias, no dudé que era él.

—Soy Desideria.

Me escocía la garganta; apenas podía salir sonido de ella, y en mis manos temblaba el teléfono.

—Yamam, ¿cómo estás?

—Bien, ¿y tú? ¿Y la pequeña tienda?

—¿Me quieres, me echas de menos?

—Sí, ¿y tú a mí?

—Más que a nada en el mundo. No me acostumbro a vivir sin ti.

—¿Y la tienda?

—Esta noche voy a hablar de ella.

—Tenme al corriente; te pondré en contacto con nuestros representantes en Madrid.

—¿Representantes?
—Claro.
—¿Has recibido alguna carta mía?
—Todavía no. Tarda mucho el correo... Activa lo de la tienda.
—Pero ¿me quieres?
—¿Por qué crees que hablo de la tienda?
—¿Quién es la mujer que suele ponerse?
—Mi madre. Es mejor que te llame yo desde el Bazar. Le di mi teléfono.
—Pero no llames antes de que funcione la tienda... Y no dejes de pensar en mí.
—Ya lo hago.
—A todas horas, como yo en ti. Te quiero.
—Y yo a ti. Adiós.

Esa misma noche me dispuse a hablar con Ramiro. Había calculado meticulosamente la ofensiva. Fue después de cenar; aún estaba el postre encima de la mesa. Comencé con un tono solemne.

—Ramiro, tengo que hablar contigo... Sabes muy bien que, a causa de tu accidente, perdí mi puesto en el instituto y la relativa independencia que significaba para mí. Mis mejores amigas tienen su quehacer, que les permite sentirse más llenas y más útiles... Desde hace tiempo venía pensando en alquilar un local e instalar en él una florería o una *boutique* de regalos. No digo una sala de exposiciones, porque de eso no entiendo; ni de ropa, porque no me gusta. A raíz del viaje a Turquía, se me ha ocurrido que un sitio chiquito, donde tener un depósito de alfombras y kilims no muy caros, sería un buen negocio. No me digas que me iba a quitar tiempo para ocuparme de la casa y de ti, porque no es cierto, y porque, aunque lo fuera, a mí me haría un bien mayor que la incomodidad que supusiese para ti. Y no me digas que no tenemos dinero, cuando sí lo tuvimos para el coche que fue el culpable de todo; además, no haría falta tanto: estoy hablando de un local en alquiler y no en compra, o como mucho con una opción de compra. Y no me digas que no entiendo una palabra del tema de las alfombras porque, primero, no es verdad y, segundo, estaré en contacto con asesores de Estambul que me suministrarán el material. Y no me digas que en Huesca nadie querrá eso, porque, en cuanto las vean, y con el clima que tenemos, seguro que se entusiasman; no olvides que no existe nada que se le parezca ni remotamente, y no tienes más que ver el éxito de los grandes almacenes con esas semanas de Oriente o de la India que organizan. Y no me digas...

Me interrumpió riendo.

—Desi, guapa, si no te digo nada; si me parece estupendo lo que dices; si le hablas a un convencido. Es un negocio original y elegante. Con nuestras amistades puede funcionar divinamente; todo es ponerlo de moda. Así que adelante. Trataremos de encontrar un lugar céntrico y con buena luz. Y, si no está mal de precio, mejor será comprarlo.

Muy cortada, no conseguí decirle más que «gracias».

HACE UN RATO se fue la luz. La avería era general. Dejé de escribir y me puse a reflexionar en la de cosas que han ido sucediendo. Cuando me levanté para buscar a tientas unas velas recordé cuando mi padre me enseñó a hacerlas. Cuánto tiempo ha pasado... Mi padre, alto, enjuto, joven —si se le ve por detrás— todavía, aunque con el pelo ya tordo, como le decía yo para burlarme de él, que me amenazaba sacudiendo el brazo:

—Como te coja...

Qué será de él. Qué opinará de mí. Ya no era el mismo cuando yo me vine... En aquel otoño, con su mano cogía la mía, llevaba la mía.

—No; así no. No seas cabezota. Aprende primero. Eres tan impaciente como una niña...

Para él siempre fui una niña. Sin duda ya no, después de haber hecho lo que hice.

La antigua cerería, con su gran balanza de bronce colgada del techo, donde se pesaban las arrobas de cera que por los difuntos compraban los pueblos; con sus maderas oscuras: el mostrador brillante, ancho y pesado, las vitrinas hasta el techo, el entarimado, las sillas para los clientes... Y su claraboya que daba una luz tamizada y gris a la trastienda, donde se hacían las velas que ya apenas se hacen.

Mi pequeña tienda era todo lo contrario. La fachada, entera de cristal; la puerta, también; a su derecha, desplegada, una alfombra que se cambiaba con frecuencia; paredes blancas, estanterías blancas, suelo blanco, unos pufes alegres hechos de kilims viejos y, en un extremo, un minúsculo mostrador de cristal y de metacrilato. Yo me encontraba a gusto allí; Trajín, también. El piso comenzó a ser sólo mi domicilio, y la tienda, mi casa, mi verdadera casa. Venían esas amigas superficiales que cada mañana se echan a la calle un poco sin ton ni son; las convidaba a un café o a un té, como hacen en los bazares de Istanbul —ése era el nombre de la tienda.

—Ay, Desi, preciosa, lo que enseñan los viajes. Yo creí que se escribía con *e* y con *m*. Delante de *b, m*, ¿o no era así?

—¿Has recibido cosas nuevas?

—Ésa es una belleza. ¿Sabes a quién le iría como anillo al dedo? A Fabiana, que tiene un salón en azules.

Se transmitía la publicidad de boca en boca, y el negocio iba mejor de lo que yo había soñado.

Para las labores más ingratas —extender y plegar las alfombras—, tenía un chico bien, pariente de Ramiro y recomendado de mi suegra. Era simpático, atento, educado, servicial y llamado Lorenzo. Infortunadamente no me quedó otro remedio que darle un frenazo. Una tarde, casi cerrando ya, al apagar las luces, se dirigió a mí con voz quebrada, me cogió una mano antes de que terminara de ponerme los guantes y me dijo:

—Desi, yo te quiero. No sé si tú... Te quiero como nadie podrá quererte nunca.

Preferí no darme por escandalizada para no tener que enfadarme en serio. Me puse los guantes, recogí mi bolso, y con la mayor naturalidad le dije:

—Muchas gracias, Lorenzo. Me enorgullece tu sentimiento por mí. Tienes veintitrés años y es una edad envidiable en la que todo nos hechiza. Pero, si aspiras a seguir conmigo aquí, será necesario que empieces a quererme un poco menos, o de una forma más corriente. Verás qué bien nos llevaremos. Y ahora, por favor, termina de cerrar.

En otras ocasiones lo descubrí mirándome con ojos de carnero, pero ya nunca volvió a declararse. Yo procuré que ese fallido primer amor, si es que lo era, no produjese en él malas secuelas. Incluso ciertas tardes de invierno, cuando la gente temía salir a la calle, y la que lo hacía pasaba de prisa por la acera, encontrándonos los dos en una cálida y confortable intimidad, yo opinaba sobre el amor con libertad como si pensase en alta voz. Una de esas tardes él me dijo:

—Qué suerte tiene el primo Ramiro con hacerte sentir de esa manera.

—Así es, así es —repliqué yo riendo.

Los envíos de alfombras se hacían desde Estambul a través de Madrid. Los representantes de Yamam, a los que conocí, me parecieron gente muy rica, muy pulcra y sin mucho que ver con las alfombras: sería quizá un negocio entre otros. A mí me las mandaban ellos en una furgoneta, sin envoltorios ya (yo suponía que las habían abierto en la aduana) y cada una con una etiqueta en que constaban sus medidas, su procedencia, sus características especiales si las tenía, y una minúscula referencia indicadora en clave del precio aproximado. Una mañana vino un policía que, después de enseñar su placa, estuvo hablando con Lorenzo de este procedimiento de recepción de las alfombras, hasta que yo intervine.

—¿Por qué no se las remiten directamente?

—Supongo que por una cuestión de centralización de las aduanas, y porque la organización de Madrid lo preferirá así: en Huesca no hay ni puerto ni aeropuerto.

—¿Usted está al tanto de si el género destinado a esta tienda viene separado de los otros desde Estambul?

—Lo ignoro. Yo recibo lo mío, y santas pascuas. Esto, señor, es como si fuese una pequeña sucursal sin importancia de la central de Madrid.

—Sí, eso pensamos también al principio nosotros. Lo que sucede es que en Madrid no hay ninguna central.

Confieso que me alarmó un poco lo que me decía aquel hombre, incluso me propuse consultarlo con Pablo Acosta. Sin embargo, como Yamam estaba por medio, me tranquilicé y no volví a pensar en ello. Todo siguió funcionando con normalidad, y la primera vez que, después, me telefoneó Yamam, se lo comenté. Me dijo que no me preocupase, que era una consecuencia del pago de aranceles, y que todas las policías del mundo quieren siempre sacar ventajas de cualquier parte.

Yo estaba encantada con mi tiendecita; interpretaba que cada kilim era un mensaje de Yamam; cada alfombra, una carta, un puente levadizo desde Estambul a Huesca, desde su corazón al mío. Próxima ya la primavera, recibí una mañana —era tan transparente que las distancias no entorpecían la vista y se podía leer desde el mostrador la placa del médico de la casa de enfrente— una carta real de Turquía. No sé cómo Lorenzo no notó mi nerviosismo. La abrí como pude. Era de él. Tenía añoranza —escribía la palabra con hache y con ese— de los días pasados, y me daba la enhorabuena por al magnífico funcionamiento del negocio. La casa central —la que, según la policía, nunca existió— se manifestaba también muy satisfecha. Terminaba sugiriendo que, acaso en el próximo estío —decía estío, no verano— nos pudiéramos ver. Yo coincidí con él en lo de la añoranza y en lo del estío.

Un domingo de abril, que amaneció muy claro y poco a poco se nubló, a la salida de misa, mientras esperábamos en el atrio a los amigos para tomar juntos el vermú, Ramiro me preguntó cuántos meses hacía que yo no comulgaba, y si estaba atravesando alguna crisis; y me recomendó, en todo caso, una amigable charla con el padre Alonso, que tanto me quería.

—Estamos ya en Pascua florida —concluyó.

Me disponía a negar que me encontrase en ninguna crisis, cuando oí una carcajada de Felisa. Ella y Arturo se habían retrasado porque, al salir de su banco, tropezó Felisa y se cayó como un saco encima de una niña, que corrió pegando gritos antes de darse cuenta de lo que se le venía encima. Felisa, de nuevo embarazada, era durante sus embarazos muy propensa a caídas.

—No te preocupes —me dirigí a Ramiro entre paño y bola—: no tienes por qué.

Y salí así del paso.

En el mes de mayo previendo que ya estaría al caer el calor, hablé con Ramiro y le comuniqué mi intención de pasar en Estambul unas cuantas fechas. La tienda quedaba a cargo de Lorenzo, y yo debía entrevistarme con mis suministradores para ver si nos convenía importar alfombras de mayor precio, de más nudos, o de seda quizá. Eran gestiones que convenía efectuar personalmente. Además no desechaba la posibilidad de que las relaciones con Turquía fuesen directas, con lo que se eliminarían las comisiones de los intermediarios de Madrid.

—Pero a mí me es imposible acompañarte ahora —me replicó Ramiro.

—Ni yo lo pretendo. En el aeropuerto me esperarán esos socios que tengo allí, con Yamam el guía (¿lo recuerdas?) como intérprete. No tropezaré con ningún obstáculo, pierde cuidado.

—Veo que te has convertido en una mujercita de negocios. Con tal de que no te me conviertas al Islam...

Porque insisto en que te veo muy fría en cuestiones religiosas desde hace varios meses.

—Ya te dije que no era nada. Cosas que pasan. Sin la menor importancia. Si la tuviesen, comprenderás que serías tú el primero en enterarte.

—Eso espero de todo corazón.

Traté inútilmente de que Yamam cogiera el teléfono; era su madre quien lo cogía siempre; creo que me insultaba en turco. No me atreví a poner la conferencia de persona a persona por miedo a dejar pistas de la llamada. En vista del fracaso del teléfono, con tiempo suficiente y pidiéndole confirmación, le puse un telegrama en que le advertía mi llegada y el número de mi vuelo. Tres días después recibí uno suyo: estaría esperándome sin falta.

Al entregar mi pasaporte en el control del aeropuerto español, lo observó desganado el policía, y súbitamente se encendió en él una chispa de interés. Consultó con otro que tenía detrás, y cuchichearon entre ellos.

—¿Puede pasar usted un momento aquí, por favor?

Pasé al otro lado del mostrador sin que el funcionario me devolviese el documento. Con él en la mano se me acercó el que estaba de pie.

—¿Va usted a Estambul? ¿A quién va a ver allí? ¿Con quién espera encontrarse?

Balbuceé con torpeza mi propósito; pero, al no tener otro remedio, porque no conocía a nadie más, di el nombre y el apellido de Yamam.

—¿Lo conoce usted bien?

—Prácticamente es mi socio en un pequeño negocio de alfombras que tengo en Huesca.

—¿Desde hace cuánto?

—Pronto hará un año,

—Gracias, señora. Puede usted pasar. —Y me alargó el pasaporte.

Cuando, después de atravesar el escáner, volví la cara hacia ellos, me seguían mirando y comentaban algo; no sé qué era, pero se refería a mí. Como me resisto a imaginar que mi silueta o mis piernas despierten comentarios, por lo menos entre los policías, pensé que mi marido habría alertado a algún detective privado en conexión con ellos. Pero inmediatamente achaqué tan truculenta idea a los seriales de televisión; la rechacé avergonzada y olvidé el episodio.

El viaje fue corto y largo a la vez. Ardía en deseos —nunca mejor dicho— de encontrarme con Yamam; pero ¿y si la situación no era ya la misma? ¿Y si todo había sido una aventura de verano? Yo nunca había intercambiado con él ni tres frases seguidas que tuviesen una coherencia independiente de *nuestro* amor; nunca me había comportado con él digamos de una manera respetable. Temía más que a una vara verde a esa primera mirada a través del mostrador de la aduana; a esa mirada interrumpida por los estúpidos trámites de la sociedad en que vivimos. Lo *nuestro* —y ahora hasta la palabra nuestro me producía escalofríos, por si era sólo lo *mío*— había consistido en bucear uno en otro como en un mar caliente, en detestar nuestras ropas, en presentirnos y adivinarnos desnudos debajo de ellas. Y todo eso, para más inri, sin una declaración previa ni una relación de confianza progresiva. Se había producido un machihembramiento —otra vez nunca mejor dicho—, por debajo de las superficies visibles, de una forma arrebatada y animal. ¿Cómo no sentir pavor al volver a verlo, transformada yo en una señora bien vestida, con un juego de maletas de lujo, que sabe dónde pisa; que lleva a buen término un negocio del que él es colaborador; que vivirá en el hotel Pera Palas, no precisamente por moderno, sino por chic y por tradicional? La mujer fogosa y desenfrenada que él conoció se había convertido en otra más hecha, con un estúpido sombrerito, libre de marido y de amigos, dispuesta a lo que sea —sin que él sepa en qué consistirá ese lo que sea—, y que se ha comunicado con él durante el último tiempo con notas de precios, facturas y fríos telegramas. La coyuntura era difícil para mí, y para él quizá más todavía. El primer intercambio de miradas iba a marcar la pauta de nuestro comportamiento. No obstante, ¿estaría yo capacitada para controlar mi mirada y para interpretar la suya? Perdida en este intrincado laberinto de posibilidades, aterrizó mi avión en Estambul.

Al pie de la escalerilla estaba Yamam. Tendió los brazos para ayudarme a descender los últimos peldaños. Mientras murmuraba cerca de mi oído: «Estás más guapa que nunca», me apartó hacia su derecha. Luego caímos uno en brazos del otro besándonos como una pareja enamorada que no se ve hace tiempo. Pasado ese primer impulso:

—Me he convertido en una experta en Constantinopla —le mentí—. Al verla, cuando aún era Bizancio, Constantino dijo: «He aquí la sede de un imperio.» Yo acabo de pensarlo al verte a ti.

Él me volvió a besar.

En un utilitario bastante usado hicimos el trayecto a la ciudad. Estábamos muy juntos; yo puse mi mano sobre su muslo. Ninguno de los dos teníamos experiencia de conversación.

—Es una primavera muy extraña ésta: en el mismo día hace calor, se nubla, llueve y vuelve a hacer calor. —Yo no sentía el menor interés climatológico—. Mi padre murió a finales de año... —Luego, como era natural, Yamam tenía, o había tenido, un padre—. Mi hermano Mehmet se quedó con la tienda de joyería, y yo, con la de alfombras... Mi hermano, que es el mayor, no se parece nada a mí. —Me había adivinado el pensamiento—. Es gordo y rubio como mi madre.

—Qué raro, un turco rubio.

—Hay turcos procedentes de muchos lugares y de muchas razas. Los hay de todos los colores —añadió riéndose.

Yo comprobaba por fin que Yamam tenía una familia; lo ubicaba, veía desde dónde llegó hasta mí, entre qué gente. Pero aún me quedaba mucho por saber desde su infancia hasta ahora; quizá no fuese todo tan sencillo. De momento no quería saber más... Su voz, un poco gutural, era profunda y envolvente; yo me dejé envolver. Sus manos, al volante, decisivas; yo anhelaba que decidieran por mí... Por un momento me vinieron a la imaginación las de Ramiro, cuando conducía de recién casados. ¿Qué edad tendría Yamam? Quizá treinta años, alguno menos que Ramiro: «Es muy difícil calcular la edad de una persona de otra raza» pensé. «Bueno, Yamam no es de otra raza; quería decir de otro mundo, de otro ámbito, de otra cultura diferente.» Fue entonces cuando caí de hecho en esa distinción: Yamam no pertenecía ni a mi mundo, ni a mi cultura, ni a mi lengua, ni a mi religión, ni tendría la misma manera de entender la mayor parte de las cosas. Levanté la mano desde su muslo y la coloqué sobre su hombro, acariciándole el cuello y la nuez, que tanto me atraía. Era un modo de pedirle perdón por lo que estaba pensando.

—Los extranjeros dicen que los turcos, para rascarnos la oreja izquierda, utilizamos la mano derecha y la pasamos además por detrás de la cabeza. Es un modo de llamarnos complicados. —Reímos los dos—. ¿Tienes previsto a qué hotel vas?

Atravesamos el Cuerno de Oro —«¿Quieres creer que no he aprendido aún a distinguirlo del Bósforo?»—, y no tardamos en llegar al hotel. Una señora gruesa y teñida de rubio que había en recepción recogió mis documentos y miró de reojo a mi acompañante. Tocó un timbre, y un botones se hizo cargo del equipaje. A un lado del ascensor vi un ojo de la suerte de cristal; lo toqué. Subimos despacio y en silencio, con el botones ataviado a la turca. Ambos mirábamos al suelo. Al llegar a la habitación:

—No tengo todavía liras —le dije al chico, que se volvió, encogiéndose de hombros, a Yamam.

Yamam le dio un billete. Cerró con cuidado la puerta, y se quedó con la espalda apoyada en ella mirándome en silencio. Después abrió los brazos sin levantarlos, en un gesto más de disponibilidad que de recibimiento. Yo corrí hacia ellos y los puse sobre mis hombros. Mientras me conducía hacia la cama me dio tiempo a ver, por la ventana, el Cuerno bajo un sol delicado. La esquina de una mesa golpeó mi cadera. Y ya no supe más. O no quise o no pude saber más. La adivinanza que en el viaje me había torturado se resolvió sin más requisitorias. Yamam seguía teniendo el poder de invadirme, de anonadarme, de trasplantarme al séptimo cielo y dejarme allí a oscuras.

Cuando volví a mirar por la ventana estaba atardeciendo. Desde la cama vi que el sol dominaba aún sobre los minaretes y las cúpulas de la derecha en tanto que la Mezquita Azul —la reconocí por la excepción de sus seis minaretes—, Santa Sofía, Santa Irene y el Topkapi, ya sin sol y como ensimismados, surgían del agua y la arboleda. Un agua que es la confluencia del mar de Mármara, el comienzo del Cuerno de Oro y el del Bósforo, que acaba en el mar Negro: había aprendido la lección... El Cuerno estaba rosa y gris: antes del puente Gálata, camino del verde, y hacia el plata después; antes del puente Ataturk, camino del rosa, y oscurecido después de él. Yo era feliz. Deseaba no olvidar nunca ese momento.

Me levanté sin hacer ruido de la cama. Me acerqué desnuda a la ventana. Unas nubes breves, con sus perfiles bordeados de oro, interrumpían el color del cielo. Un bando de palomas, sobre la pobreza de los tejados próximos al hotel, me distrajo... Enfrente, ya se fundían unos con otros los edificios, negreaba el cúmulo de casas, se emborronaban las perspectivas. Un zumo de moras se había vertido sobre los barrios cercanos a Fatih, y la neblina de la noche brotaba entre las colinas. El Cuerno se había vuelto dorado, casi verde limón; el Mármara, de un azul claro, surcado por otros azules, más claros aún, dejados por las estelas de los barcos. El lubricán se había entronizado. Cielo y agua eran del mismo color ya. El sol, antes como una naranja, accedió a hundirse. Después de morir él, todo era fucsia: un fucsia que se amorataba por abajo y azuleaba por arriba.

Me sudaba la frente. Mientras me la secaba vi que Yamam dormitaba aún. Me acerqué a él. Puse mi mano sobre su sexo. Él abrió los ojos. Me oí preguntar algo que no se me había ocurrido de antemano preguntar.

—¿Cómo es que estabas esperándome al pie del avión? ¿Es que eres influyente aquí?

—En Turquía todos tenemos un primo que ocupa el puesto oportuno en cada circunstancia —contestó sonriendo. Me abrazó—. ¿Quieres cenar en el hotel o nos vamos a Kumkapi, a Puerta de Arena, el antiguo barrio de pescadores? Te gustará. Es muy típico. Ahora no hay demasiado turismo.

—Vamos —dije. Me puse en pie—. Voy a ducharme.

—Yo voy contigo.

Entramos en el baño. Su cuerpo es esbelto, moreno, musculoso, no en exceso velludo; sus piernas, rectas y largas; sus hombros, anchos, y el cuello surge de ellos con una delicada firmeza. Él me enjabonaba con dulzura, y yo a él. Su excitación me excitaba, y al revés. Nos abrazamos, y nuestros cuerpos resbalaban con el jabón uno contra otro. Nos besamos con los ojos cerrados bajo el agua, que se metía en nuestras bocas.

—No llegaremos a cenar —dije escupiendo y riendo.

Sentado en la cama, me vio ponerme la ropa interior. Escogí un traje sencillo. Lo tenía en la mano cuando él me sugirió:

—Vístete bien. El sitio es bohemio, pero elegante. Va la mejor gente.

Cambié de traje. Pensé: «Ya empieza el mundo a meterse entre nosotros. Me habría quedado en esta habitación hasta volver a España.»

—Estás hermosa. —Me retoqué los ojos y los labios—. Más hermosa todavía. —Me perfumé debajo de las orejas—. Esto es ya irresistible. —Allí me besó él—. No era éste el perfume que usabas.

—¿Es que no te gusta?

—Me gusta mucho más. —Me pasó la lengua por las orejas.

—Elige entre la cena o yo.

—La cena y tú —eligió.

El restaurante, de aspecto vulgar y luz poco favorecedora, tenía dos plantas. Nos sentamos en la baja al fondo. Las primeras mesas, junto al ventanal que daba a la calle, ruidosa y jaranera, estaban ya ocupadas. Yamam pidió la cena.

—No mucho —me explicó—: una comida muy nuestra, de platitos distintos, ya verás.

Me ofreció un cigarrillo encendido. No me gustó, y lo apagué a escondidas.

—¿Ves esa pelirroja tan llamativa, la sentada en la mesa más visible? Es una joven viuda. Su marido fue un negociante viejo que la dejó riquísima; ahora se gasta lo que el viejo ahorró. La mujer mayor que va con ella es una especie de señora de compañía.

—¿Una celestina?

—No sé qué es eso.

—La que busca planes a otros.

—No; ella no lo necesita. La acompaña para que no vaya sola; aquí se consideraría mal. El hombre de su derecha es un modisto famoso; el de enfrente es una especie de administrador.

—¿Y el más joven?

—Será el novio del modisto —contestó sin darle la menor importancia.

La viuda había mandado entrar al restaurante a un par de músicos, que tocaban un ritmo repetido y alegre.

—Música arabesca —aclaró Yamam que llevaba el ritmo con los hombros y canturreaba.

La viuda animó a levantarse al modisto, que llevaba una camisa de flores muy desabrochada, y al administrador, un hombre grueso y canoso. También ellos se movían al compás de la música, exagerando el movimiento de caderas. Las mujeres reían. Despejaron la mesa y les pidieron que se subieran a ella. «Todos habrán bebido», pensaba yo.

—No creas que han bebido —dijo Yamam—. Son así; se divierten.

Ahora los dos hombres bailaban una especie de danza del vientre, entre bromas y veras. Todo el restaurante palmoteaba. La viuda se incorporó y metió un billete entre el cinturón y la camisa del modisto. Yamam soltó una carcajada estentórea. Miraron a nuestra mesa e hicieron gestos de invitarnos.

—¿Quieres que vayamos?

—Prefiero estar sola contigo. ¿Los conoces?

—Aquí no hace falta conocerse. Pero alguien que trabaje en el Bazar conoce a todo el mundo.

El modisto le pasó el dinero al muchacho más joven. La acompañante puso otro billete en la oronda cintura del administrador. Los bailarines sudaban; los músicos arreciaron el ritmo que los sentados seguían con sus palmas.

—Son graciosos, ¿no? —dijo Yamam—. Gente con dinero y buen humor.

—Pero ¿esa danza no es propia de mujeres?

—Qué pregunta tan española —se reía—. Aquí se danza lo que el cuerpo pide, sin solicitar el permiso de las buenas costumbres. Come. —Habían traído diversos platos, todos fríos—. Son nuestros entremeses.

Yamam me daba a probar con su cubierto. Los dos danzantes bajaron de la mesa y bebieron brindando con los que no se habían levantado. Invitaron a los músicos, a los que todo el restaurante ovacionó, aunque a mí no me parecía que fuese para tanto. Me encontraba desplazada; la atención de Yamam estaba desperdigada por todo nuestro entorno. Habría querido atraerlo, fijarlo como el torero fija al toro que sale distraído del toril. Cuanto más obligada me sentía a que se me ocurriera algo, menos se me ocurría. Bebí. Brindé con Yamam mirándole a los ojos con la mayor intensidad, pero sus ojos resbalaban, se me iban.

—¿Por qué has brindado tú? —le pregunté.
—Por ti. —Pero yo no estaba ya segura...
—Me gustaría estar segura —dije.
—Por ti y por mí.
Subí sola a los servicios, en la planta de arriba. ¿Quería arreglarme un poco, o ser echada de menos? Me miré al espejo. Qué difícil significarlo todo para otra persona, acapararla, colocarle unas antojeras para que sólo nos vea a nosotros, y ser nosotros quienes le enseñemos el mundo. «Como un guía de turismo», agregué. Qué difícil, sobre todo cuando esa persona ha vivido treinta o más años sin conocernos, sin esperarnos, sin prevernos...
Bajé. Yamam hablaba con los alborotadores comensales de la viuda. Me llamó con un gesto para que fuese yo también. Yo levanté la mano en un saludo desistiendo, y me senté donde antes. No había comido apenas; los platitos estaban casi intactos allí. Habían traído otros calientes con pescado. Vino Yamam.
—¿No tienes más ganas de comer?
Negué, alargando los labios en un beso al aire. Me serví una copa más. La cogió Yamam, bebió un sorbo y me la alargó de nuevo.
—¿Estás cansada?
—Sí. ¿Recuerdas que he hecho un viaje? Bueno —sonreí—, creo que más de un viaje.
—¿No quieres que vayamos a bailar?
—Sí; pero a solas los dos.
—¿En el hotel?
—En el hotel.
—Tú le llamas bailar a unas cosas muy raras.
Se reía. Me tomó las manos; me las besó. Nos levantamos. Al pasar hacia la puerta, le dijo al grupo de la viuda algo en turco. Ellos me miraron y se despidieron con las manos en alto. *A rivederci,* gritaron unos; otros *ciao*; sólo uno, el amante del modisto, dijo *adiós*.

El Cuerno reflejaba las luces de las orillas, y las colinas del viejo Estambul titilaban como un cielo bajo. El de arriba estaba despejado. Corría viento, y las pequeñas nubes desfilaban por delante de la luna creciente. Sentí las manos de Yamam desabrochándome el vestido por la espalda. Cayó a mis pies con un ruido que me recordó el de las torcaces en los pinares cuando rompen el vuelo. Era un ruido que de niña me producía repeluznos, como si estuviese sola y perdida en el pinar... Yamam me alzó el pelo y me besó la nuca. Me dio un repeluzno. Di media vuelta y lo abracé. Pasó conmigo toda la noche. Lo que había soñado tantas noches en Huesca se produjo: dormir con él, abrazada por él, abrazado por mí... Antes y después del amor. En el amor. Toda la noche.

ÉSA FUE LA PRIMERA OCASIÓN en que pensé lo que luego he pensado tantas otras. Me quedaba adormilada, y una brusca respiración más fuerte, no sé si mía o de Yamam, me despertaba, me traía a la realidad. Porque llamamos realidad sólo a la consciencia: cuánto nos equivocamos al dar nombre a las cosas...

Llamamos, por ejemplo, vida normal a lo que hemos convertido en una verdadera porquería: a un engaño y a un cebo para que trabajemos, seamos dóciles y gobernables, y fabriquemos armas, y haya guerras y gobernantes que nos lleven a ellas; que lleven a nuestros hombres a ellas, como si hubiesen sido hechos para algo distinto de nosotras. Nos hemos acostumbrado a las cosas horribles, después de miles de generaciones de niños embaucados que cuando crecen embaucan a su vez a sus hijos. La vida es como un lujo de la muerte, un fervor que la precede; la muerte aparecerá cuando se hayan puesto ya unos cuantos seres más en el mundo... Yo he quebrantado tal ley: yo no he parido, o por lo menos, no hay nadie vivo que haya salido de mi cuerpo. Pero da igual: la vida, a pesar de ser la antesala gozosa de la muerte, no es cicatera, no es una contable que lleve al céntimo el debe y el haber; es derrochadora, y yo —que sé que ella no es mía, sino yo de ella— aspiro a prolongar este breve pasillo del placer de vivir. Hasta morirme en él, o morirme por él. Pero ¿quién muere en un pasillo? Ay, si el placer matara.

Yo conozco mejor que otras mujeres la incompatibilidad de una vida regulada, modelo, o al menos razonable, con la violencia del reclamo del sexo, con su vorágine africana, irracional y sudorosa. Por mí, siempre andaría desnuda, con el sexo al aire, acoplándome con Yamam allí donde nos entrara el apetito. Si no se lo propongo y lo hago, es porque, engañados todos por una civilización triste y adormecedora, engañados por una forma falaz de sentirnos *humanos*, es muy arduo desengañarse en una sola vida. Mi sexo y mis nalgas y mis pechos acabarían por no decirle nada. Nos han enseñado a obrar por acertijos, y a plantearnos, aunque sea de mentirijillas, un misterio con cada amante, como si fuésemos nosotros los que tuviésemos que descubrir el de la otra persona, y ella el nuestro, que no existe y sabemos que no existe.

De lo que escribo podría deducirse —si lo leyera alguien— que soy una perra salida. No es verdad; o lo soy, pero también soy otras cosas. Sin embargo, sí he llegado a la conclusión de que la vía más directa de unión y de compenetración, la más rápida y desde luego la más veraz entre dos seres humanos es el sexo. Imperfecta, porque nosotros somos imperfectos. Pero la mejor, aun así. Para los animales no significa nada: el macaco cangrejero, si no lo hace con su hembra, lo hace solo y la mira con desdén; si lo hace con ella, lo olvida luego. Pero para los seres humanos, por mucho que nos animalicemos (y nunca lo haremos lo bastante) es el sexo la vía menos equívoca. Mientras dura, no hay nada que separe a esos dos seres; no hay ni siquiera dos. *In caro una,* como dijo aquel padre Alonso de los cheques y el Monte de Piedad el día de mi boda, hace ya siglos.

Caía una lluvia menuda, y ha salido el sol. En mi tierra se dice que cuando llueve y hace sol, las brujas se peinan. Quizá se estén peinando, pero ¿quién sabe dónde?

Miro desde la ventana el aparcamiento de abajo y veo un hormiguero. Qué artificialmente distintos somos unos de otros, o qué distintos nos creemos, o nos han hecho, o nos hemos hecho. Vivimos separados, llenos de precauciones, como islas de un infinito archipiélago. Formamos la Humanidad, sí; pero somos islas separadas por mares: el mar de las razas, el de las creencias, el de las economías, el de la edad... La vida es una aventura incomprensible, aunque a rachas acertemos a comprender una parte pequeña. Y hay que vivir esa aventura solos: nos traen a ella solos y solos nos morimos. Se nos podrá comprender; se nos podrá acompañar a trechos, pero, en el fondo, es mentira: estamos solos. ¿Cómo no vamos a aferrarnos al primero que se aproxime, a través de la palabra *amor*, o *tribu*, o *hijo*, o *sentimiento*? De todas, es el sexo la mejor garra para retener, el mejor gancho de abordaje. Ah, si yo hubiese logrado que el corazón y la cabeza fuesen sexo también, que el alma, esa fondista insobornable, fuera sexo... Pero no es así, no puede ser: ahí está la maldición. Al sexo va un cuerpo sin cabeza, ni corazón, ni alma. Quien diga lo contrario no sabe qué es el sexo. A él va, a pecho descubierto, entero y verdadero, sólo el cuerpo, que es sexo y nada más. Ésta es la lección que yo aprendí muy tarde, y que me costó un solo segundo aprender: el que tardé en abrir mi cuerpo a su aprendizaje. Los cuerpos sí se disuelven, sí se alían; son islas que se abordan y entretejen sus riberas. Yo me licuo alrededor del miembro de Yamam, me extingo en él, y él, cuando alcanza lo que yo y al mismo tiempo, se disuelve a mi alrededor y dentro de mí, se vierte en mí. Y es todo bueno entonces, y se entiende todo, y el mundo llega al fin para el que fue creado, si es que lo fue... Pero el alma, no;

el corazón, no; no la cabeza. Ellos son otra cosa: más altos, más sutiles. Qué ira y qué coraje tener que confesarlo: a ellos hay que conquistarlos con otra estrategia.

No sé con cuál. Ha habido momentos en que he estado tocándole a Yamam el alma con los dedos, en que he sacado los dedos manchados con polvillo de oro, como el que una mariposa, de niños, nos dejaba antes de escapar o antes de morir. No sé con qué estrategia y, no obstante, creo que el zafarrancho de combate del sexo nos ayuda; deja todo manga por hombro, sin que se sepa de quién es esta camisa o este olor, pero ayuda. Es una empresa que se emprende en común. Estoy segura de que su frenética complicidad no se extingue del todo; de que hay una forma de simpatía, una afinidad que, después del orgasmo, se prolonga, que nos prolonga... Por lo que sé de mí, mi pasión es continua: no dura sólo lo que dura el polvo: conduce a él y lo sigue y lo precede. Como el péndulo de un reloj, que se mueve ignorante de la hora que marca. O como un florero en que cupiesen muchas clases de flores; quizá esas que llaman espirituales sean las más olorosas, las más aromáticas y las más bellas, pero sin él ninguna duraría. Y, aun con él, duran poco...

A menudo he pensado que mi pasión es aún más violenta que mi deseo sexual, y más personal también, y menos transferible por desgracia. Se puede despertar el deseo en otro ser, pero no la pasión. La momentánea, sí; pero la que es anterior y posterior a la embriaguez del sexo, no. Por eso la pasión está más cerca de la muerte que el deseo, cuando mezcla sin sentido la dicha y el dolor: un dolor que es dichoso porque emana de quien amamos y de su mano viene, aunque él no sea consciente de que nos lo causa, y sea precisamente eso lo que más nos duela. Y por eso la pasión se alimenta de sí misma —bien lo sé yo— igual que un cáncer, y resulta devoradora igual que un cáncer. Para cumplirse no necesita nada más que a ella misma, una vez que se ha levantado en armas por la presencia de alguien.

Porque la ausencia de ese alguien es terrible, pero nos queda la esperanza del encuentro, mientras que, si su presencia realmente no nos acompaña, sólo nos queda la desesperación.

Hay días en que estoy aquí sola y, en efecto, me desespera comprobar qué fácil es conseguir al Yamam macho, y qué lejos estoy del compañero. Ni un secreto tiene su cuerpo para el mío; ni un recoveco que no haya explorado y besado; ni una cicatriz que no haya recorrido; ni un lunar que no me sepa de memoria. Pero lo otro, lo otro... Es una búsqueda que no termina nunca. Yo me siento incapaz de reanudarla, porque no sé siquiera dónde mirar ni qué, qué perseguir y por cuáles caminos.

Qué angustia en esos días exigentes, en los que sé que, cuando Yamam llegue, llegará el macho sólo, el cuerpo sólo, el pene erguido sólo, la ávida lengua sola. Cuánta soledad viene al mismo tiempo que él. Para pensar con todas mis fuerzas en Yamam, preciso a veces que él desaparezca: mi Yamam es mejor que el que él me ofrece... Me digo entonces si no sería lo mejor matarlo y quedarme tranquila de una vez... Y, sin embargo, ¿es que no vine aquí por aborrecimiento de la tranquilidad? «O quizá lo mejor sería morir», me digo; pero en la muerte no existe esta tensión, este estira y afloja que soy yo misma y quiero seguir siendo... Esos días exigentes me repito: «Si tuvieras su corazón como tienes su cuerpo, te fundirías de verdad con él, y seríais una sola persona, uno solo para respirar el mundo y su hermosura; uno solo, como contaba Laura de los andróginos al principio del mundo. Para sentir juntos y del mismo modo la lluvia y el calor; para morir, también para morir; y para salvarse o condenarse, si es que hay condena y salvación.» Uno solo, que no sería ni él ni yo, sino él y yo, distintos de ese ser nuevo, y acabados en él.

No sé si me consuela estar convencida de que Yamam es mi única certeza, mi única comprensión, la explicación de todo y el resumen de todas las verdades.

Sin él, no me imagino sino la oscuridad, la confusión y una diversidad agotadora: un inútil desparramamiento.... Y, a pesar de eso, no poseo su corazón ni su cabeza. No, no; yo no quiero ser inmortal. Un cuerpo eterno no sirve a la pasión. Quiero morirme en él, en *mi* Yamam. Por eso he de conformarme con esta calderilla de hacer el amor con él y morirme un momento, con él entre los brazos, para resucitar en seguida en sus brazos también. Por eso tengo que conformarme cada día con esperar que venga, y cerrar los ojos a tanta soledad como llega cuando él abre la puerta, al mismo tiempo que él.

Tengo un mal día hoy.

AMANECIÓ NUBLADO. Entraba por la ventana, cuyas cortinas se habían quedado sin correr, una luz fría. Dormía Yamam casi atravesado sobre la cama. Acaricié su pecho, que con la respiración subía y bajaba; pasé mis dedos por los pezones de sus tetillas: él sonrió en sueños y temblaron sus largas pestañas; seguí sus clavículas, que iban desde el hundido vértice del cuello hasta el hombro, sus costados que se ondulaban sobre las costillas, su ombligo... Nunca había visto el ombligo de Ramiro, o nunca me había interesado verlo; deposité un beso en el de Yamam, después de olerlo. Restregué mi mejilla contra su vello púbico; el pene yacía a un lado del escroto, en medio de los muslos entreabiertos. Descendí hasta un tobillo que brillaba en la parte más delgada de la pierna y llegué al pie, apenas deformado por los zapatos, con el dedo segundo más largo que el primero, como las estatuas griegas, con un empeine más alto de lo común, con una planta endurecida que rocé con la palma de mi mano... Después del amor y de la noche, olía su cuerpo a él. Su piel, ni demasiado fina ni demasiado clara, exhalaba un olor sano a sudor; sus ingles tenían un húmedo olor a semen que me recordaba al de las flores de la acacia; sus pies olían a algo levemente ácido, a punto de corromperse, pero no corrompido; sus sobacos, a esas charcas donde las hojas se amontonan en otoño. Me pregunté cómo somos tan insensatos que sustituimos estos olores naturales por otros idénticos que los disfrazan, y acerqué por fin mi nariz hasta su boca. Estaba entornada y salía por ella un aliento que respiré durante largo rato, sin tocarla con la mía para no despertarlo... Se me ocurrió que quizá era un sentimiento de ternura el que me hacía acercarme a aquel cuerpo dormido. No; no era la ternura: era el agradecimiento, la imperiosidad de conocerlo todo de él —todo lo que no engaña en un durmiente—, la profesionalidad del guerrero, que, entre una y otra batalla, pule y limpia y revisa las armas de las que dependerá pronto su vida.

Cuando por fin se despertó, despertó hambriento. Yo fingí que también en ese momento despertaba. Pidió por teléfono un desayuno fuerte. Mientras lo subían, se metió en la bañera y quiso que me metiera yo con él. Era estrecha e incómoda. Me arrodillé con su cuerpo entre mis piernas, y él jugueteaba a poseerme, me flagelaba con su miembro, lamía mis areolas, mordisqueaba mis pezones, pasaba entre los labios de mi sexo sus dedos lentamente. Con la cabeza hacia atrás, yo jadeaba; las escocias del techo comenzaron a voltearse encima de mis ojos. Se me nubló de nuevo el mundo y me dejé caer, pesada y dócil, sobre él. El agua, muy caliente, rebosaba de la bañera; un camarero golpeaba en la puerta con el desayuno; yo le impedía a Yamam cualquier movimiento... Debajo de mí, soltó una carcajada.

Ese mismo día, almorzando, me propuso el viaje. Se trataba de recorrer el este y el sur de Anatolia, para terminar, según nos fuera, en Bursa o en Ankara. Visitaríamos la zona del lago Van y las del lago Egridir y el Beysehir. Era un viaje de negocios, pero en el que podría empaparme de la Turquía profunda.

—O sea, una locura: ir en coche, en lugar de adelantar yendo en avión y alquilar uno después. Una locura que me atrae cometer contigo.

Recogeríamos los kilims de ciertos pueblos donde él había dejado los telares para hacerlos y llevado las lanas. Eran pueblos perdidos y pobrísimos. Quizá diéramos con viejas alfombras que se venden muy caras a los coleccionistas, y podríamos encargar los kilims de trazos geométricos, que responden a la antiquísima tradición de los seléucidas, o los trabajos inapreciables que hacen las mujeres de las tribus nómadas. Tendríamos que emplear medios de locomoción insólitos: hasta determinados lugares utilizaríamos el coche; a partir de ello, Dios diría.

—¿Tu Dios o el mío? —le pregunté.

—¿Acaso no tenemos el mismo?

—No —respondí—, porque mi dios eres tú.

—Entonces sí tenemos el mismo —me replicó riéndose.

Acepté encantada, a pesar de las fatigas que el viaje pudiera depararme. Con Yamam a solas —en eso consistía mi mayor ilusión—, cualquier infierno sería un paraíso. Y empezaríamos además a crear recuerdos. «Para cuando yo me haya ido y no esté más con él...» De una manotada espanté ese pájaro negro.

Durante el viaje conocí la Turquía verdadera, desamparada y fatalista, y la diferencia que hay entre aquello que a los turistas se enseña o pueden ver, y lo que no verán nunca, ni querrían. A mí me pareció, en cambio, que veía los paisajes desde dentro, recorriéndolos palmo a palmo. El vehículo era una camioneta bastante vieja, que se averiaba con relativa asiduidad, pero supervivía. Ciertos pueblos eran de tan imposible acceso que teníamos que alquilar caballerías para llegar a ellos, y algunos tan desprovistos y desaseados que preferíamos dormir en unos sacos que llevábamos dispuestos. Nadie puede imaginar la risa nerviosa que me atacaba cuando, subida en una montura poco fija, me veía sujetada por Yamam casi en el suelo ya, y las dudas abrumadoras para elegir un caballo o un burro, porque los burros turcos tienen demasiado carácter, o puede que sean chovinistas. La Turquía que yo recordaba nada tenía que ver con ésta. Desde el autobús todo había sido distinto; ahora recorríamos valles encantados, cuya visión compensaba de cualquier cansancio, geografías tan accidentadas que parecían fingidas. Y la naturaleza, casi virgen, nos recibía con el aroma y el esplendor de la primavera. Superada alguna neblina matinal, los cielos fueron en general tan azules que daba miedo mirarlos: azules, insolentes e implacables.

La forma en que lo recuerdo ahora tiene que ver, más que con un viaje, con un álbum de fotografías. Recuerdo, una vez pasado Mármara, las lontananzas que se distinguen por el espesor de las nieblas levantadas desde los valles sucesivos; la pesadumbre del cielo en un día nublado sobre un vuelo de grajos; un águila desdeñosa posada sobre el poste de una linde; las ristras de mazorcas casi gastadas, a manera de guirnaldas sobre las puertas; los zocos de frutas en medio de los campos, en donde los cosechadores trabajan; los juegos de los patos en el remanso de un río; las casas azules con zócalos ocres, o verde turquesa con zócalos lilas, o blancas con zócalos de color salmón; el maderámen de los balcones, o el entablado que sostiene las construcciones de ladrillos o adobes; los salidizos sujetos por zapatas labradas; dos carritos por una senda, cargados con objetos caseros de lata y de plástico, y conducidos por una familia de vendedores gitanos; dos conejos en el umbral de una casa: uno gordo blanco, y el otro blanco y gris; el gran plátano copudo en medio de casi todos los pueblos; un camioncillo, al amanecer, con dos terneras mugientes; las tejas arruinadas en los tejados; las fuentes de las aldeas y los largos abrevaderos comunales; las colmenas en ebullición; las mujeres volviendo de los campos, todas con sus pantalones hasta los tobillos bajo la falda, sus frentes cubiertas por pañuelos y sus mantos; una vieja loca que nos da a gritos la bienvenida y nos toca con veneración; las improvisadas chimeneas fuera de las casas, para quienes no tienen cocina propia; los visillos de todas las ventanas alzándose a nuestro paso; las gallinas o los pavos paseándose por doquiera y picoteando entre el barro y la bosta; un mínimo cementerio con una lápida sobre la tapia: «El momento no llega ni un segundo antes ni un segundo después»; las cepas altas, como arbolitos, entre los olivos; las pomaradas junto a las plantaciones de adormideras; las mezquitas diminutas, posadas junto al alto minarete; las parejas de tórtolas; tres viejos sentados junto a un árbol, con un viejo perro en el centro, en silencio los cuatro...

Percibía la hermosura de todo, pero también su suciedad y su miseria. Y comprobaba que aquella Turquía era hermosa para el que podía pasar de largo y abandonarla, no para el obligado a padecerla.

Recuerdo los nombres de las aldeas, algunas con no más de una docena de casas, que Yamam me traducía, y que se asemejan a los españoles: El Baño, Pueblo Chico, Gorriones, Algodón, Pino Negro, Cinco Casas, Cerezo de Arriba... Un día vi un pueblo que me gustó desde lejos, porque, contra el horizonte nublado, se erguía bajo un golpe de sol que lo doraba. El nombre era Ballisaray.

—¿Qué significa?

—Palacio de Miel.

—Tú eres mi *ballisaray*.

Sin poder contenerme lo abracé, y así lo llamé durante todo el viaje: *ballisaray*.

—Esto es Nicea —me dijo un día temprano.

Me impresionó saber que de allí nació el credo, y que el tiempo la había reducido, aparte de despojarla del nombre, a ese pueblito donde desayunamos.

—Menos nos quedó de Troya —decía Yamam—, o de Halicarnaso, o de Mileto, o de Afrodisia.

Había unas aldeas terrizas y otras, en cuesta, que estaban empedradas para disminuir los barrizales de las épocas de lluvia. Unas, encaladas con colores risueños: violetas, rosas, añiles, y con una gran parra siempre en su fachada; y otras, de piedras y adobes, junto a un almacén, con un bajo de fábrica, y troncos sobre ella.

Solíamos detenernos en los pueblos más grandes, en los que Yamam se entrevistaba con el alcalde o su equivalente, que le suministraba los datos de lo que podríamos encontrar.

—En primer lugar hay que contar siempre con las fuerzas vivas —repetía Yamam.

Yo lo esperaba dando un paseo por la calle principal, si la había, bordeada de modestos comercios, y por la que se arrastraba una vida mucho más gris y más monótona que la vida de Huesca. Una vez, cuando iba en busca de alguien, le pregunté si era prudente viajar con tanto dinero como el que él debía de gastar en tantas transacciones.

—No siempre pago con dinero —me contestó con aire misterioso.

Los alcaldes, o quienes fueran los que se entrevistaban con Yamam, traían al coche sus kilims, cuando los tenían, y los depositaban en la parte trasera, que se llenaba a medida que pasaban los días. Me acuerdo ahora de que en un pueblo mayor que los otros, cercano a Konya, conseguimos —o compramos sin dinero, porque yo asistí a la operación— un par de alfombras antiguas. Yamam dio por ellas un sobre pequeño, que el vendedor, de espaldas, se apresuró a revisar. Incluso me pareció que lo besaba. Tardó bastante antes de volverse y dar en turco su conformidad.

—Estos bosquecillos de treinta o cuarenta álamos que vemos a menudo —me contaba Yamam— tienen un bonito origen. Se plantan cuando nace un hijo varón, y se cortan al tiempo de su boda, cuando ya están crecidos, para pagar los gastos.

—¿Y las hembras?

—Ésas no cuentan —me respondió riendo.

Dormir a la suave intemperie, dentro de un saco, con

Yamam al lado, era vengarse de la casta adolescencia sin aventuras que había sido la mía. Dormíamos con las manos cogidas, y él me enumeraba el nombre turco de las constelaciones, que brillaban en la oscuridad como nunca las había visto brillar. Probablemente inventaba esos nombres y confundía las estrellas, pero eso para mí no tenía importancia. En aquellas noches yo aprendí que el mejor símbolo de la esperanza son los pájaros: cuando mayor es la oscuridad, es decir, inmediatamente antes del alba, ellos rompen a cantar enardecidos, como si fuesen los encargados de traer la luz con sus cantos. Porque esperan el alba, el alba llega... Al amanecer, si nos estremecía un aire que el sol aún no había calentado, Yamam se metía en mi saco, y, abrazados, nos dábamos calor suficiente para caldear todo el paisaje.

Por las descuidadas carreteras me espantaban los peatones, que las cruzaban de improviso. Una vez, un niño atravesó corriendo sin mirar; su madre se lanzó delante de la camioneta, doblada bajo dos enormes bultos a la espalda. Los salvó un frenazo de Yamam que me hizo dar con la frente en el parabrisas. Los niñitos, rapados y con sus mochilas de libros, salen de las escuelas, donde las hay, a las doce menos unos minutos; en seguida suena la llamada a la oración. Mujeres sombrías, rodeadas de chiquillos hambrientos y gritones, trabajan en los telares, trazando el dibujo de los kilims, acaso no de colores tan relucientes como los que había visto en Estambul, pero sólidos y con las dulces asimetrías con que las manos, no las máquinas, los enriquecen.

Los pequeños restaurantes y los cafés no son opuestos. El patrón suele estar sentado a una mesa como de despacho y en ella cuenta los beneficios del día. En un rincón, la cocinita donde hacen el té y el café, o el horno donde cuecen la masa o preparan la comida. Un día, en una ciudad semejante a Huesca en número de habitantes, Yamam me dejó en el coche. Anochecía, y yo preferí entrar en un café que vi encendido. Salón Simpatía supe después que se llamaba. Había una televisión en blanco y negro y unos cuantos hombres sin hacer nada: ni verla, ni hablar, ni jugar. Cuando entré y me senté, ellos se salieron. Comprendí que debía volver al coche. Se lo conté a Yamam, y se reía a carcajadas golpeándose los muslos con las manos. Después de cenar me llevó a otro café mayor. En él había una gente más joven, que jugaba sin ruido al dominó o a las cartas.

—No temas —me calmaba Yamam—: el dueño no te dirá nunca que te vayas. Primero, porque no se atrevería, y luego, porque le enorgullece tener en su casa a una extranjera.

—¿En qué se nota que lo soy?.

—En que ninguna turca entraría aquí.

—¿Por qué?

—Vamos a preguntárselo al patrón —me contestó.

El patrón se sentó con nosotros. Era un hombre joven, de ojos aterciopelados, con ojeras y un pliegue muy puro en los párpados. Tenía en la boca una expresión casi infantil, que el bigote trataba de enmascarar. La nariz, corta y recta. Un reloj con una ancha pulsera de oro y dos gruesos anillos contradecían sus manos, toscas y anchas, que sacudían como con rabia el cigarrillo contra un plato para quitarle la ceniza. Se dirigía a nosotros como un niño serio, que quiere quedar bien con la visita y que declama su lección bien aprendida. Cuando yo reí por algo que me tradujo Yamam, me miró escandalizado de que no tomase lo que él decía con rigurosa circunspección.

—Una mujer estropearía este ambiente —le explicaba a Yamam—. Tú lo sabes; díselo a ella. Los turcos somos muy orgullosos; esto se convertiría en otra cosa. A lo mejor en Estambul o en Bursa podrían entrar en un café si fuesen agrupadas y se sentaran aparte; quizá eso no sería tan grave. Pero de una en una, no, qué enormidad. Esto no es Estambul, que en parte es oro y en parte es mierda... Aquí tenemos que mantener el local limpio, sin colillas, impedir que la gente queme los manteles o los asientos... Y eso tú sabes cuánto cuesta en

Turquía. Como para dejar, por si fuera poco, que las mujeres entren.

—Pero ¿qué hacen estos hombres aquí? —preguntaba yo.

—Por lo pronto no estar en su casa, donde les darían la lata la mujer y los niños.

—¿Y trabajan de día, por lo menos?

—Claro; son agricultores, pequeños comerciantes, empleados de una industria, transportistas, cualquier cosa.

—¿Es que no hay paro?

—Sí; pero también mucha economía sumergida.

—En esta ciudad —completó el patrón— la gente es muy solidaria; siempre hay cuatro amigos para colocar al parado: de recadero, o de vendedor de rosquillas o avellanas, o de revendedor de billetes de autobús, o de aguador, o de limpiabotas... En último extremo, el parado aquí lleva a su mujer a trabajar al campo y luego la recoge: eso es también un trabajo.

En algunos villorrios, a pesar de entrevistarse Yamam con el lugareño más destacado, no hallaba lo que buscaba y, sin embargo, no insistía, y se quedaba satisfecho.

—Ya hemos sembrado aquí para un futuro viaje —me explicaba—. La fortuna no viene siempre por el camino en el que se la espera. Los turcos tenemos mucha experiencia de eso: en la guerra de los Balcanes perdimos Macedonia, pero esa pérdida hizo que se fortificaran los Jóvenes Turcos, que eran nuestro porvenir, y nos ahorramos el dinero y el esfuerzo y la sangre que nos costaba mantenerla. Perdimos también la primera guerra europea, pero de la caída del Imperio otomano nació la Turquía de hoy, que es nuestra y que nos satisface.

Yo me eché a reír, preguntándome que tendrían que ver nuestros kilims con tales historias de Turquía. Todos esos vaivenes del viaje me parecían misteriosos, pero los atribuía a mi desconocimiento de las costumbres y del idioma, y me obligué a plantear el menor número de cuestiones posible, ya que Yamam las respondía de un modo inescrutable. Pero, aunque sólo fuera porque no me tenía más que a mí, conmigo hablaba y nos íbamos conociendo. Debajo del calor o de las estrellas, tejimos entre los dos un kilim de amor exclusivamente nuestro.

Una tarde, en un pueblo grandón, alzado entre pedregales y excrementos de ganado a los que olía todo, dentro de un restaurante no muy limpio y plagado de moscas, tuve de repente la impresión de que Yamam me mentía. No sé cómo ni por qué fue, pero lo sentí como un relámpago. Algo en su voz, un aleteo en sus pestañas, la manera de repetir —como si le picara— el frote de una mano con la otra... Sin embargo —me dije—, ¿para qué iba a mentirme? No lo necesitaba. Eso me aducía mientras lo esperaba en el coche, entre la duda y la confianza. «¿Qué será de mí si no vuelve?» Se me puso la carne de gallina. Quizá yo preguntaba en exceso.

—No me atosigues —me había dicho una tarde de pronto dándose media vuelta.

«Tiene razón: actúo a veces como si fuese un policía. Una enamorada no puede obrar así.» Tal era mi propósito sola en aquella camioneta. Que él regresara y me llevara consigo: no pedía más; el resto carecía de importancia. Y además no me quedaban ni deseos ni necesidad de pensar en el resto...

Yo, en los caminos y en los hoteles, desgranaba a su oído recuerdos de mi infancia. Él no conocía Aragón. Su padre lo había enviado a España a recorrer mundo y a aprender idiomas. Si eligió España fue porque le seducía, como a tantos turcos. Me recitaba un poema, *Baile en Andalucía*, de Yhaya Kemal, un gran poeta que había sido embajador en Madrid. Lo recitaba primero en turco, luego lo traducía.

Castañuelas, mantón de Manila y rosas rojas.
En este jardín concurre toda la celeridad de la danza,
y Andalucía se muestra tres veces carmesí en la noche
[del entusiasmo.
Un canto mágico de amor surge en miles de bocas...

Yo lo besaba, interrumpiéndolo a cada verso.

—¿Sólo fuiste a España porque te fascinaba?

—También porque ofrecía la oportunidad de hacer buenos negocios.

—¿Tan joven, y estabas ya en el de las alfombras?

Se rió a carcajadas. Esa noche habíamos bebido: hizo frío y decidimos echar unos tragos. Bebíamos de la misma botella. Me mencionó los sitios recorridos de España, y dónde estaba su casa en Madrid. Las fechas, según comprobé cuando, como siempre, reconstruí su narración, no concordaban ni con su edad, ni con los hechos a los que se refería; pero lo atribuí un poquito al alcohol y otro a los fallos de su memoria. Su salida de España, muy repentina, no me la contó bien. Deduje que, por ciertos malos entendidos, prefirió desaparecer a enfrentarse con las autoridades, no sé si turcas o españolas. Reconozco que mi cabeza tampoco estaba en su mejor momento, y que yo deseaba mucho más hacer el amor que oír sus episodios nacionales.

—Los únicos que se rigen por las normas agrarias de la tradición turca son estos hombres de Anatolia: sin servidumbres ni feudalismos; ellos y el campo cara a cara. Y da la casualidad de que no son turcos de raza... Amiguita, tienes que aprender a conocernos. Entre nosotros el blanco y el negro no existen: nos movemos insensiblemente del uno al otro. La Historia nos lo ha enseñado a hacer... Somos musulmanes, pero en un estado laico que abolió el califato después del sultanato, y desterró la ley sagrada y todos los trucos de que se alimenta el Islam. —Gesticulaba y se reía, de pie, sin poder detenerse, hablando en voz muy alta—. Conservamos nuestro idioma, pero con la caligrafía occidental. Sentimos fascinación por Occidente, pero no te fíes, porque es mayor nuestra aversión hacia él. —Se detenía un instante, tomaba mi cara entre sus manos y me besaba las mejillas—. Somos modernos y procuramos la igualdad de todos: las religiones no cuentan; pero el Islam es el protagonista y hay cierta resistencia a las demás. Somos europeos, pero la mayor parte de nuestro territorio está en Asia... Hay que ser muy buen jinete para montar a la vez caballos tan distintos... Tú oirás, Desi, mielecita, mi azúcar, oirás siempre a un turco presumir a voces de recto; ponte en guardia: en seguida empezará a ser sinuoso. Nuestros comerciantes alardean de ser los más honrados del mundo, «porque sólo con la honradez se hacen buenas operaciones», dicen; la verdad es que son famosos por su habilidad para engañar, y su timbre de gloria y de propaganda es que engañan menos que los vecinos o, mejor aún, que engañan más sin que se note. Cautela con el turco, preciosilla. Confía sólo en tu Yamam, que con razón significa el impar... Cautela, porque el turco es celoso como nadie: sus celos le han dado fama (celoso como un turco, decís); pero no lo es por el amor a la mujer a la que cela, sino por el orgullo de sí mismo. El turco, querida queridita, es macho como nadie; tanto, que a menudo siente el atractivo de otro macho y se lía con él, aunque sea sólo para verse reflejado: a él le gusta mirarse en el espejo, con sus largas pestañas y sus largos bigotes...

Entre besos y risas y remedos, Yamam me transmitía su país y sus gentes. Había noches en que se expresaba a incontenibles borbotones, y me ponía dos dedos delante de los labios cuando yo pretendía plantearle una duda, o simplemente decirle que estaba muy cansada y quería dormir. Nunca lo había visto tan eufórico, aunque quizá ésa fuera su habitual forma de ser: lo había tratado muy poco todavía.

—De ambigüedades estamos hechos, no lo olvides. Es como si este viaje no fuese lo que aparenta, ni tú y yo tampoco. ¿Somos un matrimonio? No. ¿Somos negociantes de alfombras? Sí y no a la vez, el tiempo lo dirá. —Manoteaba y soltaba carcajadas—. Con la historia de mi pueblo ha sucedido igual: es demasiado viejo, ha sufrido demasiadas mudanzas, le han caído en lo alto demasiadas peripecias como para poder ser definido así o asá... Nuestros gobernantes no pudieron mantener la unidad sino con el divide y vencerás, que es lo contrario. No pudieron conservarnos independientes sino haciendo concesiones de minas y de pesca y de ferrocarriles y de armas a los europeos. No pudieron meternos en un puño más que entregando a los cristianos y a los judíos la industria y el comercio, y a los musulmanes, los puestos militares y civiles... Hay que saber vivir, bonitilla mía; dar un poco para que vivan los demás y quedarte tú con el resto para vivir también.

Y giraba a mi alrededor, y me acariciaba como si yo fuese una niña pequeña a la que se le da lecciones de vida imprescindibles...

Llevábamos siempre en la camioneta algunas provisiones. Comíamos emparedados de cualquier cosa, y hasta encendíamos fuego. Yo, en él, cierta noche hice unas tortillas *a las finas hierbas,* con unas que Yamam cogió del campo. Sin embargo, siempre que estaba a nuestro alcance devorábamos en algún restaurante el *döner kebab,* esos trozos de carne de cordero, tan ricos, superpuestos alrededor de un espetón vertical. Recuerdo ahora que en un pueblo comimos *pide,* que es como una *pizza* con una despensa encima: pimiento, tomate, queso, perejil, carne picada, chorizo y jamón de cordero o de ternera envuelto en pimentón dulce. Tampoco se me olvida el local: pequeñísimo, pobre y con una espléndida caja fuerte; sobre la celosía que separaba la cocina, cruzadas, dos palmas en cruz, como las nuestras del Domingo de Ramos, y, como en absolutamente todas partes, un retrato de Kemal Atatürk.

De postre comíamos unos dulces riquísimos que yo no había probado en Estambul.

—Se te olvidó informarme de que los turcos, que alardean de una historia amargada por Occidente, son el pueblo que tiene los dulces más dulces y más buenos.

—¿Es que estas golosinas te gustan más que yo?

—Tú eres para mí la mejor delicia turca.

En Ankara estuvimos sólo dos días. Yo no comprendí cómo le había arrebatado la capitalidad a Estambul.

—Se dice que lo mejor que tiene Ankara es el tren para Estambul. Pero deja las cosas como están: lo único que le faltaba a Estambul son los ministerios y las embajadas. Los estambuliotas seguimos asustando al Gobierno con una maldición histórica: todo el que posea nuestra ciudad acaba por ser víctima de su aciago destino. Cuando los turcos la conquistamos éramos los fuertes; luego ella y su maldición nos debilitaron. Constantinopla dio en tierra con el Imperio otomano como antes había dado en tierra con el bizantino.

—¿Y a nuestro imperio (al tuyo y al mío) también lo hundirá?

—Prenda mía, nuestro imperio es flotante: no está ni aquí ni allá. No tardo, amor —dijo antes de salir.

Yo me quedé todo el tiempo en el hotel. Estaba ansiosa de cama blanda, aseada y fresca, de duchas tibias, de baños calientes con sales espumosas, de comida europea, de apretar un timbre y que apareciera un camarero... El viaje había durado lo justo; quizá un día más lo hubiese hecho insoportable. Había servido, aparte de obtener buen número de kilims, para asegurarme de Yamam, de su amor, de su personalidad, de su sinceridad también. «Ahora sí que mi corazón, no sólo mi sexo, puede cantar victoria», me decía sumergida en la bañera. (Poco después supe que me había apresurado mucho en cantarla.) Como una confirmación a aquellas favorables reflexiones, hechas mientras minuciosamente trataba de recuperar mi aspecto civilizado, llegó muy optimista Yamam —«Todas mis expectativas se han cumplido»—, con una fotografía suya para mí.

Después de besarla y de besarlo a él, la introduje en mi pasaporte. Lo necesitaría para el viaje de vuelta, pasados tres días. Delante del policía turco resbaló la foto y, ante su expresión de guasa, yo enrojecí hasta las orejas.

Ramiro me aguardaba en Madrid; había resuelto no salir hacia Huesca hasta el día siguiente. Cenamos con Julia y Fermín que se interesaron mucho por mi tienda de alfombras. Al quedarnos solos en la habitación del hotel, Ramiro me puso las manos sobre las caderas.

—Vienes espléndida de Estambul. Creo que deberías ir de cuando en cuando allí.

—Yo también lo creo.

Trató de besarme. Yo, con un gesto instintivo, lo rechacé. Luego, para suavizar mi aspereza, le expliqué:

—Perdóname, vengo muy cansada. No sé por qué un viaje en avión cansa tantísimo.

—Creí que... Pero no; perdóname tú a mí.

SUPE QUE ESTABA EMBARAZADA al poco tiempo de llegar a Huesca. Mi primera reacción fue de total sorpresa: era sencillamente algo con lo que no había contado. Después sentí una alegría tan profunda que me impidió hasta pensar, cuanto más preocuparme. Corrí a la farmacia de Felisa. Ella, terminada la prueba, sin decirme nada, me comunicó su resultado con un abrazo que a poco me estrangula. Le rogué que no diera la noticia a nadie; quería ser yo quien lo hiciera; en primer lugar a Ramiro. Como yo había advertido que la esterilidad era mía, el asunto era simple.

Esperé su llegada en mi habitación, tendida sobre la cama, con las manos sobre el vientre. De pronto, me levanté, me desnudé del todo y me coloqué delante del espejo del vestidor. Miré con meticulosidad mi cuerpo: aún no se percibían en su exterior signos del embarazo. Me acaricié despacio, como lo hacía Yamam; recorrí con mis dedos los lugares donde él ponía los suyos, y sentí por mí, de una extraña manera, la atracción que él sentía. Como la adolescente que ama y tantea su propio cuerpo antes de verlo deseado por otro... Sentada en el suelo, abrí las piernas, rocé mi vello de un castaño claro, mi vulva llena y sonrosada que recibía jubilosa la evocación de Yamam. Separados los labios externos, vi los menores, y los comparé con los labios de mi boca: del mismo color todos, de la misma apertura, nada de particular había allí. De su escondrijo hice salir el clítoris y lo acaricié como si mi mano —como si mi pulgar y mi índice— fuese de aquel a quien amaba más que a mí misma en ese instante. Mi mano blanca, la suya tan morena... Toqué mis pechos con la otra mano. Procedente de algún lugar secreto, un líquido mojó los bordes de mi sexo como una lengua que humedece, antes de sonreír o al sonreír, los bordes de una boca... Era como si me respondiera, desde dentro, quien me habitaba ya... Como si el hijo de Yamam fuese capaz de hacerme gozar lo mismo que su padre, más dentro aún de mí que él... Trajín, sentado junto a mí, me lamía las ingles; lo aparté sin abrir los ojos.

A continuación, desnuda todavía, escribí a Yamam una carta no muy larga dándole la noticia.

Cuando llegó Ramiro, desde la puerta me lanzó un «buenas tardes» —ya era verano y se retrasaba en llegar la noche—. Salí a su encuentro abrochándome una bata.

—Tengo que anunciarte algo que te va a complacer mucho —le dije con la expresión más dichosa que pude—: vamos a tener un hijo. Tenían razón los que nos aconsejaban no creer en los médicos.

Ramiro me miró en silencio; se dirigió al salón; se sirvió un whisky seco y lo bebió de un trago.

—Yo también tengo que decirte algo, Desi. Igual que hiciste tú, yo consulté con un médico en Madrid. Soy yo, y no tú, el incapaz de tener hijos. O los dos, aunque por lo visto tú no lo eres... No consideré necesario decirlo antes, ya que tú te habías anticipado a hacerte responsable, y con uno bastaba.

Se hizo una pausa en la que el silencio era como un charco entre los dos. No valía la pena defenderse.

—¿Qué piensas hacer? —le pregunté.

—Yo, nada. ¿Qué piensas hacer tú? Ese niño no tendría que nacer.

—No sé si tendría que nacer o no; sé que, en cuanto

de mí dependa, nacerá. Me extraña que un católico como tú insinúe semejante dislate. Qué distinta es la teoría de la práctica, ¿no?

Había levantado la voz. Ramiro estaba sirviéndose otro whisky, y yo continué:

—Lo que podemos hacer es divorciarnos.

—La Iglesia no permite el divorcio, tú lo sabes.

—Ni el aborto tampoco. Separémonos entonces...

—¿Y que Huesca entera sepa que yo soy impotente y que tú has tenido un hijo de otro? ¿Qué quieres: dar una campanada y hundirme a los ojos de todos?

Inevitablemente pensé que Huesca era el sitio ideal para una campanada, pero, fingiendo una calma que estaba muy lejos de sentir, dije:

—Yo no quiero, Ramiro, más que tener a mi hijo.

—Pero ¿de quién es? —gritó—. Supongo que de algún turco.

En su voz había un enorme desdén.

—Sí —grité también yo—; de un turco.

Me miró con un indescriptible asombro.

—¡Un turco! ¿Tú tienes idea de lo que has hecho? ¿Qué sabes de él? ¿Quién es? ¿Qué es? ¿Qué tiene el turco ese?

Yo me eché a reír con una risa casi histérica.

—Estoy segura de que no quieres saberlo de verdad. —Tenía ahora yo, y lo notaba, la sartén por el mango—. Aquí se plantea un dilema. Eres tú el que tiene que escoger: o yo me voy con mi hijo, caiga quien caiga, y ya me entiendes, o lo tenemos juntos y aquí no se habla más.

Se había sentado; tenía la cabeza entre las manos. Transcurrieron dos o tres interminables minutos. No levantó la cabeza para hablar.

—¿Quieres decir que romperías con todo lo que ese niño significa?

En la pesada pausa que siguió a la pregunta, que se quedó temblando por el aire, se oía mi respiración. Yo había dejado de tener la sartén por el mango. Mi hijo era lo que en aquel momento necesitaba ser defendido antes que todo: no su vida sólo, sino el ambiente más propicio para que naciera y creciera.

—Sí —dije por fin en un susurro.

—¿Lo juras?

En un sollozo dije:

—Sí.

—Pues que las cosas se queden como están.

Se dirigió a la puerta. La abrió. Añadió sin volverse:

—Si es que es posible.

Salió cerrando con tiento, sin dar el portazo que yo temía.

Me dirigí a mi dormitorio, pero no llegué a él. Me urgía recapacitar sobre lo sucedido; me urgía aclarar el estado de las cosas a mis propios ojos. Quería saber si debía o no echar la carta escrita. Tenía que calcularlo todo. Me lo impuse a la fuerza, porque la alegría de mi hijo no era a calcular a lo que me llevaba. Me senté en el salón, en el suelo, con la espalda contra un sillón... Aunque me estallara la cabeza tenía que razonar. Fríamente, convenientemente. Y empecé a hacerlo con las manos apretadas contra el vientre.

Nunca había percibido con tanta claridad la contradicción que ahora se me presentaba. Era un problema que aún no podía dar por resuelto. Había jurado, sí, pero otros juramentos no pronunciados me ataban más que el último. Y, sobre cualquier escrúpulo, en una u otra dirección, estaba mi hijo... Siempre se nos ha asegurado que el amor se comporta como si fuese a ser eterno, y cierto que es eterno mientras dura. Siempre se nos ha asegurado que la pasión se quema en sí misma, igual que una vela encendida por los dos cabos, como diría mi padre... Entonces, ¿se opone el amor a la pasión, que es la que lo aniquila; a la pasión que sueña y que combate y que se desangra si es preciso, consumida, consumada, en su éxtasis? ¿Cabe el amor sin pasión? ¿Cabe la pasión sin amor? ¿Es mentira siempre la eternidad que la pasión promete, y verdadera la del amor? «¿A qué vienen, en este trance, estas preguntas?», me dije. ¿Sentía yo pasión por Yamam y amor por Ramiro? Ah, no: ¿dónde me llevaría tal engaño? Tenía que ser muy clara. ¿Con cuál de los dos me había olvidado yo más del mundo y del tiempo y de mí misma? ¿No es el primer trámite de la eternidad olvidarse del tiempo? ¿No estaba, hasta físicamente, Ramiro sujeto a él: envejecido, digno y grueso como lo acababa de ver? ¿No venía de adjudicarle a Yamam toda la herencia del amor por Ramiro: no el que le tuve, sino el que pude haberle tenido, que se me quedó en vilo dentro del alma? Venía de lo que quise que fuera eterno, y acababa de chocar, cara a cara, con lo que había demostrado una duración, unos años de duración, de respeto y de compañerismo. Pero ¿qué tenían estas cosas que ver ni con el amor ni con la pasión? Lazos que atan, sí, experiencias comunes, amigos e intereses comunes: un matrimonio. ¿Era esto suficiente? Para tener un hijo, sí: el hijo no tiene por qué ser resultado de una pasión, ni de un amor; yo ni siquiera había pensado en él un solo instante entre los brazos de Yamam.

Me encontraba oprimida entre un pasado que ahora se hacía más presente que nunca, y un presente ardoroso, fructificado, que quizá tendría que convertir, voluntaria y dolorosamente, en pasado. Me hice daño de tanto como apreté los dientes, y sentí que los ojos se me llenaban de lágrimas. Hacía tanto que no lloraba que me invadió una sensación infantil y casi dulce. Sin embargo, las lágrimas no llegaron a caer. Me violentaba, me forzaba a pensar que aquel amor mío por Yamam, que aquella pasión mía no sería invariable, sino que más tarde decaería, se transformaría, se extinguiría... ¿No fue ése el proceso del amor por Ramiro? No, no fue ése: a Ramiro ahora sabía con toda seguridad que nunca lo había amado. Pero ¿es que acaso son siempre los mismos el comportamiento y el aspecto del amor? No lo sé ahora, ni lo sabía entonces, ni quería saberlo. Mi temor era que, si renunciaba a Yamam, el tiempo se iba a suspender, iba a concentrarse y a divinizar a mi amado —a mi apasionado amante— en mi corazón. Y yo sería la víctima de una evocación continua y enfermiza; la víctima de la locura de convertir lo que debería ser pasado en un presente fijo y artificial, como un cadáver que se embalsama y se lleva a cuestas el resto de la vida... «Un cadáver lo que es vida sólo y ha dado vida...» No lograba llorar.

¿Un cadáver? Si nadie garantiza que un amor permanezca, ¿quién garantiza que un amor se acabará? Lo que de hecho había terminado era mi relación con Ramiro, fuese la que fuese, se llamase como se llamase. Ni siquiera quedaba suyo un trocito de mi pasado, porque al amor presente, al de Yamam, yo había aportado mi pasado entero y mi futuro: era un compromiso de mi totalidad. ¿O es que yo no era consciente de que había jugado mi pérdida social, personal y moral; de que me había jugado de abajo arriba y de atrás adelante? Para mí el amor no es otra cosa que eso: la pérdida y la reunión de dos extraviados, que uno en otro se recuperan. ¿Y ahora sería yo la que renunciara, la que dijera: «Hasta aquí; yo ya no juego más»?... Pero —yo me argumentaba— es que no lo hacía por mí, no era yo egoístamente quien lo decía. Estaba claro: era la voz de mi hijo. ¿Podría jugármelo a él, apostarlo a él también? Qué miedo me daba arriesgarlo en una pasión tan individual, tan mía, tan poco consentida, tan ciega... Me traicionaría a mí misma —y, por tanto, a Yamam— antes que traicionar a mi hijo.

Él venía a una vida que le daba yo. Y yo estaba configurada por rostros, por personas, por paisajes, por un idioma, por una historia. La vida era un bosque por el que yo tendría que conducirlo, no perderlo. Y mi bosque era éste; en el otro bosque, nos perderíamos los dos... La vida es el cambio pasivo que el tiempo nos imprime: la vejez de Ramiro, su piel seca, su cintura ensanchada, y mi vejez también, y mis futuras arrugas y mi futuro desencanto y quizá mi desesperación. Frente a la pasión mía por Yamam yo me sentía obligada a mantener la juventud y la belleza; pero frente a mi hijo tenía la obligación de conducirlo de la mano en el tiempo: en la mudanza interior y en la mudanza exterior que el tiempo marca. Para mi pasión yo había sido única —como Yamam, el único— invariable y deslumbradora; pero para mi hijo yo tenía que ser múltiple, variable, mudadiza, siguiendo el cambio que él mismo requiriera, entregándome a él con el mismo compromiso de totalidad con que me entregué a la pasión que lo engendró... Si no fuese así, más valdría abortar, que era precisamente a lo que con más fuerza me negaba.

¿El amor nos va haciendo a su imagen? Eso era lo que yo creí; pero, por lo visto yo no había sentido amor, sólo pasión... Junto a Ramiro, frente a frente con él, yo estaba convencida de que era una mujer distinta a la que en aquella primera noche de abril se le entregó y creyó que lo amaba; distinta a la muchacha que él también creyó amar. El amor por Yamam, o la pasión, o lo que fuera, me había hecho otra, modelado otra dentro de mí. Mi hijo ahora me hacía una tercera, diferente de la Desi de Ramiro y de la Desi de Yamam: mi hijo era a la vez pasión y amor, de eso no tenía duda... Pero ¿por qué se había empeñado en venir tan al principio de mi felicidad?

En contra de Ramiro se levantaban en mi corazón los pequeños disgustos que carcomen, las largas divergencias, las noches sin compartir, la frialdad aisladora, las invisibles heridas, las esperanzas decepcionadas. Pero, a su favor, el respeto y la lenta amistad y el amparo y el empeño sincero que, sólo hacía un momento, demostrara. Hasta el afán de evitar la campanada nos protegía también, lo tuviera o no él claro, a mi hijo y a mí. No había habido ruptura porque no existía nada que romper, porque no existía amor... Y quizá porque los sentimientos que, por debajo de todo, nos unían a Ramiro y a mí eran irrompibles, o yo no habría querido que jamás se rompieran. Algo insistía en mi interior que mejor padre para mi hijo sería Ramiro que Yamam. A Ramiro lo quise para padre de mis hijos y fracasé; a Yamam sólo lo quise para mí, y también había fracasado, porque ahora entre los dos se interponía el hijo...

Allí estaba yo, decidiendo lo que la vida tenía que haber decidido por mí, y que, en el fondo había decidido: una ruptura (dentro de mí, porque quien se rompía era yo y nada más) y una paternidad. El momento más importante de mi vida —en el que había otra vida— lo atravesaba sola... Tendría quizá que consolarme la idea de que cualquier amor se siente a solas, cada uno por su parte; es la pasión lo que necesita dos bocas y dos sexos... Pero ¿no sería todo una falsedad? ¿No serían mis razonamientos una dispersión que me resultaba conveniente? ¿Habría yo creído —pero sólo creído— amar a Yamam, escogiéndolo como soporte de todas mis ilusiones y mis aspiraciones y mis ensueños? ¿Era Yamam sólo un producto de anhelos inconcretos, y estaba sólo en mí? No, eso sí que no; qué risa. Lo recordaba en el hotel, dormido, y yo olfateando sus caderas estrechas y cada rincón de su cuerpo... ¿Dentro de mí Yamam? No; mi hijo es quien estaba dentro de mí. No quería mentirme. Aunque no volviese a ver nunca a Yamam, quería decirme esa noche —ya había anochecido y yo estaba a oscuras en el suelo—, quería decirme y oírmelo decir, el desgarro que me producía la renuncia, el dolor espantoso de la sustitución de mi vida por la de mi hijo, que era de algún modo mía también. Esa noche lo daba a luz en mí. A partir de aquel instante empezaba la muerte de mi amor; de ella se alimentaría la vida de mi hijo...

Ahora sí lloraba. Sentía mojadas las solapas de la bata... Tenía que ser así, y tenía que haberlo decidido yo sin que nada ni nadie —ningún juramento— me lo impusiera. Sollozaba y golpeaba contra el sillón mi cabeza, sin separar las manos de mi vientre, porque de él procedía la fuerza para matar y para resistir. La mujer que no haya estado preñada no entenderá lo que aquí escribo. A quien habría querido abrazar durante toda mi vida era preciso que lo alejara de mí. Y era preciso que me quedara junto a aquel a quien no deseaba abrazar nunca más; con aquel con quien lo más grande que compartía aún era el secreto que lo alejaba de mí definitivamente.

Tambaleándome por el pasillo, llegué a mi dormitorio y rompí en pedazos la carta de Yamam. Luego me tendí en la cama y me dispuse a esperar no sabía bien qué.

A LA CENA HABÍA INVITADO a todos mis amigos y a los padres de Ramiro.

—¿Celebramos algo? —preguntaban.

—No; todavía no.

Invité también a mi padre y a mi hermano. Mi padre hacía meses que no salía de casa; no se encontraba bien; bajaba a la tienda, y no todos los días. Lo vi, en efecto, achacoso y muy envejecido. Tenía una sonrisa casi permanente, que le daba cierto aire alelado, como si estuviese pensando siempre algo agradable y no quisiera participarlo a nadie. Apenas hablaba; siguió toda la noche sentado en el sillón donde lo había colocado al llegar.

Laura charlaba por los codos y Felisa reía por los codos también, más gorda que nunca, apoyada en su marido, fuerte como una torre, que contaba sus chistes más o menos verdes y más o menos habituales. Ramiro y yo atendíamos a la gente, mientras que un camarero pasaba las bebidas. Por fin, toqué en un vaso con una cucharilla.

—Propongo un brindis.

—Pero ¿por qué brindamos? —preguntó Felisa ya todos con las copas en alto.

—Muy fácil: por mi hijo. Nacerá dentro de seis meses.

Todo fueron enhorabuenas, felicitaciones, exclamaciones de una alegre sorpresa. Me acerqué a mi padre y lo besé.

—Si te viera tu madre... —me dijo, como siempre.

Nunca, en vida de ella, habría pensado que se quisieran tanto. Sentí envidia de ellos, y, como consecuencia, busqué con la mirada a Ramiro, al que abrazaban en aquel momento Marcelo y Lorenzo. Fui hacia él; alcé mi copa; él hizo lo mismo con la suya.

—Gracias —le dije.

—A ti —replicó él.

Fingía mucho mejor de lo que yo habría imaginado. O quizá no fingía: el ser humano se adapta a todo con un poco de buena voluntad. Si se adapta a la muerte, ¿no lo hará mejor a la vida? «Mi hijo llegará a ser suyo —pensé—, incluso puede que antes de nacer. Eso ayudará a resolver las cosas.»

El embarazo transcurrió con una absoluta normalidad. Hacía mis ejercicios de gimnasia (me parecía un milagro que esta vez sirviesen para mí); leía montones de libros que me mandaba Laura; paseaba bastante; visitaba la tienda unas horas al día, y Lorenzo me ponía al corriente de las escasas novedades; iba al cine con Ramiro, y hacíamos alguna compra juntos, despacio, como convalecientes: «Como novios», nos decía Felisa... Un día subimos a Ordesa, y no bien nos bajamos del coche se puso a llover de una forma insultante.

—Con razón le llaman al parque el orinal de Cristo —comenté empapada.

—No blasfemes —me reprendió Ramiro.

Sólo llegamos hasta el río Arazas, limpio y juvenil, ancho y azul, entre el levante y el poniente... Cuando resbalara en él el agua de los elevados neveros, mi hijo ya estaría en el mundo. Ramiro y yo nunca hablábamos de él. Una vez, al darle las buenas noches, después de una cena silenciosa, le pregunté:

—¿Vas a quererlo?

Ramiro me dio unos golpecitos en la mano.

Por supuesto, el ama Marina intervenía con sus consejos: tenía que comer mucha miel para que el niño tuviera buen carácter; prohibido hacer punto y calceta, para que no se le enredara el cordón umbilical. Si el parto se retrasase, habría que frotar el vientre con el aceite de freír tres escorpiones. Y, naturalmente, tener colgada de la cabecera una cruz de Caravaca para que yo la estrechara con mis manos en caso necesario; siempre, no faltaría más, encomendándome a santa Librada. Y, ya después del parto, habría que ocuparse de enterrar la placenta para evitar que ningún perro —pobrecito Trajín— se la comiera, porque eso era malísimo para el niño.

Lo que más me asombraba de todo era la espontaneidad con que me había desprendido de Yamam. No es que lo hubiese olvidado, sino que me había desprendido de él. Como alguien que, abstraído en un trabajo costoso, no puede prestar atención a nada más que a su tarea. A menudo pensaba que la Naturaleza había organizado toda aquella tragicomedia, todo aquel aparatoso incendio de mi cuerpo —al que ahora veía tan lejano— para que trajera una vida nueva al mundo. La Naturaleza, tan cruel y tan cicatera para tantas cosas, en los gestos de la creación siempre es lujosa, como si ella misma desconfiara de su continuidad y se propusiera cerciorarse concienzudamente... ¿Qué relación había entre el sentimiento de piedad y de generosidad que en esos meses me embargaba, y el ardor sin límites que había sido su origen? El mismo vientre que ahora se pujaba fue antes el recipiente de la carnalidad más insaciable. El placer, que fue el fin, se había transformado en un dócil vehículo, en un valiente y sudoroso portador. E igual que dicen que actúan las aguas del bautismo blanqueándolo todo, así la memoria de Yamam se había reducido a unos recónditos extremos de mí misma a los que sin esfuerzo renunciaba. Como los vanos testimonios de un amor ya olvidado, desaparecidos en los cajones de un armario que ya apenas si se abre.

El insensible progreso del embarazo fue transformándome. En lugar de estar caprichosa y antojadiza, me volví más amable, más comprensiva, más modesta que nunca. Mi cuñada Adela se acostumbró a decir:

—Ahora no es difícil quererla. Se ve que el *milagro* —ella llamaba el milagro al hecho de mi embarazo— le ha suavizado el carácter.

Como a una distancia inconmensurable —igual que con unos gemelos de teatro usados del revés— yo veía a mi cuñada (y al resto del mundo, pero a ella sobre todo). Llegué a suponer que estaba al tanto de la verdad. Me costaba trabajo pensar que Ramiro se la hubiese contado; más bien lo atribuía a su malicia natural y a su tendencia malpensada que, sin saber exactamente en qué ni por qué, la llevaba a acertar. Un día, próxima la fecha del parto, me dijo con retintín:

—Cuando quieras te acompaño a confesar. Opino que te deberías poner a bien con Dios, no por si sucediese algo malo, que es impensable, sino para que suceda todo bien.

Ramiro estaba delante. Sin alterarse, replicó:

—Cuando Desi quiera confesarse, sabrá hacerlo sola. Y, si necesita compañía, aquí me tiene a mí. Ya hemos probado que hacemos bien las cosas juntos.

Se lo agradecí con una tierna mirada, aunque la parte suspicaz de mí pensó que Ramiro no quería, ni bajo secreto de confesión, que nadie se enterara del nuestro, por lo menos en Huesca.

SUPE CON PRECISIÓN que había llegado la hora. Se trataba de una faena que había decidido cumplir con exactitud y con frialdad, sin echarle encima aprensiones ni literatura. Ramiro me llevó a la clínica. El médico, un compañero de Arturo, me examinó.

—Todo va bien. Nunca he tenido una mamá tan buena colaboradora.

Los dolores venían a su ritmo, pasaban y volvían. Yo no sentía el menor pudor porque el médico o sus ayudantes manipularan mi cuerpo ni lo abrieran. Cuanto ocurría dentro y fuera de él era tan natural como el amor; quizá ahí se hallaba su última verdad común. Yo pensaba, con el mayor sosiego posible, en lo que tenía que hacer, no en lo que había hecho ni en lo que vendría luego; a cada minuto se correspondía su trabajo y su afán. Un solo instante me distraje: en el cuarto había dejado mi cartera y, dentro de ella, la fotografía de Yamam; no me había atrevido a romperla por si algún día consideraba prudente enseñársela al niño. Cuando sobrevino el turno siguiente de dolor estaba distraída en ese pensamiento, me cogió de sorpresa y grité.

—¿Qué novedad es ésta, colaboradora? —preguntó el médico.

Yo le sonreí.

A partir de ahí se apresuró el parto. El niño —nadie, ¿por qué?, había dudado que lo fuera— nació fuerte, oscurito, con pelo largo y negro, perfecto en todo. Le di gracias a Dios también de una manera natural. No recordaba haber sido nunca más feliz. Me colocaron al niño sobre mis piernas, de las rodillas para abajo.

—No, por favor, ahí no.

Tendí las manos. Me lo pusieron sobre el pecho, y lo reconocí como si todavía no hubiera salido de mí; lo reconocí mío —mío y de la vida ya y del mundo ya— y me inundó una dicha sin posible comparación.

Nada más subírmelo al cuarto, Adela me mostró la fotografía de Yamam.

—Cuando fui a ponerte una estampa de san Ramón Nonato, se cayó de tu bolso esto —me decía con una evidente intención.

—Pues mételo en mi bolso otra vez. Y ciérralo bien para que nadie pueda meter sus sucias narices en él. Y si no, dáselo a tu hermano; ya me lo devolverá él en casa.

¿Qué me importaba nada? ¿Qué me importaba la mala fe de nadie? Entre mis brazos tenía un niño recién nacido, una vida recién nacida de la mía. Con eso me bastaba.

Ramiro entró en seguida, cuando me había peinado y arreglado lo mejor posible. Se inclinó, me besó, y tocó con un dedo la carita del niño, que tuvo una contracción semejante a una risa.

—¿Cómo te gustaría que se llamara? ¿Quieres que se llame Ramiro?

—A mí siempre me hubiera gustado llamarme Carlos.

—Tan pequeñico, y ya te llamas Carlos —le dije al niño.

Al día siguiente Felisa me llevó a Trajín. Al ver a mi hijo se quedó inmóvil mirándolo; después me miró a mí y poco a poco comenzó a mover el rabo hasta que adquirió una insolente velocidad; por fin soltó un ladrido breve y profundo. Habría querido en ese momento saber interpretar el entrecortado y expresivo idioma de los perros.

Fue cuando acababa de cumplir dos meses. Le había dado de mamar, y vomitó lo que había mamado. La cabeza se le descolgó, como sin sujeción del cuello. Me asusté. Lo encontré ardiendo. Llamé a Arturo. El niño respiraba como si tuviese la nariz obstruida. Arturo llegó inmediatamente. El pequeño Carlos se estremecía. Lo examinó; lo auscultó. Comenzó a tener convulsiones. Arturo dijo sin mirarme:

—Un baño de agua fría.

No volvió a hablarme. Trajeron de la farmacia lo que él había pedido. Con el niño en brazos, paseaba por el cuarto de baño. Yo lo seguía, paralizada, con los ojos. Lo volvió a meter en la bañera... Apenas había pasado una hora y media desde que yo presentí que algo malo sucedía. Arturo apretó los dientes, cerró los ojos y sacudió la cabeza a un lado y a otro. Dejó al niño en su cuna, envuelto en la toalla, y se acercó a mí. No fue preciso más.

Me encontré sola. Rigurosamente sola en el mundo. De improviso se había producido un cambio radical: la brusca separación de todo aquello que había alrededor mío y que no era mío ni lo había sido nunca. Aunque lo intentara, no podría explicar cómo ocurrió esa modificación súbita de mi personalidad, que me habría llevado a saltar al vacío. Pero había aún una salida. Y yo supe, con una estremecedora certeza, lo que tenía que hacer.

Tres días después de enterrar al niño, Ramiro se fue a no sé qué sitio pretextando no sé qué gestiones. Aquella muerte, en lugar de unirnos, nos había separado sin remedio. Debe de suceder así entre los cómplices que unen sus fuerzas para acometer una empresa, cuando esa empresa fracasa. Leer el fracaso en los ojos del otro es un doble castigo. Nos invadió la sensación de que algo más fuerte que nosotros nos había vencido. Por lo menos a mí. Era un sentimiento no idéntico al dolor: más hondo, más total, como si todo hubiera perdido su sentido; todo: el sacrificio, el fingimiento, el orden establecido, la vida que me había propuesto llevar en adelante hasta mi muerte. Todo inútil... Entonces descubrí que me había convertido en otra, cuando obedecí lo que mi nuevo corazón —o mi corazón renovado, o mi corazón recuperado— me ordenaba. Atardecía y, aunque actuaba bajo un impulso ciego, creo que jamás podré olvidar aquel atardecer.

Me puse despacio a cepillar a Trajín, desconcertado por cuanto en las últimas horas sucedía. Le hablaba con cariño y en voz baja, recordando las frases del viejo profesor de Historia:

—Mi vida se ha transformado en una noche lúgubre, Trajín, lúgubre y baldía. Es ya como la de un perro sin amo; uno de esos perros que corren por interminables carreteras, sin saber por qué corren, ni dónde van, igual que si tuvieran una cita a la que de ningún modo pudieran faltar, y hubiesen olvidado dónde y con quién... Yo la tengo, Trajín: es mi última oportunidad. Debo acudir. Te dejo a ti como un perro sin amo. Tú me echarás de menos y yo a ti; pero no tengo más solución que irme.

Supe que estaba llorando, por fin, y que hasta entonces no había conseguido llorar. Me despedía del perrillo. Era lo único vivo que me pertenecía en aquella casa, que de pronto veía recargada y ajena. Se lo decía; lo abrazaba y lo besaba como si fuera un niño, como si fuera el niño. Él me lamía la cara. Le puse su collar. Montamos en el coche y lo llevé a la farmacia de Felisa. Hacía mucho frío; me di cuenta tarde de que había salido sin abrigo...

Felisa me dijo que Arturo estaba destrozado.

—Me lo imagino —repliqué.

Pero no había ido a oír pésames yo. Le dije que pasaría unos días fuera; necesitaba reorganizarme mentalmente; estaría en Madrid. Ella lo comprendía. Le iba a dejar a Trajín que era tan amigo de sus niños. Felisa rompió a llorar.

—No llores. Las cosas, en realidad, no pueden torcerse. Son como son.

—Eres fuerte, Desi. Tú eres más fuerte que yo...

—No lo creas. He venido también a que me des somníferos. Se me han terminado y ahora voy a necesitarlos. Dame los que puedas, los que tengas. Quiero llevarme cuantos más mejor.

—¿Qué vas a hacer?

—No lo que piensas. Dormir, voy a hacer. Pero no sé cuánto tiempo me quedaré en Madrid. Ya arreglarás lo de las recetas tú con Arturo.

Me entregó varias cajas del somnífero del que yo tomaba cada noche una pastilla. «En Estambul no lo he necesitado, pero quizá ahora sí.» Guardé las cajas en el bolso. Besé a Trajín. Besé a Felisa. Al pasar por Telégrafos, dirigí un telegrama a Yamam. Se me ocurrió que acaso no estuviese en Estambul. «Es igual —me dije—: volverá.» La carta que le dejé a Ramiro la escribí sobre la mesa de la cocina. Era muy corta. «Tú sabes por qué me voy y dónde. Para ti todo lo que pueda corresponderme: renuncio a mis gananciales y a mis derechos en la tienda. Haz con ellos lo que quieras. Si algún día tienes intención de divorciarte, que esta carta sirva de consentimiento por parte mía. Te deseo que seas más feliz que hasta ahora; tan feliz como te mereces. Adiós. Desi.»

A los cinco días de morirse mi hijo, el avión que me llevaba tomó tierra en las pistas de Estambul.

TERCER CUADERNO

AL PIE DE LA ESCALERILLA no vi esta vez a Yamam. Había nevado, y la nieve yacía sucia y amontonada en los bordes de la pista. Lo divisé al otro lado de la aduana. Me extrañó verlo con abrigo y con cara de frío. Yo no llevaba demasiado equipaje, pero sí más que la segunda vez.

—He venido a quedarme —le dije antes de nada.

—¿Cuánto tiempo?

—Siempre.

—¿Y tu marido?

—Mi marido eres tú. Hemos tenido un hijo, Yamam; ha muerto hace unos días... Tendremos muchos más.

—Ya hablaremos —replicó con un tono inexpresivo, y me pasó un brazo por los hombros—. ¿A qué hotel vamos?

—No tuve tiempo de reservar habitación; he salido de repente.

—En ese caso, será mejor que vayamos, por lo menos esta noche, a mi apartamento.

Y me trajo a este lugar, donde escribo y espero.

De la primera noche que pasé aquí guardo un recuerdo que hoy me hace sonreír: Yamam no pudo penetrarme. Quizá la preocupación de saber que yo llegaba con intenciones definitivas; quizá el hecho de ser un modesto anfitrión, ya que ésta era su casa; quizá verse en el apuro de ponerme en antecedentes de tantas cosas como yo ignoraba... Su amor aquella noche fue largo, suave, casi femenino. Cuando, con mucha reticencia, hubo de darse por vencido, yo lo despreocupé.

—Sólo tus besos y tus caricias bastan; ni siquiera, sólo tu presencia. Lo otro no significa nada hoy para mí... También un exceso de amor supongo que produce estos efectos. Con mi marido estaba acostumbrada...

Un segundo después de haberlo dicho, supe que no debí decirlo. Yamam volvió la cabeza al otro lado y rechazó mi mano que lo solicitaba. Comprendí que en adelante corría el riesgo, por haber sido testigo de un fracaso, de que llegara a aborrecerme. Y en esta ciudad Yamam era lo único que tenía, y es lo único que tengo. «No he entrado con buen pie», me confesé a mí misma.

Fue esa noche cuando entreví (no, fue bastante después) la semejanza, si se examinan desde fuera, entre el comportamiento de Ramiro y el de Yamam conmigo. Cómo los dos, en el fondo, se eligen a ellos mismos y, puestos en la alternativa, a mí me desatienden. Quizá el alma de los hombres es así: tienen sólo una parte dedicada al amor, y las demás a otras actividades, sean las que sean: el comercio o la política o el juego o los amigos...

Sin embargo, entre Yamam y Ramiro no cabe mayor oposición. No sería yo, que miro desde dentro, quien cambiase todo el dolor que puede llegar a producirme la desatención de Yamam por todas las satisfacciones que me hubiese proporcionado Ramiro de no vivir más que para satisfacerme.

Sé que hay días en que me desespero porque Yamam no es del todo mío como yo quisiera y como yo soy de él. Hay días en que viene como si trajera puesta una chaqueta de otro, o como si se le hubiese olvidado fuera algo y no consiguiera identificar yo qué. Anoche, sin ir más lejos, estaba distraído. Dos veces preguntó: «¿Qué has dicho?», mientras yo le contaba cómo fue mi día. Lo acaricié y, cuando me correspondió, sentí que no estaba él enteramente en las yemas de sus dedos. Y era la parte que faltaba la que yo entonces más quería, sin la que no podía vivir ni un minuto más. Y le tomé la cara con mis dos manos, y le obligué a mirarme, y le acerqué mi cara, y le busqué los ojos con mis ojos y su boca con mi boca. Hasta que él se soltó, hastiado.

—Déjame, me haces daño.

—Y tú a mí —le repliqué airada.

Ahora comprendo qué torpe suelo ser. Cuando hoy llegue, lo recibiré de otra manera, más apacible y más rendida, venga o no venga completamente mío.

SIEMPRE HABÍA SUPUESTO que, cuando la erosión del tiempo destruye los vínculos cordiales del matrimonio, quedaban la misericordia recíproca y la ternura que todo lo comprende. Los dos cónyuges jugaron tantas veces su vida en común que se haría difícil saber dónde empezaba la de cada uno; la convivencia los había desleído y asemejado, había limado las aristas: uno era el otro ya, padre del otro, hijo del otro... En mi caso no fue así. De un tajo violento se quebró todo. Y ese tajo fue el que determinó la tercera fase de mi amor por Yamam.

Porque cada vez que he venido a Estambul lo he querido de una manera diferente. La primera, fue un amor inexperto, adolescente y voraz: mi despertar al cuerpo y al placer, con los ojos apretados, con una simple e ingenua cerrazón amorosa, sin saber ni su apellido, ni imaginar su alma, ignorándolo todo, ignorando hasta el porqué de esa pasión, sentida más que consentida.

La segunda vez lo amé como un eco de mi recuerdo de él, de mi rapto por él, de mi frenesí por la unidad que dentro de mí formábamos los dos. Yo había dejado de ser yo, y él, a mis ojos, él. La satisfacción egoísta de mi primera entrega se apaciguó un poco en una comunión de la carne más generosa y más segura. El segundo sentimiento era más armonioso, y mi conciencia abiertamente se anegaba en la suya, desaparecía mi voluntad en la suya sin defender su propia independencia.

En esta tercera etapa ya había un dominador y un dominado. Lo vi desde el primer instante. A través del mostrador de la aduana lo vi. Yo iba a someterme libremente al sacrificio, aunque no sabía hasta qué punto. Y tampoco sabía hasta qué punto iba a usar mis defensas. Todo es instintivo: para que el amor dure, hay que acatar el instinto de muerte y también el de asesinato. El amor necesita, de cuando en cuando, renovar sus víctimas. No siempre es vital la sumisión ni hasta la médula. (O así lo pienso mientras escribo esto; quizá otro día escribiría otra cosa, pero hace dos que no veo a Yamam.)

El temor —el de perder al amante, o el de ser agredido por él— es consustancial con el amor. El que domina por la dulzura sabe que ejerce un dominio fatal, y se confía y deja de temer. Yo he observado cómo en la balanza se invierte la posición de los platillos. El que domina por la fuerza percibe, en lo más hondo, que necesita al dominado porque le da placer, y de un modo inconsciente se esclaviza al esclavo. Pero el esclavo, del mismo modo, percibe que puede ser dañado en lo más suyo, en lo único que posee, y se previene por un instinto de supervivencia; un instinto que es amoroso también, porque sin supervivencia no hay amor... Y así el amor se corrompe porque el placer lo inunda, lo vence y hace que se abandone casi disuelto en él; y el esclavo aparente, cuyo destino es satisfacer al otro cuando el otro lo pida, refrena, aprende a refrenar su propio deseo de placer, con lo que adquiere sobre el amo una enorme ventaja.

Mi posición ha sido ésta. Pero ¿seguirá siéndolo o no? Quizá ha sonado la hora de la verdad. No lo sé; dudo. En el amor se duda siempre; hasta de lo que ha sido sobradamente probado; hasta de lo que se cree con más firmeza y en función de lo cual se vive. En la esencia del amor está la duda. Porque el amor es la única pasión que paga con la moneda que ella misma fabrica: no necesita otra moneda, no otras manos. Por eso, como su moneda no es la corriente, el amor es un monedero falso.

Hoy, hoy mismo, no creo que sea el amor una creación común , ni un sentimiento objetivo que se alza ante nosotros, ni una razón que se imponga al otro para que nos ame como lo amamos, ni una realidad incuestionable frente a los equívocos de nuestros corazones... No; hoy no creo que el amor sea nada de eso, sino una pugna a muerte: a muerte sin indulto, porque pierdas o triunfes en esa lucha, mueres. Pero mueres de amor fuera de ti.

De haber seguido en Huesca, me habría muerto sin salir de mí; por dentro ya me estaba muriendo. Por mucho que hoy me duela, precisamente hoy, el amor —o como quiera que se llame esto— me ha salvado. No estoy ya aislada; ahora comparto. Comparto algo terrible, sí, algo cuya finalidad ignoro y cuyo camino me produce vértigo; pero estoy viva al lado de alguien vivo.

Sin embargo, no estoy ciega ni sorda. Sé que vivo en una habitación cerrada —y esto no es sólo una imagen— respirando el aire que expiro una vez y otra vez; un aire que se enrarece más y más. Pero mi amor es mi respiración. No puedo engañarme diciendo: «Si el aire no es puro, no respiraré.» He de continuar respirando aquí, en donde estoy, mi aire contaminado, mi aire envenenado. Si quiero amar, como si quiero vivir, no puedo permitirme el lujo de dejar de respirar aquí, cualquiera que sea el aire que me cerque.

Y me trae sin cuidado no ver nada de fuera, ni respirar otro aire que éste. No tengo curiosidad alguna: aquí empecé a vivir y aquí me acabaré. Si me empujaran a salir de este túnel, me moriría; como el pez que el niño, para que respire mejor, saca del agua; incluso querría morirme fuera del túnel mío... Por supuesto que, si de mí hubiese dependido, habría demandado que aquí dentro todo fuera claro y cómodo, y purísimo el aire. No obstante, aunque sea —si es que lo es— oscuro y terrible, lo prefiero a todo lo de fuera. O quizá no es cuestión de preferir, porque sencillamente no me imagino fuera, ni concibo ese fuera sino como un castigo.

CUANDO ESCRIBÍ lo de más arriba, sobre esta habitación y este túnel, me refería a lo agobiante de mis sentimientos pero también a lo agobiante de mi vida física.

Mi vida es como la que podría llevar una mujer de harén, salvo las excepciones de mis salidas al Bazar, que no llegan a media docena. Y durante ellas he pasado las horas sentada en la tienda de Yamam, entre otras cosas porque, hecha a la soledad y al silencio de la casa, me mortificaba el movimiento de fuera. Yamam me ha puesto al corriente de lo que es ese mercado cubierto cuajado de sugestiones:

—Una jauría, un resumen de competencias desleales en el que, aunque no lo parezca, existe una red de leyes muy tupida que impide actuar por libre a nadie. Todo funciona a través de los encargados de invitar a los transeúntes a pasar a las tiendas, y que sólo tienen permitido hablarles o seducirlos hasta que traspasan el límite de la tienda próxima, porque la calle también está comprada a la vez que los locales. Hay miles de estos comisionistas, si así pueden llamarse, que no tienen un comercio propio y que se llevan hasta el veinte o el treinta por ciento de las ventas, según su habilidad. De esta bicoca participan hasta diplomáticos de guante blanco, con los que conviene pactar, pero nunca hacerse amigos de ellos, porque entonces sentirían vergüenza de pedir la comisión y llevarían los clientes a otro lugar en el que se la dieran.

»En esta selva no hay aliados, ni escogidos; a nadie se reconoce primacía. Se trata de vender y nada más, lo que sea, aunque sin dar ocasión a que la ley intervenga. Aquí se mueven diariamente quince millones de dólares, y aquí se vienen a buscar las divisas extranjeras para los negocios imposibles de hacer al descubierto con dinero cambiado en bancos oficiales. A través de este Bazar se percibe el temblor de las bolsas, las inflaciones, los déficits. Y para intervenir en él, sólo hay que tener costumbre y buen olfato. Y pericia que los demás no intuyan, aunque la tengas, tu debilidad. No te digo más: si no hubiera calculadoras, muchos vendedores no serían capaces de operar más que a tientas, y a fuerza de su conocimiento de la sicología de los compradores, porque no conocen sino las cuatro reglas. A pesar de todo, quizá el Bazar no funcione muy bien, pero cualquier otra alternativa ha funcionado peor; los comerciantes de fuera son aún más timadores y, como colegas, mucho más abusivos.

Este piso apenas lo abandono para hacer las compras necesarias, si es que lo necesario no lo trae Yamam cuando viene del centro. Lo que sé lo sé a través de él; de lo que me entero me entero por él. Él es mi diario, mi radio y mi televisión. He aprendido sólo las palabras de turco que podrían impedir mi muerte de hambre. Y tampoco quiero aprender más. Reconozco en mí una reacción antiturca, precisamente por ser éste el mundo al que pertenece Yamam, y ser lo que nos separa; lo que me obstaculiza entender qué dice a los otros, cómo piensa y sobre qué, y con quién habla. He llegado a odiar su actitud, tan alejada de la mía, ante las ideas, ante las personas o los acontecimientos. No consigo doblegarme a pensar, a sentir, a obrar como él, aunque Dios sabe que lo he intentado. No debería pensarlo, y menos escribirlo, pero sé que él lo sospecha. Por eso abomina mis librillos de pasatiempos con crucigramas en castellano, y creo que por eso se venga, al contarme su historia, o la de su familia, o la de su país, dándome diferentes versiones, lo que me lleva a desconfiar de todas. No; no acierta el refrán de que quien quiere la col quiere las hojitas de alrededor. Yo las aborrezco, porque lo que quiero es el cogollo de la col, mío y en exclusiva.

En cierta ocasión, mientras yo fregaba los platos después de la cena, sentado en la cocina, se explayó sobre la región más al este de Turquía y me contó que su familia era de raza kurda; que había llegado a Estambul desde las tierras a donde la llevaron, con otras muchas, a raíz de la rebelión de 1925. En otra ocasión, ante la mezquita de Bayaceto, me dijo que su padre era uno de los lazis georgianos que compusieron la fiel guardia personal de Kemal Atatürk.

A este personaje, con cuya fotografía tropiezas en cualquier pared turca, Yamam lo venera —aunque no estoy segura de que opine siempre así— como portavoz de la buena suerte de que todo gobernante ha de gozar para bien de su pueblo.

—Todo cuanto parecía contrario a él acababa por ponerse a su favor —comentaba una noche en que estuvo especialmente locuaz, lo que, de cuando en cuando le sucede—. El día en que los occidentales, después de la primera guerra, convocaron al sultán títere a la conferencia de Lausanne en 1922, Kemal Mustafá lo aprovechó para abolir el sultanato. Y cuando prominentes musulmanes indios, como el Aga Khan, publicaron una declaración en que requerían a mi pueblo a que defendiera el califato, Mustafá soliviantó la sensibilidad independentista nacional y se apoyó en ella para abolirlo de un plumazo y declarar laico al Estado. —Yamam daba arrebatadas muestras de fervor—. Y cuando se produjo la sublevación kurda, la usó como coartada para unificar el partido radical más avanzado con el liberal, que seguía las tendencias tradicionales de los Jóvenes Turcos. Y convocó los corazones de todos para defender la integridad nacional sin fisuras...

—Pero, no hace mucho, me dijiste que tu familia era kurda...

—No me interrumpas, que estoy hablando yo... —Recuperó su tono de discurso—. Y cuando surgió la insignificante conspiración de Esmirna contra él, que probablemente había inventado él mismo, la utilizó para desplazar de la política a todos los que le estorbaban.

—¿Luego tú consideras que ahí, en esa destreza de prestidigitador, reside el arte de la política?

—No comprendo ni una palabra de lo que dices... En todas las revoluciones hay un momento crucial en que el representante de una tendencia ha de proceder sin compasión contra los que se le opongan. El jefe ha de ser capaz unas veces de promover la opinión pública, y otras, de esperar que tal opinión se manifieste antes de emprender la acción. Un caudillo tiene que situarse a la cabeza de su pueblo, pero sin alejarse demasiado por delante de él para no perder el imprescindible contacto, cosa que lo haría quedarse solo... Lo mismo pasa con los amantes, morenita: uno gana, otro pierde.

»Atatürk lo modernizó todo. (Si quieres conocernos, tendrás que estudiar estos lances.) Los símbolos del pasado, como el fez, se abolieron, con lo cual los orientalistas se quedaron con un palmo de narices. Y se abolió el lenguaje arábigo, con la adopción del alfabeto romano. Se hizo obligatorio el empleo del apellido, lo que nos costó sangre, y se igualó al hombre y a la mujer... —Yamam se reía—. A esa igualdad trató Atatürk de forzar al pueblo, pero él no fue capaz de asimilar la idea; intentó conformarse con una sola mujer, pero no pudo. Hasta en eso tenía razón.

Yo empecé a sentir por Atatürk una indecible repugnancia. Desde ese día no consigo mirar con imparcialidad sus retratos. Yamam continuaba:

—Se instauró el domingo como día festivo, y la religión fue un asunto privado. Existía libertad religiosa, pero se prohibió enseñar el Corán en las escuelas. Ya estábamos hartos de abusos.

—Es decir, que de dar a Dios lo que era del César, pasasteis a dar al César lo que era de Dios. Qué extremistas son los pueblos nacientes.

—¿Nacientes? —rugió Yamam—. Mi pueblo era ya viejo cuando los vuestros no habían ni aparecido.

Echaba chispas por sus enormes ojos. Yo sonreía encantada, y empleaba contra él argumentos que él mismo, semanas o meses antes, me había dado. Yo no olvido nada de lo que es suyo.

—Acuérdate de cuando me contaste la impresión que le produjo a Atatürk el parlamentarismo británico en un viaje que hizo. Quiso que aquí hubiera también oposición, y encargó a un partidario suyo que, haciendo una comedia, la representara en la Asamblea Nacional. Acuérdate, acuérdate: hizo tan bien la comedia que los parlamentarios se liaron a golpes y estuvieron a punto de acabar a tiros. ¿No es un síntoma ése de pueblo recién nacido?

Irritado, Yamam se había puesto de pie y paseaba como un león enjaulado. Hablaba sin cesar, hasta cuando estaba hablando yo, como en alguna noche de nuestro viaje, con una desusada excitación que me llevó a pensar si habría tomado algo. Entonces me explicó su utopía. Estaba magnífico; hacía gestos y altibajos de voz de gran actor, y, más que la lección que pretendía darme, fue él mismo quien me enseñó lo que es el pueblo turco.

—Hay que renovar la más alta de las aspiraciones: reunir todos los pueblos y todas las gentes de lengua turca del Oriente entero. Porque las virtudes auténticas de nuestro pueblo provienen de los remotos tiempos de los nómadas y de las viejas instituciones y las formas de vida pura de los osmanlíes. ¡Pueblos recién nacidos! —gritaba con desdén—. Lo negativo de esta Turquía de hoy arranca de los árabes y de los persas; de lo musulmán, en una palabra. Hay que liberar a nuestra sociedad de su nefasta influencia...

—Pero ¿no eres tú musulmán?

—¿Yo? Sólo de palabra —vociferaba mientras bebía una botella de coñac, que no sé de dónde había venido—. De los kirguises, de los kazakos, de los uzbekos y de los turcomanos es de donde emana la verdadera sangre nuestra: de los pueblos ancestrales del Asia central. No quiero yo Europa —manoteaba con asco—. Ni quiero la falsa profundidad de los árabes y los persas. Quiero mi propia cultura, mi sentido práctico y mi sentido militar. Europa es una advenediza que engulle todo lo que se le acerca: una boa constrictor. Ya verás tú dónde acaba la esencia de lo español dentro de nada. Cuando todos allí seáis iguales, te juro que todos seréis mucho peores.

Una tarde, atravesando sobre el Cuerno el puente al que da nombre, me relató cómo Kemal Atatürk había modernizado el arte de su pueblo, y había desterrado la norma musulmana que prohíbe la representación de seres vivos.

—Encargó hacer estatuas para las ciudades principales; las instaló en las plazas y fachadas. E introdujo la música occidental, aunque muy influida además por la turca en un cierto período.

Yo, que echaba de menos mi música más que ninguna otra cosa, le repliqué que era inútil ir contra el espíritu de una nación, y que Turquía, con todo su derecho, pero para mi daño, había vuelto a la música suya como expresión de su propio carácter y de su propio corazón.

—Con razón la mujer del vicecónsul —concluí— me ha dicho que aquí todos adoráis a Atatürk, el fundador de vuestra gran república, menos los conservadores que lo odian por su antiislamismo; menos los liberales, que lo odian por su partido único; menos los izquierdistas que lo odian por ser el símbolo oficial del Estado; menos los progresistas que lo odian por no haberse aproximado más a Occidente... Desengáñate, Yamam: un pueblo que no tenga una música propia es un pueblo incompleto.

Habíamos atravesado el puente; aparcó sin mucho miramiento, se me quedó mirando, y con una voz apeada y no ya de arenga, me dijo:

—Es posible que no estés equivocada. Pero necesito decirte que hay veces que te odio. Hay veces en que no me pareces una verdadera mujer.

No me quedaba otro recurso que echarme a reír.

—¿Crees que no sé cuándo me odias? Pero no es por la causa que tú crees: tú en mí tienes y aceptas a la compañera además de la mujer, cosa que no harías con una turca... La auténtica causa de que me odies es porque sabes a la perfección que yo soy más dichosa que tú. Y que, cuanto peor me trates, más seguridad tendré de pertenecerte del todo, y seré más feliz. Yo nunca querré olvidarte, Yamam, nunca querré que me seas indiferente, igual que nunca querré provocar tu indiferencia ni tu olvido. Bueno o malo, tu trato significa que aún estás a mi lado y que soy algo más que un mueble para ti. Pero hay una cosa que ha de quedar clara, Yamam, de una vez por todas: que de ningún modo me cambiaría contigo: yo lo paso mucho mejor que tú.

Estuvo un rato mirándome como sin saber qué contestar. Por fin se acercó, me cobijó entre sus brazos y me susurró al oído:

—Eso vamos a verlo ahora mismo.

ME ENTERÉ DE QUE YAMAM estaba separado de su mujer antes de enterarme de que estaba casado. Fue un sábado, y él no había vuelto del Bazar todavía; los sábados solía retrasarse. Llamaron a la puerta. Era una turca vieja, gorda, rubia, ni popular ni refinada, que debía de haber sido una belleza de joven. Llevaba de cada mano un niño: un varón de unos ocho años y una hembrita de seis. Los empujó hacia el interior; luego, con un brazo imperioso, me apartó a mí y avanzó dentro del apartamento. Saltaba a la vista que lo conocía. Se dirigió en turco a los niños, que se sentaron en silencio, y ella, después de dejar un paquete en la cocina, se dejó caer en el sofá del salón llenándolo por entero. Juntó las manos sobre su regazo y, sin decir una palabra o hacer un gesto más, se dispuso a esperar confortablemente lo que fuera preciso.

La expresión de Yamam, al abrir la puerta y encontrarse con la señora aquella, fue indescriptible. No se atrevió a mirarme. Los niños corrieron hacia él gritando; él se inclinó y besó a la mujer que, señalándome con el dedo, le dictó una orden no demasiado larga, pero taxativa, antes de salir majestuosa y omnipotente.

Yo no me había movido desde la llegada de los invasores. Estaba apoyada contra la pared, con los brazos cruzados, aguardando que me leyeran una sentencia que ya me imaginaba. Yamam había tratado de aplazarla lo más posible; pero su madre, impaciente y recelosa de mí, había mandado los plazos a hacer gárgaras. La realidad era que Yamam se había casado muy joven con una muchacha «fea y riquísima»: eso fue por lo menos lo que él me explicó. La boda la concertó por su madre como muy conveniente; había tenido los dos hijos que veía —Abdul y Safia—, y luego no había podido soportar más a su mujer y se había separado de ella. «No; divorciado, no: separado.» La madre no consintió otra cosa; no le parecía prudente el divorcio desde un punto de vista económico. De los niños disponía los fines de semana; su madre debía de haberse cansado de aguantarlos, y había resuelto dar un golpe de Estado.

Toda esa historia venía a decir que me despidiera de casarme con él. No puedo ocultar que, aunque teóricamente el matrimonio no me atraía nada, me dio un vuelco el corazón. Allí estaba yo, apoyada todavía en la pared, con los brazos cruzados, sin poder quejarme de nada, sin poder acusar de embustero a Yamam, porque nunca me había dicho lo contrario de lo que ahora me decía: de lo que ahora me decía seguro que por mandato de su madre. (Ni por un segundo dudé que aquella vieja gorda y rubia lo fuese.) Intentaba consolarme diciéndome a mí misma que mejor era así. «Los vínculos entre él y yo han de ser nuestros, no oficiales, no sociales, sino pura y llanamente de amor personal. Si éste se acaba, ¿qué pinto yo aquí, en Estambul, en un piso que da a un aparcamiento, en una ciudad cuyo idioma no hablo, y esperando, como una tonta, hora por hora, la llegada de un amante que es el marido legal de otra mujer?»

Noté que se me saltaban las lágrimas y que me temblaba la barbilla. Sin cambiar de postura, desvié los ojos: quizá Yamam deseaba que llorase. No lloré. Me bastó hacerme cargo de lo estúpido que sería que yo le echase a Yamam en cara la pérdida de mi casa, de mi fortuna o de mi reputación. Al pensarlo se me quitaron las ganas de llorar. Porque sólo con despertar en mí las ganas de renunciar a todas esas garambainas, me había ya pagado y me había compensado de su pérdida. «Yo soy deudora suya para siempre, puesto que él, con aparecer, le arrebató a mi vida su necia placidez.»

Tenía que ser sincera. ¿Acaso, desde que lo vi en el autobús, se me ocurrió a mí resistirme, ni hacerme la decente, ni la violada, ni siquiera (lo que hubiese sido más lógico) procurar que él me sedujese? No; supe, sin el menor asomo de duda, con la misma convicción que aún seguía teniendo en ese instante, que había sonado mi hora y que no me era dado emplear ninguna técnica al uso para enardecer al que me enardecía. Fue llegar y besar el santo: el santo y la peana. Hasta me sonreí por dentro al recordarme que sólo mucho después, ya en Huesca y a solas, me había interrogado sobre cómo y de dónde obtuve yo la certeza de que aquel guía me destacaba a mí entre las demás viajeras, o simplemente de que él me deseaba. No me planteé tal cuestión; alargué la mano y cogí la manzana: como Eva en el paraíso. Peor, porque aquí no hubo reptiles tentadores. Nadie me había engañado. Nadie; ni yo.

Volví los ojos hacia Yamam, sentado en el sofá que su madre había desalojado. Tenía la cabeza gacha. Yo pensaba, amándolo: «En realidad, el corazón, si no está deformado, no se equivoca nunca. Qué difícil es hacer algo que vaya contra la Naturaleza; lo menos natural es la omisión. Contra ella no van ni las mayores locuras que se hacen por amor, ni siquiera el suicidio. El ser humano distingue lo que es mejor para él —y la mujer aún más que el hombre—; conoce lo que en cada momento es capaz de producirle la mayor dicha y el mayor placer. Y se dirige hacia ello... Lo único que iría contra su naturaleza sería no procurar obtenerlo. Las más inesperadas acciones, esas que a las gentes moderadas y vulgares se les antojan aterradoras o inverosímiles, cualquier alma enamorada las proyecta y las pone en práctica con la mayor naturalidad.»

No es que hoy escriba esto para justificar mi reacción de aquella tarde de sábado, apoyada en la pared y con los brazos cruzados. Es que no quiero esconderme detrás de las palabras, ni detrás de los actos ajenos. Cuando yo di el primer paso al frente incitada por mi amor a Yamam —o por mi deseo de Yamam, da igual—, lo di a pesar de todo, y no ignoraba a lo que me exponía, aunque no supiese con todo detalle de qué espinas iba a estar compuesta mi corona.

Descrucé los brazos; me separé de la pared, di un paso hacia el sofá. Yamam alzó la cabeza y se levantó.

—¿Estás enfadada? —me preguntó poniendo sus manos sobre mis hombros.

—¿A ti que te parece?

No quería gritarle que mi amor por él era el más lógico, el más complementario y el más respetable que podía existir; que mi situación junto a él era la más legítima; que no se preocupara porque él era para mí, sencillamente y absolutamente, mi media naranja; que con ninguna otra media, sino él con la mía y yo con la suya, habríamos podido formar una completa... Cuánto se emplea tal terminología, y con qué poco tino: la gente aspira a encontrar su otra mitad —aquella mitad de Aristófanes en *El banquete*— en su ciudad, en su barrio, y hasta en su calle; no sé ni cómo no la buscan en su cama. Y no es así: cerca nos tropezamos con los humildes premios de consolación; yo había tenido ya uno. Las medias naranjas verdaderas están lejos casi siempre y son costosas. Lo que hemos de pedir, además de encontrarlas, es que el hallazgo no se produzca demasiado tarde.

Tomé la cara de Yamam entre mis manos y la besé una vez, y otra, y otra; después escondí la mía en su pecho.

A mí me había sucedido el milagro de la media naranja a los treinta años. No era aún tarde, pero la vida, a esas alturas, ya es urgente; no queda tanto plazo de plenitud ni de hermosura. Intuí de repente mi privilegio y me dispuse, como una esclava dócil, a recibir al ángel de la anunciación. ¿Cómo no manifestar mi agradecimiento por haber estado a la puerta y con los ojos listos cuando pasó el amor? Escuchaba el latido del corazón de Yamam. Abracé su cintura. Fue en ese instante, no antes ni por otra razón, cuando me eché a llorar. No le dije a Yamam que lloraba de gratitud y de alegría.

Era la tercera vez que el consulado español me invitaba a una fiesta. Las dos primeras había pretextado alguna ocupación o un compromiso anterior, yo, que me pasaba la vida sin otro compromiso que Yamam. Pero a la tercera fue la vencida. Se lo comenté a él, le enseñé la tarjeta, y me convenció de que deberíamos ir.

—Quién sabe si un día se nos presentará una circunstancia en que necesitemos algo de ellos. Es útil estar a bien con la oficialidad. Conocer gente nueva no nos vendrá mal en ningún caso. Nos pueden llevar clientes a la tienda, además: turistas españoles que vengan despistados, grupos de empresa, representantes gubernativos... Vamos a asistir.

Fue mi ignorancia de si él podía considerarse invitado lo que me había retraído antes. Lo consulté con la secretaria del cónsul y me contestó que les encantaría que Yamam me acompañase.

La fiesta, que no era más que un cóctel en honor de no sé quién, fue en la residencia del cónsul: una casa convencional —siempre me ha obsesionado esa palabra—, donde se veían por todas partes regalos de boda inútiles y anticuados. El cónsul era un hombre grande y gordo, con cuerpo en forma de pera y cabeza pequeña, que se casó ya mayor con una mujer de buena familia —no de buenísima, como ella alardeaba—. Tenían hijos; allí estaban las fotos, pero yo no sé si eran de los dos o de quién. Daba igual, porque no los conocí.

Me recibió la mujer del vicecónsul, a la que había visto un par de veces en la oficina de visados: una joven que parecía tener mucha más edad, consumida, amargada y redicha. No le caía bien a nadie, y yo sentí por ella esa inmediata simpatía que une a los marginados. Se llama Paulina, y nada más verla adiviné que execraba a su marido, gordísimo, aburrido, ordinario y sudoroso. Fue Paulina la que me presentó al matrimonio anfitrión.

Nada más entrar, los ojos de todas las mujeres se clavaron en Yamam. Él lo advirtió tanto como yo; lo noté por cierto movimiento de los hombros con que se engalló y por su manera de enderezar el cuello. Estuve a punto de decirle que no se hiciera ilusiones. Lo estudiaban y calibraban con la mirada para ver qué tenía el hombre aquel —o mejor, «aquel turco»— para haber convertido a una mujer decente en una aventurera. No soy ninguna tonta; sé que Yamam decepcionaría a esas mujeres, y que, fuera de allí y sin llevarme del brazo, les habría pasado inadvertido. Me dieron ganas de ponerme en jarras y decirles: «¿Veis? Es un turco más, con una cara de ojos agradables y bigote corriente; con unas manos poderosas y una voz espesa... Un hombre con el que una se cruza por la calle y, aunque le fuese en ello la vida, sería incapaz de describirlo... Nadie se enamora de lo mismo —les habría apuntado luego a las mironas—, ni por los mismos motivos. Y eso, si es que los motivos tienen algo que ver con el amor.»

Los ventanales del salón donde estábamos daban a la falda de una colina llena de árboles que se alza sobre un *luna park*, cuyos tiovivos y cuyas norias giraban constelados de luminarias. Anochecía; se encendieron las luces de los altos edificios de enfrente, y todo tomó unos tonos nacarados. El cielo, al fondo, entre las enramadas, empezó a ponerse dorado y verde. Yamam estaba charlando con Paulina, que era acaso la que manifestó más curiosidad por él. Yo me encontré sola, con un vaso vacío en la mano, contemplando el anochecer. Se me acercó la mujer del cónsul con otro whisky. Mientras me lo alargaba, arropado el cristal por una servilleta, con una inflexión maternal en la voz, me dijo:

—Pobre criatura...

—¿Yo? ¿Por qué?

—Me han contado algunos incidentes de su vida, y es como una novela.

Lo pronunció con tan amanerada compasión que no pude evitar reírme.

—¿Por qué? —volví a preguntar. Ante su herida expresión continué—: No sé por qué, se lo aseguro.

—¿Le parece poco, querida mía, en los tiempos que corren, dedicarse a vivir una gran pasión?

Su tono había cambiado; en el fondo de él latía ahora una ligera irritación. Yo comprendía que la historia de aquella mujer con su marido, por muy buena voluntad que se tuviera, nunca podría ser calificada de «gran pasión», y que acaso ninguna de las mujeres que contemplé cuando me volví, dando la espalda al ventanal, tenían la más remota idea de lo que era el amor. Yo estaba, pues, allí como un fenómeno de barraca de feria; no por otra razón se habían tomado la molestia de invitarme tres veces. Me hice cargo de que tenía que dar una explicación y salir de ese aprieto de una vez por todas. No podía fingirme una mosquita muerta que iba allí a agradecer su comprensión y a implorar su benevolencia.

Comencé hablando con la consulesa, pero apenas abrí la boca se nos agregaron otras, y a continuación, las demás. Yamam, intuyendo lo que sucedía, se enzarzó en una conversación semipolítica —yo oía repetirse la palabra «Europa»— con el vicecónsul.

—Debe quedar muy claro —expuse— que yo no soy una mujer especial, que no tengo ningún vigor, ni pretendo vivir como una Mata Hari. Yo era una provincianita como tantas otras —miré a las que se acercaban, de una en una, y repetí—, como tantísimas otras, de las que todo puede saberse, o incluso imaginarse. Hasta que conocí a Yamam, que es el hombre que me acompaña. De él procede, de pies a cabeza, la que soy ahora:

nada fuerte tampoco, pero que rompió con su vida anterior... No admiren, sin embargo, a la provinciana que fui; cuando sacó los pies del plato no tuvo ningún mérito, simplemente porque aquella que llevaba hasta entonces no era su vida, es decir, no era la vida que soñaba y con la que yo me tropecé cuando lo conocí. —Señalé a Yamam—. Sólo con conocerlo dio la vuelta a mi vida como a un calcetín, perdónenme la comparación...

Yo me sentía muy a gusto contando en público, después de unos meses tan solitarios, el proceso de mi amor. Con cuánta razón se asegura que, después de amar, lo que más satisface a los enamorados es publicar su amor.

—Sin embargo —agregué— no estoy convencida de que lo mío sea una gran pasión, como asegura nuestra anfitriona, no sé con qué propósito. De lo que sí estoy convencida es de que las grandes pasiones no son las que nos cuentan las novelas, sino las que nunca nos cuentan las novelas, por la única causa de que contarlas no es posible. Supongo que consisten, sí, en numerosos y muy graves sufrimientos, y les doy las gracias por compadecerme; pero también en grandísimos deleites, perdón también por la palabra. Las grandes pasiones tienen (continúo suponiendo) tal intensidad que hacen familiar y simple la idea de la muerte —sentía a aquellas mujeres, con ojos como platos, colgadas de mis labios—, porque es preferible morir a dejar de vivir en este ardiente arrebato, que se resiste a ser expresado con palabras. —Clavé el estoque a fondo—. Cuando se han conocido el cielo y el infierno, este mundo —giré mi mano señalando todo el salón— es una aburrida tontería. Cuando se han conocido la angustia y también la serenidad compartida que suele seguirla, la aventura papanatas de una vida apacible se convierte en una broma infantil y pesada... En todo caso no opino que lo mío, permítanme que insista, sea una gran pasión, ni una novela, ni nada que se le parezca. Si lo fuese, estaría dedicándome ahora mismo a vivirla y no a contarla. El amor, amigas mías, no se lee ni se dice:

se hace. Cualquier mujer normal elegiría, en el caso de que le fuera dado elegir, una felicidad sosegada en Huesca o en cualquier otro sitio (ignoro de dónde son ustedes), una suerte ramplona y catetita, en lugar de meterse en la selva, en la fiebre y en el sinvivir que es una gran pasión... Lo que sucede es que, de pronto, los conceptos de dicha y de felicidad y hasta de Huesca, mudan, son ya otros distintos, ¿qué le vamos a hacer?... De todas formas, señoras, se lo ruego, que esta conversación tan íntima se quede entre nosotras.

Todas aquellas brujas volvían a mirar, de arriba abajo, con más intensidad aún que antes, y deteniéndose a mitad de camino, a Yamam. Si me tenían envidia, no era por lo *novelesco*, ni por lo *apasionado*; era más que nada por disfrutar de un hombre capaz de convertir el agua en vino. Qué curioso lo poco que se piensa en una leve condición, imprescindible para que se cumpla ese milagro. Cuando yo estudiaba religión, al leer los evangelios, siempre me detenía en el milagro de las bodas de Caná, y en cuál fue el mandato de Jesús: «Llenad estas tinajas *usque ad summum*, hasta los bordes.» Si no las hubieran llenado hasta el límite de su posibilidad, seguramente el agua seguiría siendo agua. Y ninguna de las tinajas que yo veía en aquel salón habrían estado dispuestas nunca a entregarse hasta la última gota. Mediadas de agua estuvieron siempre, y mediadas continuarían de un agua cada vez menos limpia. Yo, que había sido como ellas, no era la más indicada para sentir desprecio. Y comprobé que no lo sentía: ni desprecio, ni amistad, ni enemistad. Yo me acuerdo de que en Huesca era muy amiga de mis amigas; por el contrario, ahora no estoy bien dotada para ese sentimiento. Quizá porque mi corazón se encuentra literalmente embargado por un dueño, y no es lo bastante grande para ser compartido.

HOY DOMINGO me ha subido Yamam, con sus hijos, a almorzar a la Colina de los Enamorados, Çamlica. Hemos dejado el coche y hemos ascendido a pie, entre carreras y bromas y fotografías, hasta la cima. Desde allí se ve entero Estambul, y se aclaran las complicaciones entre el viejo, el nuevo y el asiático, con sus construcciones de madera y sus apiñados racimos de casas ilegales hechas en una noche. Al mediodía subían las llamadas a la oración como un coro que todo lo unificara. Entre las islas del Príncipe el agua parecía iluminada desde el interior, y se sonrosaba, igual que una cara que se ruboriza, ante la orilla que cierra al fondo el mar de Mármara...

Delante de los niños, Yamam me ha pasado el brazo por los hombros y yo he sentido una emoción casi pueblerina: el agradecimiento de la casada dichosa. Apenas he podido pasar bocado en la comida. Mi familia era aquélla. ¿Por qué fui tan dura con las mujeres del consulado?

Cuando descendimos, unos vencejos, antes de que se hundiera el sol, daban sus últimos vuelos por las orillas del Cuerno de Oro. El panorama era tan bello que cortaba la respiración. Un telón gris y un incendio frío que se trasparentaba a su través, igual que una aparatosa escenografía. La masa del Estambul intramuros se perfilaba sobre ese cielo, del mismo color que él, pero un punto más subido que las largas nubes amortajadoras del sol...

Sin embargo, qué distinto este domingo, tan doméstico en apariencia, de aquellos otros de misa, vermú y paella que me daban en Huesca.

Hacía ya un año que vivía en Estambul cuando los celos hicieron su aparición, o comenzaron por lo menos a transformarse en insufribles.

Pocas horas después de llegar a este piso, me topé en el cuarto de baño, dentro de un armarito, con un lazo de pelo muy brillante y unas cuantas horquillas. «Una mujer —me dije— ha vivido aquí antes; la de Yamam no ha sido. ¿Sientes celos? No; ahora aquí reino yo, yo sola, y siempre será así.»

Al principio cuidaba con mimo el apartamento, me esforzaba en conservarlo ordenado y limpio igual que una patena. Recibía a los hijos de Yamam los fines de semana, o los días que a su mujer se le antojaba permitirles venir; cuando la niña perdió alguno de sus dientes aquí, el ratoncito Pérez, ante su fascinado asombro, le regalaba algo, a pesar de haberme enterado de que su madre le tiraba los regalos al llegar a su casa. Sonreía a los vecinos cuando me los tropezaba en el ascensor o en la escalera; intercambiaba con las vecinas especias y menudos favores. No intentaba llevar el piso a mi terreno, ni hacerlo mío; respetaba las cortinitas de falso encaje con un volante que cubrían las ventanas, el espeluznante tresillo de terciopelo labrado, las reproducciones de dudosos cuadros de flores y paisajes en las paredes, la cocina incómoda y mal distribuida. Procuraba no discutir, ni poner peros a aquel axioma que me repetía en mi casa de Huesca: «En Estambul la felicidad es corriente como un fruto de la tierra; se alarga la mano, y allí está.»

Al principio todo me parecía bien; pero me dieron demasiado tiempo para pensar en lo contrario. Ahora veía el aparcamiento y cuatro árboles como todo paisaje, a los vecinos cada vez peor vestidos; me fastidiaba el triste olor a col y a cominos del portal y la escalera... ¿Había cambiado el panorama? Había cambiado yo. Yo, que me pasaba las horas muertas esperando a Yamam, fija en Yamam, en lo que haría Yamam; limándome las uñas sin necesidad ninguna; mirándome al espejo para comprobar cada día, como una histérica, los estragos de los minutos, los estragos que también juzgaría Yamam y que lo alejarían de mí... El tiempo puede ser nuestro aliado o nuestro enemigo; el tiempo vuela o se eterniza; siempre acaba por matarnos, pero hay que procurar tenerlo del lado nuestro hasta que nos asesine. Y todo el tiempo para mí era demasiado; no pude hacer la digestión. Yamam empezó a quejarse del descuido del piso, y entonces era cuando más arreciaban mis celos. Entonces yo le contestaba mal; no por sus protestas, ni por lo que hubiera dicho, sino por todo lo que, durante horas y horas, yo había acumulado. Y él solía quedarse casi medroso, como diciéndose «qué bicho le ha picado a ésta».

La semana pasada me dio por recibirlo con aquel broche de pelo del primer día y aquellas espantosas horquillas. Se los metí, en cuanto abrió la puerta, por los ojos.

—¿Esto qué es?

—Creo que un broche y tres horquillas.

—¿De quién son? Los he encontrado aquí.

—Míos, no. —No se había inmutado. Me los quitó y los arrojó lejos—. Nunca te dije que tú fueras la primera mujer de mi vida.

—Pero quiero ser la última —grité.

—Eso, aunque dependa un poco de ti y de mí, no está en nuestras manos. Y lo que estás haciendo es el peor camino.

El amor es una avaricia; no comparte: posee con exclusión de los demás; peor todavía, consiste precisamente en esa exclusión, que la amistad no busca. Sin embargo, consiente una cierta tolerancia, que abarca el trabajo, los colegas, los familiares, hasta los amigos. Sobrepasado ese punto, va a la deriva. Sobrepasado ese punto, no hay razones ni hay porqués. Cuando he escuchado a alguien reprocharle a un celoso que no tiene ningún fundamento para serlo, siempre me he dicho: «Claro, por eso es un celoso; si tuviese fundamentos sería un cornudo.» O una cornuda, ay...

También los celos son una pasión, una pasión muy grande. Yo la he sentido y aún la siento: injustificada o no, subjetiva o no, montada en el aire como un fuego de artificio, montada en el filo de un cuchillo. De un cuchillo que, más de una vez, he tenido la tentación de usar, y matar o matarme. Porque cuando se nos priva de la totalidad que necesitamos para vivir, de lo que es nuestra agua y nuestro pan, levantar el cuchillo no es ya una venganza, sino un gesto instintivo, una legítima defensa. Cuando alguien se siente amenazado en lo más suyo, nada más lógico ni más urgente que eliminar la causa de la amenaza. Y, si la causa no se ve, se agranda hasta que llena todo, y nos cerca, y basta extender la mano para que nos la escupa. «¿Qué hace Yamam cuando no está conmigo?»

Sus celos contra mí —«¿En qué empleaste el día? ¿A quién has recibido? Aquí hay dos vasos usados»— yo los acepto como una declaración de amor. Pero ¿son de veras celos; de veras son amor? Yamam siente las dudas del amor propio; ya me había puesto él en guardia contra eso al hablarme de sus compatriotas. Cuando salimos —con qué poca frecuencia—, no me tolera mirar con curiosidad a nadie, ni volver la cabeza hacia atrás ni a ningún lado, ni vestir pantalones, porque me ciñen el trasero. «Yo conozco a mi gente.» Lo que él se propone —lo escribo ahora como lo siento ahora, quizá otro día escribiría otra cosa— es triunfar sobre los otros, sobrepujarlos, exhibir a una deseable europea y que se enteren todos de que es tan sólo suya.

Los celos, los míos, ansían la muerte de la persona temida, la que trata de arrebatarnos, o puede tratar, o creemos que va a arrebatarnos, lo nuestro. Y es que la muerte es un dolor más natural que el del amor. La muerte esta ahí, ya quieta; es algo concreto, un hecho

The FAR SIDE

October

16

MONDAY

"Ha ha ha, Biff. Guess what? After we

fijo. Por ella es comprensible que se llore a mares, que se lancen alaridos. Un amante celoso, ya en el colmo de su dolor, mata y descansa; ya está autorizado para sollozar el resto de su vida sobre el cuerpo de quien nunca más le hará daño... Pero el amor propio no se comporta así; a él no le importa; a él, al contrario, le halaga que haya gente alrededor, y contienda y rivalidad, con tal de resultar vencedor él. Cuanto más admirada y pretendida yo, más glorioso Yamam...

Por el contrario, en el amor verdadero —al menos el que yo siento es así— no existe el amor propio. Él no previene, ni calcula —«Si me dejo maltratar, me despreciará»—; no echa cuentas; él se da, y asunto concluido. Y por tanto, los celos, con su pico corvo y sus ojos de fuego, lo devoran cuando menos lo espera, porque se encuentra sin defensa alguna, porque también le ha dado sus defensas al otro. Se lo dijo muy claro: «Sólo con esta arma se me puede herir; tenla tú.» Se ha entregado con el alma y la vida, y está al arbitrio de la voluntad del otro, una voluntad susceptible de girar como una veleta y cambiar de mira... Por eso —por vivir, o por sobrevivir— el amante verdadero llega hasta perdonar una infidelidad reconocida, cosa muy dura para el del amor propio...

Estoy escribiendo para dejar de torturarme. En el fondo, lo único que me interesa es qué hace Yamam durante tantas horas, qué está haciendo ahora mismo.

Ayer, cuando llegó, antes de darle las buenas noches, se lo dije a voces. Estaba muy excitada, él comprendió por qué.

—Necesito trabajar, necesito ocuparme. No sirvo para estar todo el día esperando al sultán. Voy a volverme loca. O voy a apostarme con un cuchillo detrás de esa puerta y a clavártelo hasta la empuñadura... Yo no soy una turca que se conforme con engordar mientras su hombre da vueltas por el mundo.

Yamam me escuchó, me apartó con la mano y se fue

hacia la cocina haciendo gestos afirmativos con la cabeza. Pero ¿qué puedo hacer más que esperar?

No ha tardado ni tres días en proporcionarme un quehacer.

—Como ni sabes turco ni te sale de las narices aprenderlo, te he buscado un empleo a la altura de tus posibilidades.

Me tendió un mazo de tarjetas. En ellas, en turco y en francés, inglés, español y alemán, aparecen el nombre y la dirección, dentro del Gran Bazar, de su tienda de alfombras y de la joyería de su hermano Mehmet. Mi obligación consiste en distribuirlas por los hoteles.

—No te conformes con dejarlas en la recepción; dáselas personalmente a los clientes, eso los atraerá... Eres bonita y elegante, y has de ir bien vestida. Porque la tarjeta de presentación vas a ser tú más que esas cartulinas.

No estaba mal para empezar. Tendría la oportunidad de ir y venir, de distraerme de los celos, de acercarme por sorpresa al Gran Bazar para ver lo que hacía él... No se me iban a caer los anillos por repartir propaganda de un negocio, del que además vivía. Y no dejaba de ser un primer paso para entrar en la tienda de alfombras, a la que suponía que era la madre quien vetaba mi entrada: ¿cómo no iba a declararle la guerra a una extranjera, que ponía en peligro las productivas relaciones con su nuera y le secuestraba al hijo?

De manera que he comenzado a ir de hotel en hotel —no más de dos por día— con mis tarjetas y mis crucigramas. No me puedo ocultar a mí misma que muchos clientes, por no decir todos, me confunden con una prostituta de alta escuela hasta que les entrego la tarjeta; algunos, incluso después de entregársela. El juego me divierte.

Ayer tarde, en un hotel sueco acabado de inaugurar me he encontrado con tres parejas de españoles. No he podido evitar acordarme de nuestras hazañas viajeras; hablo de Laura, de Felisa y de mí... Sentí un enorme contento hablando con ellos de prisa, sin cuestionarme si me entendían o no. Qué bien me sonaba el castellano. Había dos andaluzas, una de Sevilla y otra, de Málaga; cuánto me han hecho reír.

—Hija, corazón, qué amor tan grandísimo tiene que ser ése para arrastrar a una mujer de una vez a una tierra como ésta. No es que sea mala: tan lejos, digo.

Le sugerí —yo, que apenas lo sé— los sitios donde podían comprar pieles, plata, y otras chucherías que buscaban. La sevillana quería zapatos de seda, y la mandé al Bazar egipcio, que es mi predilecto; la malagueña, ojitos de la suerte, y le anticipé lo que podía ofrecer según los tamaños y el número que comprara. En agradecimiento, me han regalado una botella de vino dulce. Me hizo tanta ilusión que no vacilé en aceptarla.

Cuando volvió Yamam a casa, encima de la mesa había dos vasos y la botella abierta. Igual que dos novios —sorbo va, sorbo viene—, nos la bebimos enterita, pese a que a mí el vino dulce me estraga el estómago. De madrugada llegamos a ese maravilloso estado en que el suelo se separa un poco de uno y hay que pisar con tino. Nos reíamos de todo y por todo. Brindamos hasta por Huesca, y la hermanamos con Estambul. Hacíamos proyectos... Era una noche excepcional... Cuando Yamam se levantó, dio la vuelta a la mesa y se paró a mi lado, comprendí que iba a tocar el cielo con las manos. Y así fue. Quien diga que el sexo no es el atajo menos complicado y más cierto para unir a dos personas es porque no lo ha hecho jamás como es debido.

Esta mañana me propuso Yamam llevarme a los hoteles. Al pasar por la estación de Sirkeci, la del Oriente

Exprés, he sentido, quizá subrayado por la resaca del vino y de lo demás de anoche, un reblandecimiento en el alma. Siempre que miro esa estación, se me despierta en el pecho un aleteo, qué sé yo, como quien va andando y solivianta en un boj un revuelo de pajarillos que brotan de él aleteando... «Extrasístoles», diría un cardiólogo; sé que me pongo cursi. Pero me acuerdo de la primera vez que estuvimos en el Gar Café desayunándonos.

Fue en mi segundo viaje, cuando nada de lo que sucede hoy era previsible. (O sí lo era.) Fuera temblaban las ramas de un castaño en flor. Nos habíamos sentado junto a una fuente rodeada de plantas verdes. Yo, para descansar del vapuleo que me daban los ojos de Yamam, divagaba por los techos en forma de trapecio de color rosa y gris, por las vidrieras redondas... A él se le habían vertido unas gotas de su café en el platillo, por llevarse la taza a la boca mirándome a los ojos, que yo apartaba para defenderme. Tomó una servilleta de papel y la puso debajo de la taza sobre el plato... Yo me rendí a sus ojos: ya no dejó de mirarme, ni yo a él. A nuestro alrededor, por la hora, la gente se apresuraba, salía y entraba a los andenes o a la calle... Para mí sólo había en este mundo unos ojos parados en los míos y unas manos que habían doblado la servilleta de papel...

No sé cuánto tiempo estuvimos allí: unos minutos o un siglo, ya dije antes que el tiempo vuela o se remansa. No hablábamos; no nos movíamos. Hasta que él dijo: «Ya es la hora.» Para alguien, para un camarero que hubiese estado atento a nosotros, se habría acabado nuestro desayuno; para nosotros —para mí por lo menos—, uno de los regalos de la felicidad más claros que he vivido... Jamás podrá repetirse de una manera exacta. Es curioso que recordarlo me produzca un pellizco de dolor, como algo que definitivamente se ha perdido. Y no obstante, ¿es que preferiría no haberlo disfrutado?

De ahí que esta mañana, como si Yamam estuviese desde anoche aún dentro de mí, le he dicho en una voz bajísima:

—¿Quieres que tomemos un café en la estación?

—Ya había frenado el coche —me ha contestado en voz muy baja.

Hemos tenido suerte: la mesa de hace dos años estaba desocupada. Nos hemos sentado con las manos cogidas sobre ella; pero la realidad se ha impuesto: los cóleos, las drácenas y los potos que rodeaban la fuente son de tela, y la fuente, que me pareció exótica, es escuetamente horrible.

—¿Hemos ganado o hemos perdido, desde entonces, amor? —he preguntado al aire.

—Si yo adivino, sin que me aclares más, a qué *entonces* te refieres, será que hemos ganado; pero si tú me lo preguntas en serio, o sea, si tú lo dudas, no puedo contestarte.

—Puesto que estamos juntos... —Le he besado la mano, y él a mí—. En el amor todo lo que uno se imagina existe. Qué pena que la imaginación de los amantes tienda tanto a lo amargo.

—La imaginación tuya, Desi, no la mía.

—No me lo consientas. Pégame, mátame, pero no me lo consientas.

Mientras tomábamos el café le he contado el portento de Filemón y Baucis, que tanto me emociona.

—Eran una pareja de viejecillos que vivía en un bosque. Júpiter (puede que fuera Apolo), tan aficionado a disfrazarse, por lo general para acostarse con alguien, andaba por la Tierra vestido de pastor. Pero los dioses no conocen bien la tierra de los hombres, y se había extraviado. Era noche cerrada, llovía, tronaba y hacía frío. Comprendió en su carne el susto de los seres humanos. Vio la choza de los dos viejecillos y les pidió hospitalidad. Se la dieron de todo corazón: lo atendieron, lo secaron, le dispusieron la cena y le ofrecieron su propia cama para dormir. El dios, conmovido a pesar de serlo, se dio a conocer. «Soy Júpiter», les dijo, y adoptó una postura jupiterina. Ellos sonreían divertidos. «Soy Júpiter», y hacía pequeños milagros tiernos: aparición y desaparición de luces, de palomas, de monedas de oro... Ellos dedujeron que era alguien de un circo, quizá un ilusionista o algo peor. «He dicho que soy Júpiter», repitió el dios, ya sin demasiada confianza en ser creído. «Pedirme lo que queráis.» Los viejecillos, aún incrédulos, se consultaron y, con menos confianza todavía que el dios, le dijeron: «*Auferat hora duos eadem*, que muramos los dos al mismo tiempo.» «Así será», dijo Júpiter, recuperado por fin su aspecto divino.

—¿Y qué pasó después?

—A la mañana siguiente había ardido el bosque, y Filemón y Baucis habían muerto en él.

—No me gusta el comportamiento de ese dios.

—Los dioses suelen ser bastante incomprensibles; por eso siguen siendo dioses... Cuando vaya al Bazar, en la tienda de Mehmet, encargaré dos alianzas muy sencillas. En una mandaré grabar *auferat hora*, en la otra, *duos eadem*. Ninguna de las dos cosas quiere decir nada sin la otra. Te daré la que elijas. Esperemos que se cumpla la promesa del dios.

—Yo no quiero morir contigo; quiero vivir contigo.

Mientras le decía que sí con la cabeza, me di cuenta de que todo lo que nos habíamos dicho hoy nos lo dijimos también hace dos años; pero entonces no fueron necesarias las palabras. Ni siquiera los mitos. ¿Quizá es que hemos perdido? Ay, qué amarga es la imaginación de los amantes.

ESTA MAÑANA ESTABA MAREADA y me dolía la cabeza: anoche dormí poco. Quise zafarme de la batahola del Bazar.

—Espérame en el café que hay en el cementerio de Ali Pacha —me dijo Yamam—. Está a la izquierda, según sales por la Çarsikapi Kapisi, que es la Puerta de la Puerta del Bazar. —Se reía—. ¿Lo entiendes?

—No; pero daré con él a pesar de tanta puerta y de mi dolor de cabeza.

Salí por donde me había dicho, y encontré un pasadizo con tumbas. A ese pórtico de muerte le sucedía, al fondo, un patio extraordinariamente vivo. Unos cuantos viejecillos, de la edad de Filemón, fumaban su narguile ante las tiendecitas de alrededor del patio, adornadas con kilims, en las que se habían transformado las habitaciones de los antiguos estudiantes de una madraza. La madraza, o la escuela, era ahora un bar octogonal, del que brotaba una suave música arabesca. Me senté y me sirvió un café el mismo hombre que sacaba de un cubo, con unas tenazas, las ascuas de los narguiles, y lo dejaba luego a la entrada, con un tubo encima para que las brasas respiraran.

Tardaba Yamam. Mi dolor de cabeza no desaparecía. Vi unas higueras y unas macetas con hortensias... Después dejé de verlas; se conoce que me adormecí sobre el diván. La voz de Yamam me despertó.

—No era éste el cementerio que te dije, sino el de al lado. Ven.

Entramos en el otro, pegadito al primero, y aislado de la calle ruidosísima por un muro con rasgaduras muy altas y enrejadas. Allí se había detenido la mañana. Como por ensalmo, se disipó mi dolor de cabeza. A la izquierda hay un suntuoso mausoleo. Nos sentamos en una galería cubierta con cupulillas de ladrillo. La paz era total. Bajo tres acacias muy altas, las tumbas descuidadas, con esbeltas estelas, entre ortigas y dompedros y rosales. De una a otra estela, de un fez hasta un turbante, brillaban al sol los impasibles hilos de una telaraña. Las palomas se posan sobre los mármoles funerales y los tratan sin el menor respeto. La vida continúa imperturbable. Ni el toldo rojo que anuncia coca-cola, ni una papelera de plástico azul al pie de una columna, parecen fuera de lugar. Todo colabora al encanto. Tomo en silencio otro café, y Yamam, una cerveza. De cuando en cuando se escucha una risa; no sabemos de quién. Tras una portezuela se adivina el patio de la escuela de una mezquita que ya no está tampoco...

—Creo que los enterrados en este lugar están contentos —digo—. No me importaría que me enterraran aquí.

Yamam hace el gesto de espantar un mal agüero.

—Te leeré los posos del café. Pero haz exactamente lo que yo te dicte... Pon el plato sobre la taza. Muévela, pero muy poco. Ahora coloca los pulgares encima del plato, y vuelca la taza de dentro a fuera. Cuando el fondo de la taza se enfríe, leeré los posos. Puedes poner tu anillo para que se enfríe antes. —Durante un minuto largo he mirado la taza y a Yamam con impaciencia—. Vamos ya. Se leen los posos de la taza de izquierda a derecha a partir del asa. Luego verterás los del plato en la taza y leeré los que queden para ver si confirman la primera lectura...

—¿Cómo se ve la muerte? —pregunto de improviso.

—¿Por qué me dices eso?

—Porque estamos dentro de un cementerio.

Sin mirar la taza todavía, Yamam me pregunta muy serio:

—¿La muerte normal, o la provocada? —Me río, un poquito nerviosa.

—La provocada, claro.

—Se vería en unos grandes grumos, aislados y sin manchas alrededor, que aparecieran en las paredes de la taza.

Ha mirado por fin dentro de ella. De pronto, sin hablar, ha volcado en la taza los posos del platillo y se ha quitado ambos de delante.

—Otro día los leeré mejor. —Ha vuelto la cara hacia el mausoleo—. Hoy me ha perturbado no encontrarte donde quedamos...

No podría decir por qué, pero no lo he creído. En torno nuestro todo continuaba en paz. Al salir, me volvieron las molestias.

Con aquellos primeros mareos esperé más tiempo de la cuenta. Después no me cupo ya la menor duda: estaba embarazada. Sentí tanta alegría que era yo la alegría. En la zona de los hoteles, iba por las aceras cantando y llevando el compás. La mañana era esplendorosa; el otoño se proponía que lo echásemos de menos. Cuando me pareció una hora prudente, telefoneé a Paulina, a la que había visto alguna vez desde la fiesta en el consulado. La puse en antecedentes de lo que me ocurría, y de mi necesidad de estar «científicamente segura». Quedamos citadas, y me acompañó al laboratorio de un amigo de su marido. No me hacía falta confirmación ninguna, pero no se lo diría a Yamam hasta tener el resultado positivo del análisis. De vuelta del laboratorio, Paulina me había dicho:

—¿Cómo crees que él lo tomará?

—No me cabe duda del embarazo, y tampoco de eso. Un hijo nuestro será lo mejor que puedo ofrecerle a Yamam: la consecuencia de nuestro amor, la vinculación más perfecta y duradera.

—Los turcos son tan raros —dijo ella como para sí.

—Los turcos, puede; pero no Yamam.

—En el peor de los casos, tú resiste; ponte brava si es necesario. Y avísame. —Yo estallaba de risa.

—No sé a qué te refieres... ¿Cómo voy a hacerme la valiente con él? ¿Cómo voy a exigirle, por ejemplo, que sea puntual, que no vuelva tan tarde, que me mime, que tenga el humor justo que a mí en cada momento me venga bien? Para eso necesitaría amarlo menos de lo que lo amo. Y, para amarlo menos, necesitaría olvidarme de mí misma, porque yo ya no soy otra cosa que mi amor, que este amor... Por eso ahora estoy que reboso de contento: porque está dando fruto.

Me toqué el vientre. Me había distraído hablando para mí; cuando me volví a mirarla, Paulina se encogió de hombros:

—Los análisis estarán listos la semana que viene.

Pasé la semana sin zozobra ninguna. Sólo deseaba el papel para enseñárselo a Yamam. Además el día que tuve que recogerlo coincidió con su cumpleaños; sería la mejor manera de celebrarlo. Cuando tuve en mis manos el análisis —por descontado, positivo— ya sí que esperé ansiosamente a Yamam. Tenía una botella de vino de Somontano, que había conseguido por medio de una azafata conocida de Laura, a la que mandé noticias y recuerdos. Me estoy viendo ahora mismo: llevaba puesta, cosa que hacía cada vez más, una camisa de Yamam; esas últimas semanas también me ponía su ropa interior, fumaba sus cigarrillos al mismo tiempo que él, usaba su peine y su cepillo de dientes, a conciencia de que le ponía nervioso, lo cual me divertía más aún. Me había remangado la camisa y los bajos de sus pantalones de franela, y había dispuesto la botella y unos canapés sobre la mesa del salón. Un pintor principiante nos había hecho un retrato a los dos con sus hijos; era muy malo, pero allí estaba, en el ángulo próximo a la mesa.

Se abrió la puerta. Le grité:

—Felicidades, amor mío. Feliz cumpleaños —y lo abracé.

Serví una copa de vino de mi tierra y se la ofrecí al mismo tiempo que el papel. Se bebió la copa casi del todo, chasqueó la lengua.

—Es bueno —dijo, y desdobló el papel—. ¿Esto qué es?

—Tú sabrás; está en turco.

Lo leyó, levantó los ojos, volvió a leerlo, me pareció que palidecía.

—No puede ser —dijo.

—Sí; sí lo es, cariño. Vamos a tener un hijo.

—No puede ser —repitió.

Lo repitió con el mismo tono que la primera vez, pero ésta yo entendí lo que trataba de decirme: no que no se lo creyera, sino que se oponía. Pensé en Paulina: «¿Cómo voy a hacerme la valiente con él?»

—Es de los dos, Yamam. Tus dos hijos —señalé el retrato—, a los que quiero y cuido, y tú lo sabes, son tuyos nada más. Éste es de los dos...

—No puede ser.

Me venían los argumentos en desorden, y los exponía tal como se presentaban:

—Será mi compañía y mi razón de ser... Si me vine de España fue porque murió nuestro niño... Mi religión no me permite ir contra él... No me hagas esto: ten piedad de mí: no te he pedido nada hasta ahora, pero esto te lo pido de rodillas... ¿Es que no te importa que corra un riesgo grave? Aquí puedo morir...

—Yo ya tengo dos hijos; ni quiero, ni puedo tener más. Nuestra situación es ilegal... Supongo que tu religión también prohíbe otras cosas... Siempre has dicho que tu razón de ser y tu compañía era yo... También es un riesgo el parto, y además no sé por qué el que corras aquí va a ser mayor... No puede ser. No discutamos esto. Si tienes el niño, no me tendrás a mí; dejarás de contar conmigo. No tengo más que hablar.

Entré en el dormitorio dando un portazo. Él no intentó seguirme; no llamó a la puerta. Se quedó a dormir en el cuarto de sus hijos, o sobre el sofá de terciopelo, o en el suelo, no sé... El cumpleaños de Yamam fue inolvidable.

En aquel dormitorio me sentí como en la peor de las celdas. Me tumbé en la cama, cerré los ojos; la congoja apenas si me dejaba respirar. Pensaba atropelladamente. ¿Qué estaba ocurriendo dentro de mí? No era algo que me afectara a mí sólo, sino que venía de lejos, de más lejos que yo, y que mi madre también, y que el resto de las madres. Sin razonamientos, lo veía todo con tanta claridad, que me deslumbró... Vi mi vientre, el interior de mi vientre, y estaba vacío, y una fuerza como de viento fuerte o como de agua de cascada me empujaba a llenarlo, y comenzaba a crecer esa fuerza en mí, y ésa era mi grandeza, y todo en el mundo estaba previsto para eso... ¿Qué pene iba a envidiar yo? ¿Qué castración era la mía? Mi vientre me hablaba: «Tu hijo es tu pene, y tu poder, y tu antiquísimo deseo y tu conformidad.» Veía imágenes de niños, vivos y muertos, y aún hoy no sé si estaba dormida o despierta, o estaba simplemente enferma de tanta rebeldía muda; pero no angustiada, porque el embrión de vida que latía en mí me estaba sonriendo... Y pensaba en mi madre, y yo era mi madre, y entre ella y yo no había ley ninguna: amor sólo, identidad sólo. Nuestro cuerpo ya no era nada concreto, sino una posibilidad: el huequecito donde la vida se forma y crece. Y eso era lo más alto de este mundo; era lo que me unía a todas las madres desde el principio, y tal unión era lo que importaba, no los caminos personales por los que yo había llegado a tener dentro la vida... «La especie», pensaba yo sin detenerme, y percibía el tremendo dominio de la palabra y el peso de sus órdenes inmutables. La mujer tiene que descubrir en el hombre al niño, y en ella misma, a su propio niño; lo demás es superfluo, lo demás está sólo al servicio de esto... No razonaba, no: veía la evidencia. Estaba sostenida por una multitud; segura y fortificada por una multitud. Y entendía por fin una frase que brillaba como de oro: «La mujer es un templo edificado sobre una cloaca.» Nunca la había entendido; me daba risa desde que la oí en el instituto en una clase de religión. Un templo, una cloaca... Cuánto sueño tenía... Yamam y yo seguiríamos hablando de este tema; vaya si seguiríamos hablando.

Él se negó a hablar más. La madre vino a recogerme unos días después. No habló tampoco. Me montó en un taxi previamente concertado y pagado por Yamam. Decaía ya el otoño; se iba el sol y empezaba a desplomarse el frío. Llegamos al barrio Fener, en la ladera norte del Cuerno, y entramos por una calle cubierta de ropas tendidas desde una fachada a la de enfrente. El aire movía, como diciendo adiós, las telas de colores. En las aceras, unos hombres troceaban una gran masa oscura del lignito de las calefacciones. Varios niños jugaban ruidosamente a la pelota. Desde una ventanita, la cara de una muchacha me miró un instante, detrás de una cortina. Yo no veía claro; se me habían enturbiado los ojos. Era como si la vida se despidiera. Y en efecto, se despedía... El taxi se detuvo ante una pequeña casa de madera, con una parra sin hojas trepando hacia el balcón. Se olía el áspero y azufrado olor del lignito cuando se quema, y una luz tierna se derramaba sobre aquel pobre mundo, tan alejado de lo que a mí me sucedía.

La mujer masticaba algo verde. Me dio a oler éter o una cosa parecida, quizá láudano; pero no me anestesió del todo; era un sopor, un adormecimiento; era como una cueva en que se olvida... La madre de Yamam estaba sentada a mis pies en la misma silla rígida e incómoda en la que habían dejado mi ropa. Aquella mujer manipulaba en mi cuerpo, y me producía asco. Me habían cubierto la cara con un velo, o con un trapo, que me impedía ver. En un momento, todo muy vagamente, noté una hemorragia: algo me humedecía los muslos, denso y lento. Hablaron en turco; levantaban las voces. De pronto un hombre, la voz de un hombre, dio dos gritos mandándolas callar... Pasaba el tiempo de una manera espesa y nauseabunda. Me hundí en una atmósfera casi mojada y muy oscura... Me sacó de ella la voz de Yamam; pero yo no estaba segura de que fuese real, porque al abrir los ojos todo era movedizo y difuso, igual que un paisaje a través de la niebla. Lo que veía lo mismo podía ser la casa de la mujer aquella o el piso de Yamam: los dos me eran hostiles. Sea como fuera, sentí una arcada, apreté los párpados y no quise saber ya nada más...

La voz de Yamam decía mi nombre; yo giré la cabeza hacia el lado contrario. No sé qué tiempo pasó, porque en mi estado el tiempo no contaba... Entré en el cementerio, el de Huesca, bajo el frío. Yo temblaba. Las primeras tumbas, las más antiguas, sin losas, con las cruces torcidas; luego, unos petulantes panteones, con figuras desnarigadas, en la postura de esperar una trompeta que tardaría siglos en sonar... Familia tal, familia cual. Leía los nombres y apellidos. Y andaba muy despacio, como flotando entre capillas neogóticas o de un modernismo inconsecuente... Yo era una niña. La mano de alguien me conducía; levanté los ojos: era mi padre. Le señalé los panteones.

—Estas casitas son preciosas. ¿Hay niñas aquí para jugar en ellas?

Mi padre no me contestaba, yo creía oírle repetir:

—Vanidad de los vivos... Orgullo de los vivos...

En la ubicuidad del sueño estábamos ya en otro lugar.

—Nosotros no tenemos panteón —me gritaba mi hermano mientras me deshacía el lazo de la cintura y salía corriendo entre las tumbas.

—Éste es el panteón militar —dijo una voz; no lo dijo, pero yo lo sabía. Estaba más cuidado que los otros, con las cruces iguales de hierro negro y las tumbas encaladas... Y de repente, allí estaba mi madre, tumbada, sonriente, en el primer piso de los nichos. Alargué las flores; besé la lápida.

—¿Te han puesto tan bajita para que yo te alcance?

—No; porque era más barato. —Era la voz de mi hermano, pero no estaba él. Estaban Laura y Felisa empujando cochecitos de niño.

La hierba, descuidada, crecía por todas partes. Yo, con el pecho fuera, le daba de mamar a mi hijo. Estaba sola y avanzaba sin acamar la hierba, como si no pesase. El niño mamaba vorazmente, igual que si de eso dependiera todo. Y dependía... Yo me había sentado en el cementerio infantil. Allí estaban algunos que habrían muerto ya aunque hubiesen vivido ochenta años. Unos niños muy arrugados se acercaban a mirar a mi niño: la niña María Luisa Marazo, el niño Miguel Gutiérrez... Entre las tumbitas ilegibles saltaba Trajín sin mover la hierba alta... La niña Pilar, de tres meses... Y «El niño feto», «La niña feto»: no decían más... Yo no tenía a mi niño entre los brazos ya, pero seguía con el pecho fuera... «El niño Carlos Ayerbe Oliván, de dos meses»... Era igual que un cementerio de perrillos falderos, de animalitos de compañía; tan solos allí, bajo la nieve, bajo la boira. Tan pequeños: «Silvia Lacoma, de veintiséis días», «La niña feto»... Me oí gritar...

Sólo cuando empecé a ver cuerpos de niños troceados, ropas de niños ensangrentadas, cabezas de muñecos que tenían vida y rodaban junto a cuerpos decapitados, brazos y pies de niños apilados, pequeñas manos, ojos llenos de terror... Sólo entonces necesité volver a la realidad para huir, o a otra realidad menos dañina que aquélla, o a otra ficción, la que fuese, con tal de escapar de aquel espanto que me estaba manchando. Y yo gritaba, me oía gritar...

Fue sólo entonces cuando abrí los ojos y vi que estaba en el dormitorio del apartamento y que, por tanto, mal o bien, todo se había consumado. Vi a la madre de Yamam, con su pañuelo cubriéndole el pelo, sentada allí al fondo, con la misma rigidez de alguien que acaba de sentarse. Dios sabe cuánto tiempo llevaríamos en aquel cuarto juntas y tan enemigas. Se levantó sin decir nada; entró Yamam y en seguida escuché el ruido de cerrarse la puerta de entrada.

Yamam me acariciaba el pelo, la frente, las mejillas. Volví a hacer el gesto, ahora consciente, de girar la cabeza al lado opuesto. Entonces me acarició la nuca, el cuello, la oreja... Dibujaba con su dedo la oreja; tocaba mi pendiente... Estaban cayéndoseme lágrimas de los ojos, que caían sobre mi sien y sobre mi nariz; lo supe porque Yamam me las borraba con sus dedos, y se demoraba en el hueso de mi pómulo, y trazaba el perfil de la mejilla que desciende hasta la boca, y la línea de mi mandíbula, y avanzaba después hasta la barbilla, ahora tan temblorosa y tan desalentada.

—No —dije—. ¡No!

Y me puse a sollozar con todas mis fuerzas, que no eran demasiadas.

—Déjame que te quiera —murmuraba cerca de mi oído Yamam.

Yo había aprendido que las batallas morales se libran a solas; me quedaba por aprender en carne propia que las del amor hay que reñirlas con un aliado, a no ser que se tengan que reñir con un verdugo. Y es esa ambigüedad la que conduce a que nunca estemos ciertos definitivamente de si hemos ganado o perdido la batalla... Levanté la cabeza, y vi flores en mi mesa de noche.

—Déjame que te quiera —seguía murmurando Yamam—. Tú y yo somos el paraíso. Tú y yo somos bastante.

Paulina, la mujer del vicecónsul, debió de imaginarse todo lo ocurrido, o buena parte. Una tarde, dentro de esa misma semana, se presentó en la casa. Yo estaba con una bata espantosa y sin peinar. Ella traía flores y bombones, lo que se lleva a una recién parida. No fue preciso contar nada: comprendió todo al verme.

Le agradecí que no me recordara su premonición; pero le agradecí más aún que, al adoptar una posición tan contraria a Yamam, me moviese a mí por reacción a defenderlo. Desde muy niña tengo la mala costumbre de ponerme de parte del que pierde o del que no está.

—Para quien no se ciegue, todo esto era perfectamente previsible, Desi. Estos amores tan fuertes nunca duran.

Yo pensaba: «¿Qué tiene que ver mi felicidad con el tiempo, o mi desgracia con el tiempo? ¿Qué es durar?» Y pregunté con una voz agria:

—¿Sólo lo malo dura?

—Infortunadamente, parece ser que sí... Desi, yo soy tu amiga. Reconozco que no soy amiga de Yamam. Vengo aquí por ti. Vengo a decirte que tienes que terminar con esta sucia historia. Vuélvete a España, Desi. No continúes bajando por una rampa que yo no sé adónde va a conducirte.

—Yo tampoco lo sé, Paulina, pero te lo diré cuando lo sepa.

Le ofrecí un bombón. Cambié de tema. Ella intentaba volver a proclamar su cariño por mí... En aquel instante intuí que no la iba a ver más. No entendía por qué me había resultado tan simpática. O sí: por lo contrario de su actitud de hoy, por su desvalimiento bajo una apariencia de fortaleza. Continuaba hablándome y no la oía. Veía su cara seca, sus labios tan finos, su nariz cadavérica. Veía una mujer insatisfecha, que detestaba a su marido, gordo y tosco. Recordé de pronto que ya lo había abandonado hacía un par de años —ella, que me aconsejaba dejar a Yamam—, y se había visto obligada a volver porque carecía de medios para sobrevivir... Veía a una mujer fracasada, con hijos —eso sí, con hijos—, pero descontenta de ellos, que habían tomado, en la guerra declarada, el partido del padre. Oía, como un runrún, los cargos que me hacía. Le ofrecí otro bombón. Pretendía intervenir en las vidas ajenas, disgustada de la suya, impotente para rectificarla, desesperanzada de enamorar ya a nadie. Y a pesar de todo, en lo mío había acertado. Hasta la boca me subía la cólera.

—Tú conoces mi historia; ya sabes que yo fui secretaria de mi marido. Me dejó embarazada porque estábamos locos de amor. Y se casó conmigo, por supuesto... Él entonces era una maravilla... (De lo que me decía, yo entendí que ella lo había cazado y que, eso saltaba a la vista, él nunca fue una maravilla.) Tú no sabes lo que compensa de todo un hijo... (Yo entendí que el tenerlo no es todo; que la biología ha de completarse con la biografía; que la madre defrauda siempre y quizá el hijo también.) Es por eso por lo que estoy de tu parte... (Yo entendí que estaba ferozmente contra Yamam, que aquélla era una escena de falsa compasión.) Yamam tiene una fama atroz: de mujeriego y de otras cosas. No es el momento de descubrírtelo, pero te aviso para que no te pille de sorpresa... (Cristianamente trataba de abrirme los ojos a cuchilladas. Y yo había caído hasta entonces en la trampa; le había hecho confidencias que la excitaban, que ponían al rojo su envidia por el amor sin cordura de los demás.)

Le ofrecí el último bombón y me puse de pie.

—Estoy agotada, te harás cargo. Cuando mejore un poco te telefonearé.

«Nunca más la voy a llamar —me dije—, nunca más le haré una confidencia.» Ni a ella, ni a nadie. Doy por descontado que, en mis circunstancias, se obre o no por razones de bondad, nadie podría darme razonablemente otro consejo. Pero yo ya he roto, por causas parecidas, con algunas personas de mi entorno: con todas a las que hice alguna confidencia y me traicionaron. «Consejos no solicitados ni los doy ni los recibo»: es una frase habitual mía. Quizá más que hacer confidencias, lo que pretendo siempre es recibir confirmaciones. Pero se ha terminado.

Y es que las palabras no pueden expresar los sentimientos. Y el del amor, menos aún: cuando se cuenta, se falsea, y los consejos que se suscitan son falseados también. Lo mejor es transformarse una en su propio confidente, aun a riesgo de ser parcial con el hombre al que amamos. ¿Cómo hacer caso a un advenedizo, cuando lo que se busca es un cómplice incondicional? El confidente es siempre el peor consejero, porque no está sintiendo, sino razonando, y aquel que ama, no; precisamente cuando empiece a razonar será que no está ya enamorado, y entonces no necesitará más confidentes. Se trata de dos vías distintas y paralelas: marchan en dirección opuesta; jamás se encontrarán... ¿Que la enamorada se engaña a sí misma y a su confidente porque adopta actitudes interesadas? Pues claro que sí; para eso se hacen las confidencias: para desahogarse, no para levantar actas notariales ni para que nadie dé fe pública de nada. Imparcial no lo será nunca quien ama. Aunque finja odiar y confiese odiar y exponga las quejas más atroces, el que ama ya ha tomado partido por quien ama. Y está a solas con él, o ha de aprender a estar con él a solas.

Cuando unas horas más tarde llegó Yamam, lo recibí sentada, pálida aún —me había visto en el espejo—, y ligeramente más animada, aunque sólo fuese por las impertinencias de Paulina. Él lo notó inmediatamente.

—Estás mejor —me dijo.

—Es que alguien ha estado aquí y me ha ahorrado el trabajo de insultarte. —Me besó—. Dentro de poco tendremos que tratar de unas cuantas acusaciones que han hecho en contra tuya.

—¿Podrá eso esperar hasta mañana? Lo que esta noche me apetece, Desideria, azúcar mío, es acostarme contigo de una vez para siempre.

Y así fue.

Se reanudaron los días felices. No es bueno quedarse colgada del dolor. La vida avanza tan de prisa que no nos permite mirar hacia atrás.

El ser humano es muy propenso a dictar sentencias; y más, cuanto más ignorante y cuanto más lejano le queda aquello que condena. «Esto es estúpido», se escucha a todas horas. Y más aún: «Esto es malo; esto es desordenado, y esto, contra la Naturaleza. Yo, que estoy en el orden y en la inteligencia y en la bondad, lo afirmo y ratifico.» Cuánta necedad. ¿Qué sabe nadie de lo que está detrás o debajo o dentro o al trasluz de aquello que aparece? Juzgar a los demás, qué fatigoso y qué arriesgado, con lo difícil que es ya conocerse uno mismo. Yo hablo aquí —o escribo, y eso que es sólo para mí— de lo que entiendo que pasa y que me pasa; pero no estoy convencida de decir la verdad íntegra; ni siquiera convencida de acertar con lo que pretendo decir, o con la forma de decirlo para que no se desvirtúe... En definitiva, lo que escribo es el reflejo —y nada más, y pálido— de lo que hago y lo que siento; su reflejo en los otros, más aún que en mí.

Sí; se reanudaron los días felices. Retornó el tiempo suave; las mañanas eran diáfanas; la luz era tan pura que ponía, sin intervenir, de manifiesto todos los colores. Yo acompañaba a Yamam. Algunos días nos deteníamos en la estación de ferrocarril camino del Bazar.

No lejos de él, hay una calle en cuesta que baja hasta el Kumkapi. Es mi preferida. Se llama Gedik Pacha. Peatonal, tiene una hilera de farolas en el centro y, naturalmente, tiendas a los lados. El mar de Mármara la cierra como una lámina de plata rizada y destelleante, surcada siempre por uno o dos barquitos. A la izquierda humean las chimeneas de unos modestos baños, en cuyas cúpulas destacan las claraboyas de cristal. En un arriate minúsculo crece un cotoneáster que me trae a la memoria los altísimos del convento de Las Miguelas en Huesca. Una mañana comí en un restaurante de dos mesas, pobrísimo, un plato que vi comer a un albañil: una especie de revuelto de huevos con tomate. Yamam me dijo que se llama *menemem*, o sea, rápido rápido; pero yo sólo me enteré de lo bueno que estaba. Pasado el restaurante, a la derecha, hay una iglesia armenia. De ella brotan los domingos las voces de un coro que canta en turco una canción religiosa. A mí me recuerda otra que no lo es, y que estuvo de moda unos años antes de yo venirme; su letra decía, poco más o menos: «Algo de mí, algo de mí se está muriendo...» Un mediodía muy tibio me senté sobre una jardinera. Vino hacia mí un muchacho y me habló; le sonreí; me volvió a hablar... Hasta que no le hablé yo a él no comprendió que yo no lo entendía. Entonces fue él quien sonrió y se fue. ¿Qué me estaría diciendo? No lo sabré jamás...

Tomábamos juntos en la tienda, con la clientela o en alguna pausa, un té de limón o de naranja o de manzana.

—A mí me gusta el té de té —le decía a Yamam.

—De ése no hay. —Se reía y tomaba café.

—Déjame probarlo.

—Te va a quitar el sueño.

—Desde que vivo aquí no he necesitado más que dos noches tomar somníferos. Tengo aún intacto el cargamento que me traje de España.

Sentada sobre mis piernas, casi a la turca, hacía mis crucigramas.

Alguna mañana, antes de ir al Bazar, pasaba por los hoteles repartiendo tarjetas.

—Me eres más útil aquí. Cuando te ven con esos pantalones vaqueros los turistas, les inspiras confianza. Aunque seas morena, no les pareces turca.

Echando la cabeza hacia atrás Yamam reía, con su nuez prominente y su dentadura blanquísima, con los ojos entrecerrados hasta juntar casi las rizadas pestañas de arriba y las de abajo. Y yo lo amaba.

«Creo que lo amo tanto —me decía— que ni la vida (no sólo la mía, la de nadie) ni la muerte tienen sentido para mí sin él. Y, no obstante, estoy segura de que lo amo mil veces más de lo que creo... No soy digna de tenerle a nadie un amor tan grande. Por tanto, no puedo dedicarme a otra cosa que a eso.» Y, llegada a este punto, daba de lado mis crucigramas, y me dedicaba a mirar a Yamam. Lo veía hablar con los turistas, en turco o en francés o en español; los convencía de lo que le daba a él la gana, a fuerza de simular que no tenía ni el menor interés en convencerlos. Él intuía cuándo ellos aparentaban desinterés en comprar, y lo superaba con el suyo; los desarmaba; les hacía suplicarle. Yo disfrutaba viendo caer a los clientes —despacio, con pulso, sin tirar en exceso del hilo— en la tela de araña de Yamam. De cuando en cuando me miraba, para comprobar que yo estaba atendiendo a su manera ágil y sutil de llevar el regateo. Yo gritaba de repente: «¡Torero!», y él, impávido, proseguía su lidia. «Como con una goma elástica —me decía yo entonces— estoy atada a él.» Puedo alejarme; puedo hasta proponerme escapar de su lado; puedo apartar de él mi pensamiento... Y de pronto, con mayor fuerza que antes, algo me arrastra, y me encuentro más pegada a él que nunca.

Por Navidad le escribí a mi padre. Fue una carta muy breve y muy sincera. Le deseaba en ella toda la felicidad de este mundo; le pedía, aunque no expresamente, perdón por haberlo herido con mi conducta y mi silencio; le decía que yo era feliz y que sólo me faltaba, para serlo del todo, su presencia, «porque te echo de menos no sólo en estos días, y echo de menos, eso sí en estos días, las velas que un año hicimos tú y yo codo con codo». Le enviaba besos para todos, «en especial para Trajín y Toisón», y acompañé la carta que, por desconfianza en correos encomendé a mi amiga la azafata, con una caja de delicias turcas.

Hoy he recibido la respuesta. Serena y suave, como la que se dirige a una hija que estudia fuera o que se casó y reside lejos con su marido. La letra es insegura, como la mano que la escribe. Me informa de cosas menudas de Huesca, igual que si nada hubiera pasado... Aún baja a la tienda, que lleva una hermana de la mujer de Agustín. «Trajín a veces viene a ver a su hijo; con él hablo muchísimo de ti. Los dos me dan la lata que todos necesitamos para seguir viviendo.» Me dice que me quiere más que a nadie; que me quiere más desde que no estoy allí; que no tarde tanto en escribirle. Y hay una postdata: «No te pongo que seas feliz, porque me parece una tontería tan grande como si te recordara tu apellido. Hija, cariño mío, tú y yo compartimos el mismo. Que para ti sea la vida tan dulce siempre como las delicias que me mandaste.»

He besado la carta.

Hace semanas que no escribo en este cuaderno, lo había olvidado. Mejor, porque lo único que habría escrito en cada página es «soy feliz», «soy feliz», «soy feliz». Los días felices, al ser iguales, no tienen tampoco historia. ¿Qué escribir de ellos?

Soy feliz. A mi modo, naturalmente; pero ¿qué otro modo conozco yo de serlo?

Hay dos novedades de las que me propongo escribir para reflexionar al mismo tiempo sobre ellas y para agradecerlas a la vida. Se trata de dos personas que, por caminos muy distintos, han entrado en la mía, no muy sobrada de habitantes. Una es una condesa; la otra, un deficiente mental.

Días atrás apareció en la tienda una mujer muy trabajada, de edad indefinida. Yamam y yo volvíamos de almorzar en un restaurante próximo al Bazar. Ella traía una de mis tarjetas en la mano. Por lo que dijo, es criada de una extranjera, propietaria de algunas alfombras que estaba dispuesta a vender «a alguien que no fuese turco». Se refería a mí. La tarjeta que me ofreció decía: Ariane d'Ursach, condesa de Tracia. Se había enterado de que yo era la dueña —es decir, que no se había enterado bien— de aquella tienda y solicitaba una conversación conmigo. Era Yamam, con cierta sorna, quien la traducía. En contra de lo que esperaba —que no tomaría en serio la propuesta—, me dijo al terminar:

—Acompáñala, y ves a esa señora.

—¿Ahora mismo?

—¿Por qué no?

La señora vivía por Galatasaray, en Beyoglu, muy cerca del Pera Palas; yo conocía la zona. Tomamos un taxi la mujer y yo, y nos fuimos hacia allá. En el trayecto la observé. Pasaba bastante de los cincuenta años; tenía aspecto kurdo: nariz ancha y grande, labios gruesos, pelo recio y un aire que inspiraba una confianza instintiva. No me extrañó que Yamam la hubiese creído de inmediato.

La casa era una construcción de primeros de siglo, de las que tanto abundan en Pera. Alta y estrecha, debía de tener cinco plantas. En un gran balcón de la tercera había un mástil de bandera vacío; quizá se trataba de un edificio que había sido oficial. La mujer abrió la puerta de la planta baja, de la que arrancaba un ascensor minúsculo. Entramos en un piso a oscuras, donde hacía mucho calor, a pesar de que la temperatura de fuera no era alta. Las cortinas de las ventanas estaban corridas y las persianas bajadas. A la luz de un par de arañas de buen cristal, inadecuadas por su gran tamaño, vislumbré una misteriosa figura femenina sentada en un sillón de altísimo respaldo y con una pierna apoyada en un taburete redondo de terciopelo verde. Fumaba un cigarro puro.

—Perdone que no me levante: me cuesta demasiado. Acérquese.

Me tendió la mano, y me indicó un sillón cerca del suyo. La curiosidad no me dejó sentarme. Era una mujer muy vieja, pero fuerte aún, de estatura media, de pelo canoso, cortado a trasquilones y levantado sobre la frente, de nariz puntiaguda, de pequeños y muy vivos ojos marrones, con manchas de vejez o de hígado en la piel, una sombra de bigote, y manos menudas y arrugadas. Vestía una ropa muy usada, de la que no podía decirse que era elegante. Por la contundencia de su voz deduje que estaba acostumbrada a mandar y a ser obedecida. Ni era amable, ni se esforzaba en serlo; quizá la soledad, o su invalidez, le habían agriado el carácter.

—Las alfombras están allí —apuntó con el dedo una cortina en arco detrás de un biombo anchísimo—, luego las verá. Le he dicho que se siente.

Yo estaba distraída, como quien entra por primera vez en el baratillo de un anticuario. Dentro de aquel salón grande había muebles muy buenos, casi todos *art nouveau*; cuadros que, al primer vistazo, eran muy desiguales en calidad, con predominio de los orientalistas; una espléndida colección de iconos; varios recargados espejos de suelo a techo, que confundían las perspectivas, y un incontable número de mesas y sillas de paternidad muy diferente, de vitrinas llenas de cajitas y *bibelots*, de maceteros... Interrumpió mi fisgoneo:

—Señorita, ¿se sienta o no? —Me senté—. Como veo

que le interesa más mi habitación que yo, le aclararé que estoy clavada en ella. Allí está el baño, allí la cocina. Hay otro cuarto donde se guardan los trastos y las porquerías inútiles, aunque todo lo que hay aquí lo es, incluso yo. Y detrás de esa cortina que tanto le intriga está mi dormitorio. Eso es todo.

Yo no supe si pedir perdón por mi indiscreción, o echarme a reír. Me eché a reír, cosa que en seguida noté que le había gustado. Prosiguió:

—Esta horrible mujer, que no habla más que turco, salvo los insultos que le dirijo en francés y que ha aprendido a identificar, es Harife. Se ocupa de hacer la limpieza: mal, como podrá observar. Lleva treinta y siete años conmigo; llega a las ocho y se va a las dos, o eso dice. Vete, Harife. Hasta mañana. —La mujer se inclinó, y salió del salón y del apartamento—. Es odiosa; pero menos mal que la tengo. Yo no soy capaz ni de hacerme un té... Si quiere usted tomar uno vaya a la cocina y háganoslo. Yo no la piso, la cocina digo. Mi padre me repetía: «Afortunadamente te has quedado soltera, tu esposo habría sido un pobre desgraciado.» No tenía razón en eso, como en nada de lo que decía, ni de lo que hacía. Era yugoslavo, de la parte italiana. Tenía muchísimo dinero y muy poca vergüenza. Se casó con mi madre, una griega bellísima, y después nos abandonó a ella y a mí por otra mujer. Mi madre murió de sufrimiento. Él era cónsul de Yugoslavia en el Imperio otomano... Ya no hay imperios, ni padre, ni Yugoslavia, ni dinero, ni nada. No sé por qué razón he quedado yo... Era derrochador, mujeriego, vividor e indeseable... Yo no nací en Turquía, como es fácil de imaginar; pero tengo *también* la nacionalidad turca. La conseguí de un modo hasta cierto punto interesante. Yo me relacionaba mucho, cuando Pera era Pera, con la diplomacia de la época. En una cena, me sentaron a la derecha de Atatürk, que era entonces (y lo sigue siendo) el que partía el bacalao. Se estaba creando la Turquía actual; era apasionante ver cómo brotaba un país; cómo se abocetaba, se le daba la forma deseada, se elegían modelos. Era algo que ya no pasaba en Europa: nuestros países han tardado siglos en hacerse, y nos los hemos encontrado ya hechos, deshechos y rehechos mil veces. No se ha contado con nosotros para nada... Pues en esa cena Atatürk me preguntó si me comprometía a colaborar con un país que echaba a andar, o sea, que si quería ser turca. Él era rubio y con un grandísimo atractivo; yo debía de tener dieciocho años... No haga cuentas, por favor: no sé los que ahora tengo... Yo le respondí que sí, y me concedió la nacionalidad. Pero, en definitiva, no sé de dónde soy. Ni me importa... Usted querrá ver las alfombras. No tenga prisa, en seguida las verá. Son de origen diferente, buenas todas... Ah, antes que nada: perdóneme que no le esté hablando en un idioma concreto; no sé cuál habla usted.

—Español y francés.

—Bueno, en ese caso nos estamos entendiendo. Yo hablo ocho, pero me aburre hablar uno cada vez; los empleo todos. El español no lo hablo, pero sí el catalán: qué mala educación ¿no? El griego lo aprendí de mi ama de cría...

Estoy intentando transcribir el chaparrón de noticias contradictorias que me suministraba de sí misma, en una babel de idiomas que, incomprensiblemente, yo entendía. Todo era un batiburrillo allí: la casa, la dueña y su vocabulario.

—Si le interesa saberlo, mi casa tiene seis plantas con ésta. Las primeras eran de la familia; las dos últimas, del servicio. Tengo seis huéspedes, uno por planta. Contando la del sótano, donde he hecho un apartamento monísimo junto a las calderas. Yo me quedé con éste por mi pierna, aunque hay ascensor como ha visto... No; no suponga que estoy impedida de ahora. Tuvimos un accidente cuando yo tenía ocho años; murieron todos y yo perdí la pierna. Un cirujano alemán me la volvió a poner; no me pregunte cómo.

No se lo pregunté; me parecía todo igualmente inverosímil. Sin embargo, no sabría decir por qué, reconocía un fondo de rotunda verdad en cuanto aquella mujer me relataba. Continuó, y yo sabía que era inútil interrumpirla o preguntarle nada: ella quería evidentemente hablar, y hablar evidentemente de lo que quería.

—Llevo así, con la jodida pierna en alto, los tres últimos años. Puedo andar, pero no siento la necesidad. Al principio me planteaba si las molestias vendrían de lo del barco... Hasta hace poco yo he tenido un barco; lo capitaneaba yo misma. Cuatro o cinco meses los pasaba en el mar; siempre en el Mediterráneo, como es natural.

—Quizá su reuma o su artrosis proceden de ahí.

—No diga memeces; nunca he tenido artrosis: he tenido desgana y nada más. Antes salía a la ópera, en la que me dormía, o a esos pasajes del Bósforo tan inolvidables; iba sólo a comer helados a Bebek, no crea que a nada más... Pero ahora es tan difícil coger un taxi en Istiklal: las calles peatonales son terribles. Para que todos vivan un poco mejor, nos han hecho la puñeta a los pocos que vivíamos bien: una gran torpeza, la calidad de vida no es masificable... ¿Quiere hacernos un té?

Me levanté. Fui a la cocina. Ella seguía hablando. Yo pensaba lo que se iba a divertir Yamam cuando se lo contara. Y, la verdad, me apetecía que me enseñase las alfombras; quizá se las sacara más baratas después de escucharla perorar tanto.

—No se le ocurra siquiera coger agua del grifo... Usted es una muchacha muy atractiva, no sé qué pinta aquí. No me refiero a mi casa, sino a esta ciudad... Coja uno de esa infinidad de tarros que está viendo: contienen agua hervida. En Estambul no sólo es peligrosa el agua del grifo, sino las minerales embotelladas. Yo he mandado muestras a unos parientes míos de Suiza, y me han dicho que no se me ocurra probarlas por nada de este mundo... ¿Consiguió el té? Es usted encantadora. Ya me contará algo de su vida. Si es que la dejo, está pensando. La dejaré; vamos a ser amigas.

La cocina, sorprendentemente, estaba ordenada y limpísima. Se conocía que era obra de Harife. La condesa adivinó la conclusión a la que había llegado, y me la rebatió.

—Harife es una bruja. Si lo sabré yo, que la llevo aguantando treinta y siete años, día por día, porque ella no hace jamás fiesta, ni viernes ni domingos. Tenía dieciséis cuando entró aquí; era muy guapa. Ahora tiene una barbaridad. Se casó, la imbécil, y tuvo cinco hijas. Es analfabeta, por supuesto. Nunca quise que aprendiera nada. Yo la odio, y ella a mí más... Lo que usted ve a la derecha es mi cena. Claro, usted no la identificará como una cena. Un yogur, un plátano y unas cuantas galletas mojadas en agua hervida, eso es todo. Si no fuera porque fumo muchísimo, me habría muerto ya. Pero no tema, hay extractores de humo en todas las habitaciones.

—Yo también fumo... —empecé a decir.

—Ustedes, las chicas tan hermosas, tienden a creer que las mujeres con bigote nunca hemos amado. Qué equivocadas están. Hemos amado y hemos sido amadas... Yo estuve a dos dedos de casarme con Karl; pero éramos primos hermanos y no obtuvimos la autorización pontificia. El papa tendrá gracia de estado, pero no se portó bien. A pesar de todo, yo misma le regalé el castillo familiar con sus tierras; al norte de Italia, en la frontera suiza. No me hacía falta para nada. No obstante, todo lo que se haga por los papas es inútil... En una visita que hice a Roma, agradecido por mi donación, me preguntó qué quería. ¿Sabe lo que le contesté? «No besaré los pies de Su Santidad, que no me concedió hace veinte años la dispenda matrimonial; pero mi deseo es que Su Santidad me dé una vuelta en coche por Roma.» Y así lo hizo.

Yo estaba llevando el té al salón. No me atreví a indagar de qué papa me hablaba. Quizá ni ella misma lo sabía, o puede que hablase de dos.

—Ah, ya trae el té. Guapa, simpática y eficiente. Es imprescindible que me diga de quién está enamorada. Una muchacha como usted no esta aquí sino por amor.

Le sonreí. Sin darme cuenta, había empezado a abanicarme con una revista que estaba sobre una mesa.

—Me gasto un dineral en calefacción. El té está buenísimo. He conseguido que, apretando un botón que anda por ahí, se encienda la de todo el apartamento. Sólo lo apreté una vez, cuando me lo instalaron; desde entonces, esto está a veintiocho grados.

—¿De día y de noche?

—Para mí ya tampoco hay eso. Yo duermo cuando puedo; en calderilla. Un ratito sí y otro no. Cuando se larga ese ogro de Harife, me acuesto, y ya voy de tumbo en tumbo hasta que vuelve. Por eso tengo todo cerrado, para no enterarme de que es de día y no debo dormir, o de que es de noche y debería estar dormida. Por eso, y porque esta luz y este sol son tan fuertes que me hacen daño a la piel y a los ojos... Mis huéspedes me temen; ellos se figuran que no lo sé. Me temen, primero, porque los acecho y les exijo que se queden un ratito charlando conmigo para que el tiempo no se me haga tan de plomo, y después, porque no sé a qué horas vivo. Hay un huésped español jovencillo, que no tiene otro defecto que estar enamorado de Turquía; yo, cuando sé que sube, abro la puerta y le reprendo: «¿Qué horas son estas de llegar?» Y son, a lo mejor, las tres de una tarde radiante, y el infeliz regresa de tomar el sol. A otro, un alemán que trabaja en arqueología, ya ve usted qué porvenir, le dije ayer: «Harife no ha venido todavía. Esta mujer me está dejando morir de hambre. Como todos los turcos, sólo sabe pedir dinero. (Usted está aquí por eso, por no ser turca.) No sé qué hacer, Herr Funkel», y él me contestó muy germánico: «Señora condesa, son exactamente las veintiuna y treinta y siete» —se rió de una forma cautivadora.

—Estoy admirablemente con usted, señora condesa, pero he de irme. Me esperan en el Bazar para cerrar la tienda.

—No me llame señora condesa, llámeme Ariane. Y dígame su nombre.

—Desideria Oliván.

—Un nombre de una vez; me gusta. Vaya al dormitorio y mire esas alfombras.

Las vi con una luz insuficiente. A pesar de ello, comprendí que eran magníficas y que merecían cualquier tipo de pena. Me enorgulleció haber intervenido en un negocio así: Yamam me respetaría un poco más. La condesa persistía en hablar.

—Las tenía en el cuarto trastero, pero ocupan demasiado sitio. Diga Harife lo que diga, yo necesito espacio para los diarios y las revistas. Me los mandan cada día para que esté al corriente, y a veces me surge la duda de dónde he leído tal o cuál noticia; deben ser conservados. Las alfombras, para mí, son cosas muertas: sin embargo, los periódicos son la vida. Lléveselas usted.

Me dijo el precio. Pensé que bromeaba. Asomé la cabeza detrás de la cortina. Ella seguía mojando galletitas en el té.

—¿Todas por esa cantidad?

—Ésa es la condición: todas. ¿Qué iba a hacer yo con las que no quisiera usted? Peores por mejores, todas.

No había ninguna mala, pero por ese precio me parecieron todas buenísimas. Entendí que las razones para dármelas regaladas eran tres: que de veras necesitaba espacio; que buscaba mi amistad para que la visitase y la escuchase, y que no tenía ni la menor idea sobre el dinero.

—No tenga cuidado, Ariane. Mañana mandaré un coche a recogerlas todas.

—No; no mande a nadie, venga usted en persona.

Fui, en efecto, al día siguiente. Le llevé una caja grande de galletas danesas y un paquete de té inglés. Se hizo el negocio. Bueno, el negocio lo hicimos Yamam y yo. Yamam no podía creérselo.

—Las alfombras son muchísimo mejores de lo que yo habría esperado. Aunque requieran permiso de exportación, porque son muy antiguas, siempre habrá buenos clientes dispuestos a esperar por conseguirlas. O las camuflaremos entre otras.

La segunda novedad que se ha producido se llama Mahmud.

Por el Bazar transitan de continuo ciegos, inválidos y mendigos que intentan vivir de lo que les sobra a los que allí compran y venden. Muchos de ellos tienen menguadas sus facultades mentales. Yo, que siempre me sitúo en la parte de los desdichados, procuro tener una limosna a mano para ellos, y hasta una sonrisa, esté o no mi Magdalena para tafetanes. Quizá lo que me acerca a esta gente sea el egoísmo de cerciorarme de que hay seres más infortunados de lo que yo lo he sido nunca.

En el Bazar nos conocemos todos, y estos menesterosos no son una excepción. A lo largo del día llegan unos u otros. No entran, pero se apostan cerca y esperan que los vea yo. Me llaman *cuñada*, seguramente porque Yamam, de la misma religión —más o menos—, es su hermano. No deja de ser una ingenua manera de agasajarme, y me halaga desde luego que den por sentado que soy la esposa de Yamam.

Entre los deficientes, desde el primer día me atrajo uno habitual. Era un niño de unos nueve años, descalcillo, que vendía chicles, caramelos, cigarrillos sueltos y otras naderías en una bandejita de madera que se colgaba al cuello. No me pidió jamás una limosna; yo le compraba chicles, porque me enternecía tan niño aún, tan desvalido y tan consciente, no obstante, de su oficio de vendedor. Todas las mañanas comparecía, como quien cumple un deber, en la tienda. Cada vez le compraba yo más chicles, e incluso empecé a devolverle los del día anterior. Abría entonces mucho los ojos y la boca, y emitía unos sonidos ininteligibles, creí yo, para todos.

—Tu tonto te pregunta —me interpretó Yamam— que si no te han gustado.

—Dile que sí, que mucho; pero que me gusta más aún que él los venda otra vez.

Desde ese momento, él me cambiaba mis chicles por otros nuevos y se negaba a cobrármelos. Tuve que regalarle cajetillas de tabaco, como si él fumara, aun a sabiendas de que las vendía. Hasta que una noche, ya en casa, le propuse a Yamam que el chiquillo se quedase en la tienda. Sería bueno tener un muchachito que limpiase los ceniceros; que trajese los tés y los cafés; que devolviese a los clientes sus abrigos, y que retirase los vasos y las tazas.

—Tú me has enseñado —continué— que en el Bazar todos los oficios están muy separados, y que, por ejemplo, quien despliega o pliega las alfombras jamás es el que hace el artículo de ellas al cliente. Como los dos chicos que hay en la tienda tienen ya un cometido, ¿no opinas que nos daría cierto tono contar con una especie de botones?

—Pero tú sabes que es tontito, Desi.

—Deja eso de mi cuenta.

Al día siguiente le planteé, a través de Yamam, mi ofrecimiento. Me miraba fijamente a mí, mientras Yamam le hablaba. Al terminar, sonrió como un niño normal y me besó la manga del vestido; luego me puso encima de la falda la bandejita de madera. Yo se la devolví, no sin emoción.

—Vende hoy toda esta mercancía, y ven mañana.

Por la tarde, a la hora de cerrar, estaba allí con la bandejita vacía y repitiendo:

—Mañana... Mañana... Mañana...

—Sí, Mahmud, hasta mañana —le dije, acariciándole la cabeza.

Cuando llegamos Yamam y yo a abrir la tienda, lo vimos ya desde lejos. Venía pelado al cero y con unos zapatos casi nuevos, claramente pequeños para él. Se los señalé.

—Son de mi hermano; tiene seis años —dijo entre muecas y balbuceos—; mi madre me ha mandado ponérmelos.

A partir de ese día (aparte de comprarle unos zapatos nuevos de su número, que él besaba sin cesar, pero no se ponía para no ensuciarlos) he tratado de enseñarle las cuatro reglas y también algo de castellano. Sé que me contempla, cuando estoy distraída o cuando le doy sus clases, con tanta adoración que me hace considerarme indigna de él. No quisiera defraudarlo nunca. Él ignora hasta qué extremo tiene sentido mi tiempo libre ahora.

He vuelto a ver a Ariane. En cuanto tengo tres o cuatro horas libres —con menos, sería imposible—, voy a su casa. Me ha regalado una cajita, hermosa como una joya, y un icono. Hay momentos en que tengo que ahuyentar la idea de que se ha enamorado de mí.

—Yo estudié —me decía hoy— en la *Istanbul High School for Girls*. Fui tan buena alumna que, al graduarme, me concedieron una beca para perfeccionar mi inglés en Londres. A mi vuelta, me aceptaron como profesora en la escuela. En ella he enseñado treinta y tres años —lo decía con una sonrisa soñadora—. Buena parte de mi vida estuve, pues, rodeada de las muchachitas más lindas de Estambul. Todas me recuerdan, aun después de casadas... Me recuerdan, claro está, por insoportable, por exigente y por rígida. Yo, sin embargo, fui dichosa... Cuando por la edad tuve que dejar las clases, comencé a recibir una pensión del Estado, pero no sé de cuánto; el banco, sí. Si quiere que le diga la verdad, querida Desideria —bajaba la voz— en los últimos años tengo la sensación de que paso apuros. Y es que los turcos siempre engañan, siempre roban: la manicura, el electricista, el peluquero y Harife.

—¿Harife también?

—Ella, la primera, y eso que sabe que esta casa va a ser suya. Por cierto, me gustaría que fuese usted testigo de la donación. Las cosas hay que hacerlas en vida; si no, los gobiernos se lo llevan todo... Yo, antes, tenía amigas. Pocas; pero ahora, ni una. Para mí, que Harife me las espanta. O quizá hayan creído que me he muerto. O que me he ido a vivir a Suiza con mis tíos, que también habrán muerto... Había una Popi, una griega, que tenía gracia. El mes pasado, o el año pasado, la oí hablar con Harife en la puerta; no sé por qué no entró... Como comprenderá usted, yo era muy conocida, con todas esas chicas de la escuela que pertenecían a las mejores familias. Me respetaban todas las minorías: los armenios, los griegos, los levantinos italianos, los sefardíes... Alcancé bastante poder; claro, como las chicas crecen, hacen buenas bodas e influyen sobre sus maridos... Y además, con tantos años, he tenido tiempo de conocer viejas historias turbias de mucha gente —sonreía de un modo muy pícaro—. Mire, esta calle llegó a estar toda levantada: el asfalto era malo y se pudrieron las farolas; daba miedo entrar en ella. De pronto, me cansé. Cogí una de esas libretas que tiene usted a su derecha —yo las había tomado por una enciclopedia en varios tomos— e hice un par de llamadas. Se asfaltó la calle y se repuso el alumbrado. Esas libretas de teléfonos tan desordenadas aún tienen alguna utilidad —soltó una pequeña y traviesa carcajada—. Supongo que habrá muchos estambuliotas (qué feo es ese gentilicio, ¿verdad?) que descansarán cuando me muera... ¿Por qué no me cuenta algo de usted? ¿No somos aún amigas?

—No tengo nada que contarle, Ariane, de veras, estoy en el Bazar, tengo un marido turco, soy feliz: eso es todo.

—Prométame que, si un día deja de serlo, me contará por qué.

—Se lo prometo.

No sé si escribir que Mahmud avanza muy lentamente. Nada más llegar le pongo su tarea y él, con la lengüecilla entre los dientes, trata de hacerla lo mejor posible. Cuando yo le mando que salude, ya dice: «como osta oste», y yo sonrío triunfalmente.

Las cuentas se le dan un poquitín peor. Él antes sumaba o multiplicaba en chicles o en cigarrillos, y en eso era infalible; ahora lo hace en cajetillas, que es lo único que nos atrevemos a mandarle comprar, o en vasitos de té, y sigue sin cometer un error. Pero si no existen tales objetos, no hay resultados. Mahmud no opera en abstracto: no le ve la utilidad... Aunque esto no es cierto del todo: algún progreso hace; bastante progreso para su cabecita. Dice Yamam que hasta el turco lo pronuncia mejor. La división aún no la hemos tocado, pero todo se andará. A mí se me cae la baba al verlo, con la baba caída, aplicarse, porque sé que lo hace por mí. Le he tomado un cariño más grande del que hubiera supuesto.

Hoy fui a casa de Ariane para ser testigo y firmar en el documento de donación del edificio entero a Harife. Al salir, me he tropezado en el portal con aquel huésped español del que me habló. Es un muchacho madrileño que lleva tres años aquí. No sé si vino en busca de algo o huyendo de algo, pero está como pez en el agua. Es simpático y generoso, y quiere a su casera. Me ha hecho gestos de que saliéramos, con un dedo en los labios, y hemos charlado un rato tomando un café en el Pera Palas.

—Si nos hubiese oído Ariane, no habría consentido ni que nos conociéramos siquiera. Es muy absorbente. —Se reía de un modo muy abierto.

A una pregunta o dos que le he hecho sobre ella, ha contestado confirmando casi todas mis sospechas.

—No deduzcas que la conozco mucho mejor que tú; sólo de más tiempo... Ha sido una gran despilfarradora. Pero yo juzgo que su decadencia es todavía gloriosa. Fíjate, no soporta a nadie, no pide nada por favor, no da las gracias, y, sin embargo, hay algo que denota en ella una exquisita educación: ciertos gestos, una precisión en las palabras, una manera de dejar caer la cabeza hacia atrás al reírse... A mí me trae frito. Está al otro lado de la puerta esperando que pase. Por muy cargado que venga de la calle, siempre me detiene y me mete en el salón para que la escuche; cosa que a mí me encanta. Y habla y habla hasta que, de repente, me tiende la mano y me dice: «Bueno, ya está bien. Adiós.» Y me despide... Si se te ocurre preguntarle algo, no te contesta: hace un movimiento vago y sigue con su relato. Y cuenta las cosas como ella se las ha contado a sí misma muchas veces, igual que un papel muy ensayado. Yo sé cuándo va a reír o a sonreír, cuándo va a levantar una mano, o va a recostar la cabeza en el sillón, o a moverla de un lado para otro... No, de dinero, anda pez. Los pisos nos los tiene alquilados por un precio ridículo; no se ha enterado de que la inflación crece, ni de nada. Tiene la cabeza en el año del catapún, y nunca ha manejado dinero, ni lo entiende. Gracias a que necesita muy poquito. —Yo no me atreví a decirle que por qué no le sugería una subida de los alquileres; tampoco yo le había sugerido que me subiera las alfombras—. Si no fuese por Harife, aquello sería un desmadre. Esa mujer es de una fidelidad canina. Ariane, para insultarla, emplea el francés o el italiano, y la infeliz, que sabe que la está insultando, se muerde el labio, agita la cabeza, se encoge de hombros y se va a la cocina. Podía haberle robado lo que le hubiese dado la gana, pero jamás lo ha hecho. Yo las admiro a las dos, a cada una en su estilo.

—Dará gusto oír hablar a Ariane sobre el antiguo Estambul.

—No habla apenas. Al actual, desde luego, lo ignora, y del Estambul esplendoroso habla muy poco. Al que se refiere es al que conoció: el de la calle Pera, la Istiklal de ahora, el de los extranjeros y las minorías: el barrio donde ha vivido siempre y del que salió poco, el que va desde la torre Galata a la plaza Taksim. El Estambul intramuros del otro lado del Cuerno de Oro para ella ha sido y es una inhabitable atracción de turistas... Me congratulo de que tú tengas interés por ella. Ven a verla cuanto puedas. Sus antiguas amistades la han abandonado; hasta un buitre llamado Popi, que estaba convencida de que se moriría mucho antes.

Cuando nos despedíamos, reteniendo mi mano, me dijo:

—Qué raro que no nos hayamos conocido en el consulado. Ya nos veremos un día allí. Estoy encantado, de todo corazón, de conocerte ahora. Que te vaya muy bien.

Le dejé una tarjeta de las tiendas, por si necesitaba orientar a algún turista o a algún comprador.

En Turquía, el Día de la Madre es el segundo domingo de mayo. Hoy era la víspera. Yamam y yo hablábamos del tema, porque mañana almorzará con su madre, y sus hijos con la de ellos. Yo me quedaré sola en el piso; los domingos el Bazar no se abre. Me quejaba —sé que por pura fórmula— y vi salir a Mahmud de la tienda.

—¿Dónde vas, niño? —le pregunté.

Extrañamente ni me contestó, ni volvió la cabeza. Continué quejándome a Yamam; mi intención era que, por lo menos, me consolara. Unos minutos después regresó Mahmud. Traía un ramo de rosas. Sin decir nada, con los ojos muy brillantes, me lo ha puesto en el regazo y ha dado un paso atrás. Yo no lograba entender cuál era el motivo del regalo. Con un gran esfuerzo, él ha dicho:

—Matre...

Me ha emocionado su expresión tan dulce. He besado las flores; lo he abrazado a él, y me he echado a llorar.

Hoy mejor que nunca he comprendido que se puede ser madre de distintas maneras.

Hace un mes, estaba Yamam nervioso una mañana y pasaba las cuentas de su rosario de paciencia.

—¿Cuántas tiene?

—¿Este *tespih*? Treinta y tres; pero el auténtico, noventa y nueve: los noventa y nueve nombres de Alá.

—¿Te los sabes todos?

—No hace falta: él sí se los sabe... Sólo lo uso para serenarme.

Yo junté mi mano con la suya y nos pusimos a pasar cuentas los dos.

—Estáte amable con un cliente que va a venir hoy.

—¿De qué nacionalidad?

—Francés, y no será necesario que te lo presente; los franceses...

No le di importancia; cada día pasaban por la tienda bastantes clientes y un número aún más grande de turistas.

—Éste es muy especial —insistió Yamam.

Siempre he tenido prevención contra los franceses. Como buena española, los encuentro envanecidos y petulantes. Me aburren; son antipáticos, y su idioma —sobre todo si son de *l'Ile de France*— me resulta insoportable.

—¿Qué quieres que le diga a tu cliente: la verdad? ¿Que, si me despierto por la noche, en vez de obsesionarme, me digo: «Mejor, así tengo un ratito más para odiar a los franceses»?

—Te repito que estés amable, ya me entiendes —me respondió muy serio.

Llegó por la tarde. Era un francés típico: medio rubio, medio calvo, medio gordo; engreído y completamente seguro de su *charme* y su *glamour*. Me miraba perdonándome la vida. Hablaba con Yamam en francés y en turco. Por lo que deduje, tenían algún negocio común, del que el señor Dupont —no sé cómo se llamaba— no se sentía muy satisfecho. Se lamentaba de calidades y de cantidades; Yamam procuraba apaciguarlo, darle largas, bajar el tono de la discusión, aconsejarle un poco de tolerancia, pero sin éxito. Yo intervine ofreciéndoles un té. Lo trajo Mahmud, y se lo serví con un gesto de lo más europeo. Pero el francés ya había visto los terrones de azúcar sobre el plato que tapaba cada vaso de té.

—Me gustaría ofrecerle a la señora un buen té *comm'il faut* —me dijo desdeñoso.

Yamam se levantó para enseñarle un kilim de seda azul que acabábamos de recibir y del que se sentía especialmente ufano. Me pareció un pretexto para ausentarse; estaba claro que a Dupont no le interesaban las alfombras. Aprovechando la ausencia de Yamam, Dupont, como al desaire, me acarició un muslo. Yamam estaba de espaldas. Lo llamé; se volvió; el francés no se inmutó, ni apartó su mano de mi muslo... Permaneció en la tienda media hora más conmigo, mientras Yamam atendía a otros clientes, y me dejó una tarjeta con el número de su habitación en el hotel.

—¿Quiere que nos veamos mañana? A las cinco estará bien. Tomaremos un té juntos y, después de que pase todo, podremos también cenar, si le apetece.

Estaba tan sorprendida que no pude ni hablar.

Nada más irse, sublevada, le conté a Yamam lo ocurrido.

—Ve a esa cita. Ya te advertí que fueras amable con él: es persona poderosísima.

—Pero ¿tú sabes lo que me estás pidiendo?

—Le das demasiada importancia. ¿Qué trabajo te cuesta complacerle y complacerme a mí?

Se alejó para recibir a una señora con sus dos hijas y un marido detrás que entraban por la puerta. Yo no entendía nada; no me cabía en la cabeza. Me repetí asombrada: «Yamam no ve inconveniente en que vaya a tomar un té y lo que sea a la habitación de este imbécil; incluso me lo ordena.» No podía entenderlo. Me senté en el banco corrido pegado a la pared del fondo; abrí el libro de crucigramas para ocultar que no miraba a ningún sitio; intenté recapacitar sobre mí, sobre Yamam, sobre lo inverosímil de la situación... Me levanté. Volví a contarle lo del francés.

—Te he comprendido perfectamente, Desi. Y tú a mí, también.

Me había hablado con la mayor frialdad. Salí de la tienda en busca de un teléfono. Llamé a Paulina. No sé lo que le dije; no lo recuerdo. Supongo que le di la impresión de estar enloquecida. Sí sé que comenté: «Yo tendría que matar a alguien, pero no sé a quién...» Quería irme a España, no tenía otro remedio. Le suplicaba que el consulado me arreglase el problema del billete. No volvería nunca más al apartamento... Sí; tenía mi documentación conmigo y en regla... Telefoneaba desde el Gran Bazar.

—Toma un taxi y vente a casa. Si no tienes dinero, lo pagaré yo aquí.

Al día siguiente volaba hacia Madrid. Me montaron en el avión atiborrada de pastillas; más aún de las que me hicieron pasar la noche atontolinada, después de una conversación con una Paulina triunfante, feminista y antiturca. Llevaba un maletín que me había prestado, unas cuantas pesetas y las tinieblas del fracaso abriéndose camino en mi cabeza.

Todo mi escaso raciocinio se reducía a esto: «El amor no sirve para nada; no cambia nada; no resuelve nada. Es una prisión donde no hay esperanza; su única salida es la muerte: la de uno mismo o la del amor; pero ¿cuál es la preferible?»... El amor en mi vida era un castigo por un crimen que no sabía cuál era ni cuándo lo cometí... «Ahora —pensé— sí sé el crimen que he cometido —escuchaba una voz: "¿Dónde está tu hijo?"—; pero ¿por qué se me castigó de antemano con lo que iba a ser precisamente la causa de tal crimen?»

Desde hacía más de veinticuatro horas no discernía con claridad. Dejé de intentarlo. El avión había despegado ante mi indiferencia. «Ojalá nos matemos»... ¿Quién tendrá piedad de la enamorada? Nadie, a pesar de que no elige ella; no elige ella, y por eso nadie la compadece ni la absuelve. Estaba herida de muerte, humillada, ofendida; pero no podía dejar de amar. Odiaba a Yamam, deseaba su aniquilación; pero en mi mano no estaba dejar de amarlo. ¿Hasta cuándo iba a ser así?

¿Qué curación podía esperar? ¿Era el alejamiento la mejor medicina?

Otra parte de mí —pequeña, pero que se ampliaba a medida que iba razonando— inquiría para qué tales medicinas. ¿No estaría actuando en función de mi amor propio, de una soberbia incompatible con el amor, en el que el cuello sólo sirve para que nos lo besen o para que nos lo pisen o para que nos lo corten? ¿Que sufría? Bueno, ¿y qué? Los dolores habían sido, desde el primer momento, mi mejor regalo. Si viniese alguien a decirme —lo había repetido cien veces—: «Vuelve al tiempo en que no conocías a Yamam, y dejarás de sufrir por él», ¿no lo habría mandado a paseo? Sería como pasar de una actividad vibrante a un limbo alelado.

Más aún, ¿no afirmaba yo siempre que el dolor es una prueba más honda del amor que el placer, y deja una huella más profunda? ¿El verdadero amor no es el que perdona y empieza cada día? ¿No me comportaba como una chiquilla a la que no salieron las cosas como ella soñaba? Los placeres se parecen más unos a otros; mirando para atrás, difícilmente identificaría éste o aquél. El dolor, por contra, es inconfundible. ¿A cuál se asemeja éste que hoy me martiriza? A ninguno: no se trata de celos, ni de desconfianza, ni de un defecto de amor suyo que yo ya intuía. «De esto no deberá opinar quien no lo haya sentido... No soy masoquista, no: razono.» El placer se asimila a sí mismo; acaba por confundirse con otro, y no es jamás infinito. El dolor —buena prueba era yo— no se parece a nada, ni a él mismo un segundo antes, ni a otro dolor; no se repite nunca, y puede prolongarse sin medida en extensión y en profundidad.

«Lo que me ocurre es el resultado de un orden cuyas reglas desconozco tanto que lo tomo por un desorden...» Me estaba adormeciendo... Un venerador de la Naturaleza se tiende a tomar el sol, o a la sombra de un árbol, y aplasta hormigas y menudos insectos: seres que latían y correteaban cumpliendo su incógnita misión. Se alza la mano, y se quebranta el laberinto en que habita la araña. Se pisa, y se destroza el hormiguero hermético y sombrío. Se hace silbar una rama, y se perturban las ondulaciones del aire... En la infinita cadena, romper un eslabón es aniquilar un secreto equilibrio. Ahí está, en torno nuestro —y nosotros formamos parte de ella— una pasión destructora de todo contra todo, con la que la Naturaleza también cuenta, junto a su pasión reproductora. En este universo, que no captamos mientras estamos vivos, todo se destruye entre sí... «Eso es lo que a mí me sucede.» ¿Me había dormido? Soñaba con los labios gruesos de Yamam, con su sexo de glande tan suave, con sus estrechas caderas... ¿Y era eso lo que me había destruido? ¿Por qué me di tan pronto por vencida? ¿No era mi intimidad con él superior a todas las demás intimidades, incluyendo la mía conmigo misma? ¿No era yo más suya que mía? El hecho de no desear ser más que suya, ¿no era lo que me había traído donde estaba? ¿Cómo decir «hasta aquí soy suya y ya desde aquí, no»? ¿Qué condiciones eran esas? No sacar placer de este aparente desastre sería defecto mío. ¿No le dije yo: «Ámame y mándame»? Pues qué pronto puse trabas a su mandato. Sencillamente quise que mi voluntad estuviese por encima de la suya. Y ése, desde luego, no es un problema de amor.

Cuando descendí del avión, pensaba de una manera opuesta a cuando me subí. Una vez más comprobé qué perjudicial es dar intervención a nadie en las peripecias amorosas, en las perplejidades o en las iras del corazón. Es como pedir socorro por una ventana antes de ratificar que arde la casa: los bomberos siempre causan, por lo menos, tantos estragos como el fuego...

Sin embargo, en el taxi hacia Madrid volví a empeñarme en que la ruptura con Yamam, por desgarradora que fuese, era imprescindible. Opinaba bien quien opinaba que yo descendía más y más bajo por una rampa encerada y sin término. No era bueno alterar de tal modo la habitual estructura de los sentimientos, de la entrega, de la renuncia. Porque siempre que uno renuncia a sí mismo es con la convicción de que será bien recibido y bien tratado; si no, a nadie se le ocurriría ponerse en manos de otro... «Pero entonces, ¿qué mérito tiene ninguna entrega? Eso es lo que más se parece a un matrimonio de mutua conveniencia. Y de uno así es de lo que renegaste.»

El taxista me llevó a un hotel discreto. Era viernes, y, después de descansar, me eché a la calle. Antes Madrid siempre me resultaba ruidoso y agobiante; ahora lo encontré demasiado tranquilo y muy civilizado, sin duda en comparación con Estambul.

No deseaba estar sola, puesto que me contradecía permanentemente. Telefoneé a Julia y a Fermín; quedé para almorzar al día siguiente: ya les contaría qué hacía en Madrid. Llamé a Pablo Acosta; en su casa una voz femenina —¿se habría casado?— me comunicó que no estaba en España. Entré en un cine para oír el doblaje español. Al salir, iban y venían coches por la Gran Vía y por la Castellana como si fuesen las siete de la tarde. La temperatura era agradable, un aire fino lo oreaba todo. Al cruzar de un lateral a otro del paseo, un hombre que no tendría treinta años, se me arrimó.

—Hola. ¿Vas a algún sitio concreto o estás paseando?

—Las dos cosas.

—Pues, si quieres, ya has llegado.

Me hizo gracia su inconsecuencia. Tenía el pelo rizado y no corto; vestía ropas falsamente vulgares, y debía de haber dejado el coche hacía poco o de ir en su busca, porque jugueteaba con las llaves.

—¿Quieres tomar una copa conmigo?

—Si es sólo una copa, sí.

Lo vi despreocupado y muy directo.

—No sé por qué me da que tú no eres de aquí... Pero acento suramericano tampoco tienes.

Me llevó a un bar con terraza donde me sentí envuelta por mi idioma. Me emocionó absorber sin mediador lo que se decían unos a otros, sus contestaciones, sus desafíos, sus piropos, sus tacos; y también que algunas palabras quedaran fuera de mi comprensión. Eran jóvenes; unas parejas bailaban, otras apenas se movían al ritmo de la música; cada cual hacía lo que se le antojaba.

—Me llamo Iván.

Su nariz era corta, su sonrisa tan bonita que parecía fingida; empezaba a perder pelo, era algo más alto que yo y puso su mano sobre mi hombro con un desahogo no ofensivo.

—Acabo de llegar de Estambul.

—¿Eres azafata?

—¿Sólo las azafatas vuelven de Estambul?

—A estas alturas del año, más o menos. ¿Y qué haces allí?

—Estoy casada con un turco.

—No jodas, di la verdad. ¿Cómo vas a estar casada con un turco? —Me eché a reír—. Cuando te ríes da gloria verte. Al abordarte, me pareciste una mujer desgraciada; ahora, ya no.

Fuimos a pie a su apartamento. Tenía necesidad de saber cómo me hacía el amor un hombre que no fuera Yamam. Y terminé sabiéndolo al dedillo, porque ni un sólo minuto dejé de discurrir... Supe cómo me besaba, cómo subía sus manos desde mi cintura a mis pechos, cómo me volcaba sobre el sofá, y con qué torpeza desabrochaba mis corchetes. Yo desabroché también su cinturón; le saqué la camisa; bajé la cremallera de sus pantalones; rocé su pene en erección; miré sus ojos cerrados y su boca ansiosa... Me entregué como consideraba en conciencia que debía hacerlo. Y deduje, con mayor lucidez que nunca, que hay gente para la que hasta el placer es un trabajo. Ya había conocido mujeres así, pero quizá hasta entonces no tuve la prueba personal: no se abandonan, no gozan; quieren corresponder y quedar bien. En una conversación, en un baile, en la cama, les da igual. Tienen que estar presentes, hacerse notar, no pasar inadvertidas, y eso les cansa tanto que las impide disfrutar, cobren o no cobren por ello.

El alma no puede sentir ni orgullo, ni vergüenza, ni curiosidad. Porque, mientras procura superar o satisfacer cualquiera de tales sentimientos, el placer pasa y se evapora; y queda sólo la añoranza de lo que pudo ser. Hay que sentirse segura —pobre o rica, como se sea, pero segura— y luego abandonarse a esa seguridad.

Iván, con un cigarrillo encendido, me daba ya las gracias y ponderaba mi forma de hacer el amor.

—Me has convencido de que es cierto lo del turco —añadió riendo.

Me llevó en coche a mi hotel y nos comprometimos a telefonearnos. Yo sabía que no lo vería más: no quedaba en mí nada de él, ni el rastro de un roce, ni de una caricia, nada. ¿Por qué me había resistido —si es que no era una celada que me tendía Yamam— a acostarme con aquel francés horrendo? ¿No acababa de acostarme con este madrileño joven y guapo? ¿Y qué había sucedido? ¿Qué terremoto, qué catástrofe? Ahora, tendida en la cama, a punto de dormirme, meditaba qué osado es el que exige pruebas de amor: para el que las recibe completas, significan una relativa confirmación, porque la absoluta en el amor no existe; pero para el que las da, no son más que un peligro y una irresolución... Cuando ya entraba en el sueño, sentí mi mano llena con los testículos de Yamam, y mi boca, llena con su pene. Y entre brumas me dije que era insensato e inútil resistirse.

Nada más llegar a casa de Julia, me di cuenta de que me había equivocado. Salieron los niños a saludarme, comedidos y atildados. Aquélla era una familia instalada de un modo concluyente, envidiable a los ojos de todos, y muerta, a los míos. Probablemente Julia le había recomendado a Fermín que se retrasase para hablar conmigo a solas. Se refirió, en primer lugar, a *nuestros conceptos religiosos* (eso dijo), y a la urgencia de que, dado el primer paso, retomara el buen camino... Todo se arreglaría si estaba dispuesta a volver al redil. Yo pensaba: «La religión del amor es mi única religión. No creo en ningún dios que no sea amor. El verdadero dios es el que a mí me ha unido con Yamam. Yo no lo busqué; ninguna fuerza humana, ni divina, me apartará de él.»

«¿Qué hago yo aquí?», me pregunté luego oyendo una retahíla de vulgaridades y monsergas. ¿Cómo en tan poco tiempo me había distanciado tanto de esta mujer, que continuaba siendo como la conocí? El orden; me hablaba ahora del orden, de que cualquiera tiene tentaciones de tirarlo todo por la borda, pero se resiste.

—El matrimonio es algo serio, inamovible, indisoluble. No porque lo sea de antemano, sino aún más: porque lo llega a ser, gracias a la recíproca comprensión y a la vida en común.

—Por eso yo no me encontraba casada con Ramiro y sí me encuentro casada con Yamam.

—Pero ¿estás o no casada con el turco? ¿Por qué rito? La Iglesia no reconoce los matrimonios de mixta religión, sino en determinadas circunstancias. ¿Y en qué religión educarás a tus hijos? Son cuestiones que hay que tener en cuenta...

Demasiadas preguntas. Decidí no contestar ninguna, y me sonreí mirándola a los ojos. La sonrisa no fue convincente porque Julia concluyó:

—De todas maneras, no te veo muy contenta.

—Voy a ir a Huesca —dije de pronto, pensando en mi padre, en Trajín y en mis amigas.

—No lo hagas. Ramiro solicitó el traslado; está en Toledo. Tu hermano lo siguió; todos tomaron su partido: es fácil de entender. Fermín y yo podemos intervenir, aunque lo veo complicado, si quieres volver con Ramiro y él te acepta. Claro, en una ciudad donde no se sepa nada...

Yo pensaba: «Pero ¿por qué la gente de Huesca se siente insultada por mí? Si me querían, querrían mi bien. Un amor como el mío es un don de la vida. Todos, aun a su pesar, tendrían que haberme dado la enhorabuena... Pero estos amores son aborrecidos, anatematizados, y, aunque no se diga (porque la envidia pregona una insuficiencia), envidiados también.»

El mundo no ha sido hecho por los felices ni para los felices. Exige pagar un miserable peaje, como el que me estaba exigiendo a mí, por la felicidad, o como quiera que se llame ese estado de plenitud y de evasión de su orden riguroso... Inesperadamente se me saltaron las lágrimas; no sé si porque evocaba el bien perdido, o porque me dolía la incomprensión, o la falta de generosidad ajena, o la ñoñería. En cualquier caso, mi emoción no iba a ser bien interpretada. Abrí las manos.

—Estoy aquí. ¿Qué más puedo decir?

—Si Ramiro no te aceptase, sólo te queda perderte en Madrid, procurarte aquí una vida honrada, comenzar otra vez. Fermín y yo te ayudaremos.

O sea, si me jorobo, si me sacrifico, si abdico de mi plenitud, ellos me recompensan con un trabajo que tampoco es sencillo conseguir, del que derivará un mérito para sus conciencias, y que me dará un número en sus admirables filas de castrados. ¿Cómo iba a decirle que yo nunca sería yo sin Yamam?

Cuando entró Fermín, se inauguró con la pregunta que yo esperaba.

—Pero ¿qué tiene el turco?

Me eché a reír.

—Tiene los ojos así —dije achinando los míos con dos dedos.

—¿Y eso qué tiene que ver?

—Nada y todo. ¿Qué tenías tú cuando te conoció Julia? ¿Qué tenía Julia cuando la conociste tú? Lo que fuese, a fuerza de verlo, lo habéis perdido... El amor no requiere nada excepcional: asoma, se posa y ya está.

—Es que tú te crees que el amor es lo único que hay en la vida. Y la vida está llena de cosas: los hijos, el trabajo, la colectividad, la consideración, la buena fama y otras muchas más. El amor a secas es el principio de una familia, un sentimiento más bien adolescente.

Sirve para algo, siempre que aprenda a salir de sí mismo y a crear y a procrear; pero, en otro caso, es un enemigo de la sociedad y de la persona.

—Es cierto —le dije.

No tenía gana de discutir, y además no hubiera servido para nada. Lo que sucedía es que hablábamos idiomas diferentes, creíamos en dioses diferentes, aspirábamos a fines diferentes. Por otra parte, estaba convencida de que ellos llevaban razón. Yo ignoraba lo que tenía el turco, y, aunque lo hubiera sabido y dicho, a ellos no les habría servido para nada: no habrían entendido.

Mi viaje a Madrid sirvió sólo para demostrarme —o para que me demostraran— que mi sitio estaba en Estambul o donde quiera que estuviese Yamam.

TOQUÉ EL TIMBRE DEL APARTAMENTO; no abrió nadie. Como era domingo, supuse que Yamam habría salido con sus hijos. Me senté en el descansillo y me quedé dormida. Me despertó su voz.

—¿Qué haces aquí?

Abrió la puerta y de un empellón me metió dentro.

—¿Dónde has estado?

—En Madrid.

Me dio un revés tan grande que casi perdí el sentido. Tenía todo el derecho. Así quedaba claro, para él y para mí, que había vuelto rendida. Mi cuarto viaje a Estambul se producía bajo el acatamiento a mi dueño. Era como una esclava que hubiese huido de la plantación y la hubieran pescado las escopetas y los perros; estaba a expensas de lo que el amo decidiese.

—Ahora tendría que echarte de esta casa; dejarte en medio de la calle... ¿Qué esperas que haga?

Yo me decía: «Si no existiera un riesgo de perderlo como el que yo he corrido, ¿qué sería del amor? ¿Qué valor tendría la vida sin la muerte? El hombre en general, pero el enamorado más, está siempre al borde de un derrumbadero. Saberlo es lo que lo alerta y lo mantiene en vilo, lo que no lo deja dormirse. ¿Cómo alguien se preocupa de inventar fórmulas y recetas contra el tedio que mata al amor? ¿Qué tedio es ése? Cuando una se siente tan desposeída, y posee a la vez todos los tesoros del mundo, ¿qué tedio cabe?»

—Di: ¿qué esperas que haga? —repitió Yamam.

—Perdonar.

Me lancé a sus brazos. Él me rechazó.

—Ponte agua fría en la cara —me dijo.

Se me había hinchado el pómulo. Con los mismos nudillos con que me golpeó, ahora lo acariciaba.

Cuando se recupera lo que por un momento se creyó perdido, se reinaugura la creación entera. No hay nada tan deslumbrante como realojarse en un cuerpo, posesionarse de los rincones conocidos, tomar con tus manos lo que soñaste —en una pesadilla— que nunca más tendrías, recorrer con la lengua un territorio cuya propiedad te sigue perteneciendo, apretar con las rodillas unos costados tan deseosos como deseados, perder de nuevo la identidad, y sollozar, sollozar, sollozar, porque has regresado a casa, y te has introducido en ella, y el dueño en ti, y todo está como antes, como nunca debió dejar de estar.

Dos días después vino Paulina. Nunca sabré —no quise preguntarle— por qué y cómo se había enterado de mi vuelta; quizá se lo dijo Yamam mismo. Con una sonrisa sesgada y una expresión autocomplacida se fijó en mi moradura. Venía a invitarme a una partida de cartas para el día siguiente en su casa.

—Como no tenéis teléfono... Estuve a punto de mandar a un empleado, pero no me atreví.

—Bien hecho. Ya sabes que esta casa no es mía.

—¿Vendrás entonces?

—Yo juego mal al *bridge*. Y además los entretenimientos sociales no se han hecho para las mujeres felices.

—¿Felices? —preguntó con ironía—. ¿Y eso? —Señalaba mi mejilla.

—Eso es justamente la marca de la felicidad.

—Creo que es superfluo hablar más contigo. Supongo que, cuando se te ocurra emplear una técnica de vaivén con tu querido, no contarás con el consulado de España, ni conmigo.

—Puedes estar segura.

De todos modos, en el consulado hicieron la vista gorda. No sé si por caridad con una compatriota desgraciada, o por merodear en torno a un asunto que veían cada vez más negro. Continué recibiendo invitaciones, incluso alguna nota conmiserativa de la esposa del cónsul.

Después de mi vuelta, bastantes mujeres de ese círculo se sentían aún más interesadas en mí —quizá en Yamam—, y nos solían invitar a cócteles o a cenas. Él me animaba de cuando en cuando a ir. Y, si lo hacíamos, se producía un singular fenómeno. Delante de la gente (nunca antes de llegar donde fuera, y aún menos antes de salir de casa), Yamam comenzó a reprocharme que me hubiese puesto tal pantalón poco indicado, o tal abrigo demasiado ligero o demasiado claro. Él, que jamás se preocupó de mi vestuario o de mi aspecto, salvo por celos mal entendidos, me reñía, cuando había alguien delante, por no haberme maquillado o haberme maquillado en exceso. Si venía alguien conocido a recogernos, lo que no era corriente, me obligaba a cambiarme cuando ya estábamos en la puerta. Yo me acostumbré a preguntarle, caso por caso, qué me debía poner según su gusto. Pero eso, como intuía yo, no me dio resultado: él lo que deseaba era lucirse, demostrar su poder sobre mí ante un auditorio y unos espectadores, tratarme como a una turca sin serlo. Yo soportaba con regocijo esta nueva forma de posesión porque demostraba que, como nunca, me tenía en sus manos.

Una tarde nos habíamos citado Yamam y yo en un hotel, después de cerrarse el Bazar, para tomar una copa. Llegué un poco retrasada. Él estaba con el marido de Paulina, que se limpiaba el sudor provocado por su gordura y la cerveza. Lo noté exasperado.

—¿Qué horas son éstas de llegar?

—He estado en unos baños en Galatasaray. —Se lo contaba a Federico—. Llevo años en Estambul y nunca había ido. Vengo tan sedada... Qué prodigio.

Yamam me hizo girar hacia él y me atizó dos bofetadas no muy fuertes. Yo me encogí de hombros y le dije:

—Bueno, vámonos. Ya has demostrado aquí tu majestad. ¿Dónde quieres demostrarla ahora?

Tal comportamiento conmigo contrasta con su carácter amable respecto a los demás. Con la gente casi es demasiado comunicativo y gracioso. Yo me arguyo: «Quizá un hombre tan abierto, de un humor fácil y aficionado a reír, no pueda amar con la pasión que yo amo. A mí suelen reprocharme mi sequedad y mal humor. Aunque no soy así: lo que sucede es que estoy en lo mío, abstraída en mi tema, como cada loco con el suyo. Mi mayor deseo es quedarme a solas con Yamam.» En cierta ocasión, como si se refiriese a otra persona o sacase una conclusión en general, la mujer del cónsul, advertida sin duda por sucesivos testigos de la forma en que Yamam me trataba, dijo:

—No es prudente juzgar. Hay mujeres a quienes les gusta ser despreciadas. Sólo aman a sus amantes cuando éstos son crueles.

No me tomé el trabajo de replicar, pero le hubiera dicho:

—No; no los aman sólo cuando son crueles. O yo no, al menos. Yo amo a Yamam de cualquier manera que sea. También cuando de repente, me sonríe y me estrecha contra él. Entonces puedo sencillamente morirme... La vida hay que tomarla como viene, no sólo cuando es una juerga, y hay que poner al mal tiempo buena cara. Pero de veras, no una cara fingida. En esto, fingir no sirve para nada.

Estaba escribiendo esta página y, de súbito, he olido a Yamam; no el olor habitual de la casa, que es también el habitual suyo, sino el de su cuerpo. Levanté la cabeza del cuaderno y aquí estaba, tratando de leer por encima de mi hombro. Me he vuelto y he saltado a sus brazos. ¿Cómo es posible —me pregunté— que estuviese tan enfrascada escribiendo que no haya oído la puerta, ni sus pasos? Luego me he echado a reír. Mucho más sorprendente que el defecto de mi sordera es la virtud de mi olfato al anunciarme a Yamam... Tengo metido su olor en mis narices y en mi piel. A ojos ciegas, adivinaría si está él en una habitación entre otros muchos hombres. ¿Y qué tiene su olor de especial? No lo sé. Es el suyo, y me basta.

Ayer por la mañana andaba por las enmarañadas calles del Bazar. Ya las distingo, aunque todavía me desoriento a veces y he de recomenzar el itinerario desde el principio. Llevaba las tarjetas en la mano, y le daba una o dos a cada grupo de turistas que veía deambular de un lado a otro preguntando, comparando, ilusionándose o desilusionándose, llamándose mutuamente la atención sobre esta o aquella mercancía. Ellos aceptaban las tarjetas y, al notar que no era turca, se asombraban y me sonreían, mientras miraban la dirección, tan difícil de encontrar, pese al plano del reverso, en el dédalo del Bazar a ciertas horas.

De buenas a primeras, me ha parecido ver, ante unos kilims que colgaban a los lados de una puerta, a aquel escritor español que admiro y con el que coincidí en el museo de El Cairo. Me he acercado y, en efecto, era él. Lo acompañaban su secretario y una muchacha aproximadamente de mi edad. Lo he saludado:

—No me recordará. Nos vimos junto a la tumba de Ramsés II.

—Sí, sí; claro que la recuerdo. —Ha sonreído—. Tenemos las mismas preferencias.

Quizá no era cierto y sólo intentaba ser educado.

Inexplicablemente ha aparecido Yamam. Traía el entrecejo fruncido. Para evitar males mayores, se lo he presentado al escritor como mi marido. ¿Qué iba a hacer? Me complace decir esa palabra, sé que es una tontería, pero en fin. *Mi marido*, un poco sin venir a cuento, ha dicho:

—Yo he vivido en Madrid en la plaza de Alonso Martínez.

—Qué bien —comentó, sin el menor interés, el escritor.

Yo he añadido que en *nuestra* tienda, que está a dos pasos, tengo los recortes de unos periódicos en que lo entrevistan a él, y que está muy bien en las fotografías.

—Lo dudo, porque salgo fatal.

—Venga con nosotros. Vengan, quiero decir. —Me referí a sus acompañantes—. Tomaremos un té y, si les apetece, verán los mejores kilims del Bazar. La mayoría, antiguos. Si es aficionado, le complacerán.

Él se volvió hacia la muchacha como consultando su opinión; ella dijo «vamos», y nos dirigimos los cinco hacia la tienda.

Yamam mandó a Mahmud por unos tés. Nos sentamos y le enseñé sus fotografías; le adulaba, pero también le incomodaba: comprendo las ventajas del incógnito.

No me atreví a preguntarle qué hacía en Estambul, si ya lo conocía o era su primera visita. Vivía en el Pera Palas: lo prefiere a los nuevos hoteles impersonales, aunque sea algo menos cómodo, y le apasiona colarse en las fiestas de bodas atravesando la barrera de los grandes adornos de flores. Yo lo miraba boquiabierta. Estuve a punto de hablarle de estos cuadernos, pero me contuve. No había leído todavía su última novela, que me compré en el aeropuerto de Madrid.

—¿De verdad? —me preguntó, más convencido de la sinceridad de mi admiración.

Me sentía dueña de la tienda; volví a saborear lo que es un cliente propio, como en Huesca cuando apartaba a Lorenzo y hacía yo el elogio de la alfombra. Sin consultar con Yamam, decidí.

—Vamos arriba. Estaremos más tranquilos, y le mostraré los kilims que, de ordinario, no mostramos. ¿Tiene alguna preferencia de color o de dibujo? ¿Busca algo para un lugar concreto?

—Soy muy aficionado. Tengo la casa llena. Creo que una casa no está puesta del todo hasta que no llegan las alfombras y los cuadros... Es esta amiga —nos la había presentado: una periodista con la que había coincidido en el consulado; se reencontraron con satisfacción y ahora visitaban juntos la ciudad— la que los busca para una nueva casa. Yo la envidio: tener todavía suelos vacíos es una gran ventaja.

No sé por qué, yo presentía que la periodista no iba a comprar nada: era una mujer indecisa, alarmada por los precios y convencida de que la engañarían. Llevaba una chuleta con una larga nómina de equivalencias de moneda, que consultaba sin cesar.

—Permítame —le dije al escritor—. Quiero enseñarle la joya de la casa.

Yo me preguntaba a mí misma por qué había adoptado esa postura de vendedora grata. ¿Era por el escritor, al que quería retener y al que había rogado que se dejase fotografiar en *nuestra* tienda, o era por demostrarle a Yamam mi valor mercantil y los amigos entendidos y ricos que tenía en España? No lo sé; el caso es que Yamam me vigilaba desde un discreto segundo plano, con la tácita complacencia con que el maestro, semioculto, prueba ante los forasteros las facultades del discípulo.

—Yamam —le dije volviéndome hacia él—, ¿puedes

mandar que suban el kilim verde Nilo? El que perteneció a Ariane, la condesa de Tracia.

Yamam mandó subir el kilim. Yo me hinché y me crecí exhibiéndolo ante el escritor.

—Es una hermosa pieza. Combina los dibujos geométricos con una orla de flores no opuesta, por su distribución y su trazado, al *art nouveau*. Es una obra muy original, también por el color del fondo y por la extraordinaria calidad del hilo.

El escritor contemplaba el kilim y me oía con atención. La periodista y el secretario miraban otros kilims, que desplegaban los muchachos y les comentaba Yamam, resignado a ocuparse de la comparsería. El escritor llamó a su secretario.

—Cosme, ¿te acuerdas de las medidas del dormitorio de huéspedes? A sus tonos le iría bien este kilim.

—No estoy seguro, porque, como las mesillas de noche son de fábrica, habría que restarlas de las medidas generales.

El escritor vacilaba sobre la distancia entre la entrada y los pies de las camas; el kilim le parecía mayor.

—De ancho, está bien, pero es más largo que el espacio libre.

—Da igual que pase debajo de las camas —le advertí—. Hará bonito y servirá de alfombrilla entre ellas.

—Quizá. Qué pena no saber las medidas.

Yo estaba empestillada en venderle el kilim al escritor: sería una buena promoción, aun rebajándole algo, y demostraría a Yamam mi estilo *europeo* de llevar el trato. No vacilé.

—¿Hay alguien en su casa de Madrid? Pues telefonee desde aquí, y que tomen las medidas de ese cuarto.

Miré a Yamam; él me hizo signos aprobatorios. Telefoneó el secretario. Se puso la cocinera que era la única que había en la casa.

—Cuando yo viajo, supongo que viajan todos.

La cocinera midió con un metro de sastre —dijo—, que era el que tenía, y con muchas fatigas.

—Es gorda, y le cuesta agacharse. No se le habrá ocurrido medir de pie.

El resultado fue adverso: sobraba kilim.

—Lo siento porque me gusta.

—Piense otro sitio para él. Debe llevárselo. Me agradaría tanto que estuviese en su casa... Se lo empaquetaríamos bien y se lo mandaríamos, o yo personalmente lo llevaría al aeropuerto. No les dará molestia ninguna.

El escritor me examinaba, preguntándose por ese plus de interés.

—Es usted una excelente vendedora. Si actúa igual con todo el mundo, su marido —se volvió a Yamam, que lo escuchaba— puede dejar la tienda en sus manos con la mayor impunidad.

Hablaba como si hubiera presentido que las relaciones entre Yamam y yo no eran convencionales. Me lancé por otra vía.

—¿Tienen cena con alguien esta noche? Estarán muy comprometidos, pero nos gustaría tanto invitarles...

—Esta noche tenemos una cena pesada.

—¿Y mañana?

El secretario sacó una agenda del bolsillo de atrás de su pantalón.

—Mañana hay otra más pesada; pero, si quieres, la puedo cancelar. Sé qué disculpa dar.

—Para mañana, entonces, si ustedes pueden.

El escritor tomó mi mano y la besó. Cuando salieron, Yamam se echó a reír.

—¿Crees que le venderás el kilim?

—Sí.

Me dio una palmada en las nalgas, me atrajo hacia él y me besó. Yo noté que el corazón se me esponjaba igual que un crisantemo.

Fuimos a recogerlos a su hotel; yo, con el último libro del escritor para que me lo firmara. Lo hizo con un cariño insólito. Algo debía de sospechar, porque en la dedicatoria escribió: «A Desideria Oliván, la única mujer que, con una vida novelesca, no me ha dicho que sobre su vida se podría escribir una novela. Con mi mejor deseo.»

Los llevamos a los tres a cenar a aquel restaurante de Kumkapi donde inicié mi segundo viaje. Estaba muy animado. Había dos grupos de turcos, vociferantes y bebidos.

—Ustedes no respetan mucho la prohibición alcohólica ¿verdad? —preguntó el escritor a Yamam, quien soltó una carcajada.

—Es que aquí el alcohol lo bebemos como medicina. Licor medicinal de clavel, de cereza, de azahar... Todos los aguardientes son prescripciones facultativas. Antes, para beber, había que internarse en un hospital; ahora basta con ir a cualquier tienda, una taberna o una farmacia.

Yo percibía una tensión grande en la periodista. Quizá andaba liada con el escritor, o con el secretario, o con los dos. Hablaba con una libertad chocante. Cuando Yamam fue a encargar la cena, yo, aludiendo a la dedicatoria del libro, comenté con un tono íntimo (porque apetecía contar o aludir a mi situación ante el escritor, y lamentaba la presencia de los otros):

—He tenido tantas y tan variadas experiencias. Hasta llegar aquí...

—Mira, guapa —me interrumpió la periodista—: yo me he comido muchas más pollas que tú, así que no presumas.

El escritor la miró sobresaltado. Sólo considerando lo que corrientemente opinan los españoles de una mujer emparejada con un negro o un árabe o un turco, se explicaba semejante pata de banco.

—No me cabe la menor duda —repliqué.

El escritor debió de hacer a la periodista una seña por debajo de la mesa, porque ella cambió de talante. Y, como un acto de desagravio, no imprescindible desde luego, me dijo:

—He decidido quedarme con el kilim. Sé que esta

cena no tenía ese fin —yo pienso que sí lo pensaba—, pero prefiero comunicárselo desde el primer momento.

El secretario parpadeó; era evidente que no le había dicho nada antes. Regresó Yamam.

—Nuestro amigo se queda con el kilim —le informé con alegría.

Yamam le tendió la mano:

—Hace una buena compra; se lo aseguro.

—*Mutatis mutandis,* usted ha hecho mejor adquisición todavía con Desi.

La cena se había enderezado, a pesar de su mal comienzo.

—Creo que se nota —dije—: estoy muy enamorada de Yamam. Aunque él me amara trescientas veces menos que yo a él, con eso me bastaría. La semana pasada me regaló este ojo de cristal de la suerte. —Es un ojo de medio centímetro de diámetro, con un pasador mínimo y un imperdible vulgar—. No vale absolutamente nada, se le prende a los niños; darían cien por veinte duros.

—Qué barato compras —me interrumpió Yamam riendo.

—En esta camisa me lo prendió con sus propias manos. Pues no me atrevo a lavarla; no sé si me atreveré algún día.

Yamam sacó tres ojitos como aquel de su bolsillo. Se los puso a los invitados, que le dieron las gracias.

—Probablemente vosotros no habréis sentido nada —comenté, y me di cuenta de que los había tuteado.

—Sí; de otra manera que tú —replicó el escritor tuteándome—, pero sí. Las turbulentas palpitaciones del amor son tan intransferibles...

A lo largo de la cena, Yamam estuvo encantador. Con su voz densa y su castellano bueno, pero lentísimo (tanto, que a veces da la impresión de que no terminará la frase, que por fin termina con acierto). Contaba aventuras españolas suyas que yo no conocía; atendía a los vasos y los platos de los invitados; requebraba a la periodista; daba fuego a los fumadores... A mí no se dirigía para nada, como si no estuviese. Sólo, con oportunidad de no sé qué, me dijo:

—Lava ya esa blusa; no resistiría vértela puesta una vez más sin lavar.

Era su manera de proclamarse dueño y señor. Yo me referí a los hombres que bailaron la danza del vientre durante mi primera noche en aquel restaurante. En un momento en que el secretario y la periodista hablaban, atraídos, con Yamam, le musité al escritor:

—Mi marido baila muy bien las danzas turcas. Si se lo pido yo, no me hará caso; si se lo pides tú, bailará.

Quizá por condescendencia, el escritor se lo pidió. Se descalzó Yamam; despejó la mesa; se subió sobre ella y, conjuntado con un par de músicos, danzó de un modo caliente y sensual. Miraba a los invitados con ojos provocadores. Yo, en voz baja, le dije al escritor:

—Los turcos son muy calientabraguetas.

Él, animado por el alcohol, lanzó un risotada:

—Ya lo veo.

Yamam, al terminar, recibió nuestro aplauso; mandó cambiar los manteles y pidió unas copas más. Nos quedamos solos la periodista, el escritor y yo. Ella puso su mano sobre la mía y me previno:

—Tienes que vigilar a tu marido; es un tío explosivo; puede gustarle a todo el mundo.

Quizá subrayó la última frase. Yo me sentí lisonjeada.

—Lo comprendo: fue lo que a mí me sucedió.

—No estaría yo tan fresca como tú.

—No lo estoy. ¿Cómo lo voy a estar? Pero quizá no por esa razón... Sé que se acuesta con mujeres. Sin embargo, son de paso; si no, lo notaría. ¿Qué quieres que haga? Al fin y al cabo, es mío. Yo gozo más con la pasión que siento que con la que inspiro. Me pasa lo que a Werther.

—Sí; pero me parece que a tu marido le pasa lo que a don Juan.

—Para mí el mundo está lleno de Yamam; sólo me habla de él y todo lo veo sólo a su través.

—Seguramente; pero para Yamam el mundo es como es y, si le habla de alguien, es de él mismo.

El escritor se hacía el desentendido.

—Casi es hora de irse —dijo—. ¿Dónde está Cosme?

—Con Damián —contestó riendo la periodista.

Bajaron desde arriba Yamam y el secretario.

—Estaba tratando de pagar —se excusó éste—, pero no me han dejado.

Los devolvimos a su hotel. Ya solos, al poner el coche en marcha, Yamam sin mirarme dijo:

—La cena ha sido un éxito.

Yo lo consideré como una alabanza; no pensaba en ese instante en la frase de la periodista: «Si el mundo le habla de alguien, es de él mismo.»

A Yamam lo habían excitado el vino y la conversación; tuvimos un larga y perezosa batalla de amor muy satisfaciente, en la que comprobé el *comprensible desconocimiento* de la periodista. Como nos dormimos tarde, no madrugamos. Yamam fue a abrir la tienda sin esperarme. Yo llegué a media mañana. Uno de los muchachos me señaló el piso de arriba. Subí despacio. Al abrir la puerta entornada, vi la espalda de Yamam, que besaba furiosamente y jadeando a una persona que ocultaba él mismo y que se apoyaba contra la pared del fondo. Las alfombras del suelo y su acaloramiento les habían impedido oírme. Se tocaban entre las piernas, y en un momento en que Yamam se inclinó vi a la otra persona: era el secretario del escritor. Preferí bajar en silencio. Tomé un café que me trajo Mahmud antes de iniciar su clase. Tardaron en bajar. Yamam venía ordenándose el pelo y se sorprendió al verme.

—Creí que no aparecerías —dijo.

—Pues ya me ves.

El secretario me saludó:

—Vine a daros nuestra dirección y el cheque del kilim... Quiero decir... Para que pongáis sobre el envoltorio la dirección... O sea...

Estaba cortado por mi presencia y, en cuanto pudo, se fue. Hablé en voz muy tenue:

—No sé por qué das a nadie lo que yo sola merezco, porque te amo.

—¿No tienes bastante con lo que te doy? ¿Te quito algo?

—La atención me quitas; el día en que dejes de mirarme...

No preguntó por qué le hablaba así, ni afirmó, ni negó nada. Era una manera de situarse por encima de mí. Tampoco yo le hice ningún reproche; no habría sido oportuno con Yamam, ni conveniente para mí. ¿Cómo confesarle la dimensión desmesurada de mis sentimientos, sus caídas repentinas, mi desesperación de algunas horas? El hecho de que él lo conociera no iba a beneficiarme. Esa actitud cautelosa, que por instinto yo adopto más cada día, acentúa progresivamente mi enmimismamiento. Tanto, que a veces me recrimino: «¿Para qué necesito a Yamam? Me basto yo sola para amarlo.»

QUE YAMAM NO ES EL MISMO, yo lo percibo y tiemblo. Aunque me repita que son cosas mías, consecuencia de estar tan obcecada con él y tan desprendida de lo demás. ¿Y cómo atreverme a preguntarle el porqué? Sobre la incertidumbre puedo seguir edificando mi mundo; sobre la certeza, quizá no... Para un amante al uso, moderado, más o menos cálido, nada hay tan aburrido —incluso tan aterrador— como una pasión volcánica y excesiva. Comprendo que Yamam haya llegado a sentir por mí —y la sentiría aún más si yo me quejara— cierta antipatía, en el sentido liberal de la palabra. Él ha de verse, por turco y por machista, como si fuese la mujer de la pareja; de ahí que yo haya de amordazarme con frecuencia, y maniatarme con más frecuencia aún; porque tiendo a dominar y a tomar las iniciativas que él no toma, o a sugerirlas. Recuerdo, al comienzo, su estupefacción después de los abrazos.

—Tú sabes mucho. Tú sabes demasiado...

Yo había hecho ademanes y dicho palabras que el amor ingenuo me dictaba, y que a él le turbaban como provenientes de alguien con muchísima experiencia. Quizá para él era una casada que le ponía cuernos —ahora con él, con muchos otros antes— a su infortunado marido.

A mí me gustaría gritarle a la cara la tortura de mis celos y la pesadumbre de mi amor. Me gustaría decirle: «No sabes lo que te estás perdiendo al saciar con gente mediocre, hembras o machos, los pequeños deseos de tu cuerpo, no de tu corazón. Sólo yo, que te he estudiado con detenimiento, puedo ofrecerte el auténtico placer. Me quedo, cada día más, fuera del mío, para asistir al tuyo y provocarlo, porque ya sólo el tuyo es mi placer. Mientras, tú echas margaritas a puercos.

»Qué contraria, y cuánto más codiciable, la postura del que ama frente a la del que es amado. Te juro que —no por mí, sino por ti— querría que me amaras con la misma violencia con que yo te amo: sólo entonces verías lo que es bueno. Porque tú podrás encontrar una mujer más gorda u otra mujer más rubia; no te será difícil encontrar otra más guapa o un hombre que te excite; pero no encontrarás ningún ser que te ame más que yo.

»Puede que a ti no te importe eso, porque eres frío... No; no lo eres; te conozco muy bien. Lo que ocurre es que finges frialdad para achicharrarme a mí, para tenerme embebida en tus ojos y en tus manos, igual que un perro cariñoso que no separa de su amo la vista, siempre vacilante entre el fervor y la necesidad, entre pedirle compañía o hacerle compañía... Tú me amas; lo sé. A tu manera, también lo sé. No sabrías amarme a la mía, ni te sería posible, como no podría yo amarte a la tuya, reservándome escondrijos para mí... Pero a menudo, cada día más a menudo, considero que sólo me amas porque te amo yo; para corresponderme. Cuánto daría —mi vida daría— con tal de que me amaras por ti mismo, aunque yo no te amase... Claro que, si yo no te amase, ¿qué habría de importarme que me amaras, ni la forma en que lo hicieras?

»Ahora me acontece constantemente: estoy casi desentendida de ti, esperándote, escribiendo estos cuadernos, o sin nada que hacer, porque la casa me produce dejadez, y alzo de pronto los ojos sin darme cuenta, como buscando a mi alrededor la causa de mi amargura. Igual que si me hubiera sobrecogido el suspiro en que mi respiración, al interrumpirse, se convierte... Luego recapacito que no soy infeliz, y me consuelo un poco, pero un poco no más. Si nada pasa, ¿por qué suspiro? Qué torpes somos; no distinguimos la expectación de la desdicha. Tenemos almas de bueyes, Yamam, y rumiar sería nuestro mejor empleo. Rumiar lo ya vivido, lo pasado, lo gozado o sufrido; pero rumiar, sin emprender nada nuevo, temerosos del azar, cobardes ante la aventura, acogidos al calorcito de la nonada que ya hemos conseguido... Rumiar, rumiar, qué pena.

»La otra noche cenábamos tú y yo en el restaurante que hay al lado de casa. Yo no hablaba; hacía bolitas de pan con dedos trémulos. No sé si reparaste; creo que sí, porque, al ver que me brillaban lágrimas en los ojos, me diste unos golpes en la mano con tu cuchillo. Pero no me consolaron; eran sólo una advertencia de que detestas los numeritos que tú no provocas... Qué velada tan fría, qué cena tan intragable. Yo frente a mi dios, que callaba por desinterés; un dios que podía levantarse e irse para no retornar, porque ya no le resultaba atractiva... Por la tarde te había acariciado, te había incitado sin éxito. Cuando saliste de la ducha te rodeé con la sábana de felpa, te sequé con lentitud, besé tu sexo delicadamente.

»—¿Nos vamos a cenar? —dijiste.

»En eso consistió mi amarga cena. Y ahora allí, callada, y tú, callado, comunicándome mensajes con el cuchillo. Me anonadaba el sufrimiento del que trata de hablar, de decir algo simpático que rompa la violencia y el silencio que se está prolongando demasiado, que va a desembocar ya en la plaza siniestra de la hostilidad, de la que con tanta dificultad se sale. El sufrimiento del que trata de hablar y no puede ni decir "esta boca es mía, tómala", por ejemplo.

»Por eso hablo contigo desde este cuaderno; porque el foso que tú cavas durante el día es muy difícil salvarlo en la cama por la noche, y lo que sucede en la cama deja de suceder al día siguiente, y vuelve a producirse el abismo de ayer, la estremecedora distancia... Si pudiera gritarte todo esto a ti en lugar de escribirlo... Si pudiera gritarte: "Haz lo que te venga bien de mí menos dejarme: ¿a qué puedo aspirar que no sea eso?"»

Quizá el desánimo que sentía durante las últimas semanas dimanaba de una causa física: estoy otra vez embarazada. No sé cómo pudo ocurrir. He puesto de mi parte todo para evitarlo. ¿Qué harán conmigo ahora? Quizá la premonición de este nuevo tormento, de esta renuncia obligada era lo que desde mi subconsciente me desmoralizaba.

He decidido entrevistarme con la madre de Yamam. No sé ni su nombre. La veo como una pirámide abrumadora que se desplomará sobre mí en cuanto me acerque. Pero ella es quien decide en algo que me afecta esencialmente: a mi vida y a otra que ayudaría a la mía y que está ya influyendo en ella.

Otra vez desolada, ignorando dónde mirar, ni en quién confiar sin correr el riesgo de que se transforme en enemigo. He tenido el teléfono en la mano para llamar a Paulina; he colgado. Sé su contestación: «Ten a tu hijo en España y no vuelvas.» ¿Es lo que debería hacer? ¿No lo probé sin éxito? Me encuentro acorralada sabiendo lo que todos me aconsejarían. Y también yo si no fuese yo; pero sí soy. Y, cuando una mujer como yo se entrega a un hombre, se entrega hasta la muerte, haya o no papeles por medio, o sangre de por medio. No se cambia de padre ni de madre, no se cambia de destino ni se elige. El mío es Yamam, lo quiera yo o no, lo quiera él o no. En mi poder no está desenamorarme. Si pudiese mirar a otro lado sin morir, si pudiese escuchar otras voces, o permanecer sola incluso, lo haría. Pero no puedo; sé que no puedo... Y otra vez se me plantea la más ardua de las elecciones: una en que no me es dado elegir y que me desgarra sólo con plantearse.

Yo sé que la madre de Yamam va a tomar el té, con unas viejas amigas, en un hotel nuevo junto al Bósforo. Esta tarde me he presentado allí. Vi el grupo de cinco o seis mujeres —todas vestidas de una manera falsamente europea, todas teñidas de rubio menos ella—, sentadas en torno a una mesa no lejos de una fuente de mármol blanco. Les habían servido un té con pastelillos, pastas y emparedados. Comían con fruición, y hablaban con la boca llena, pasándose los platos. Yo las observaba, triste, desde un sofá próximo; a ellas y al vestíbulo alto y claro, bajo la violenta luz que entraba por las grandes cristaleras del fondo. La fuente cantaba una canción tan encarcelada y fuera de lugar como las plantas naturales de los macetones, y como yo... La madre de Yamam me miró. Me incorporé. Ella me hizo un ademán para detenerme y darme a entender que luego me vería. Me hallaba como un enfermo grave, sin cita previa, ante un médico que tiene su salvación en la mano y que se dedica a reír y a cambiar impresiones con unos amigos, indiferentes todos a su desgracia.

Tres cuartos de hora después, la madre de Yamam, con el imperio y la dimensión de una fragata, se levantó, pasó por mi lado haciéndome una seña y me condujo a otro sofá en un pasillo oscuro. Llevaba un extraño sombrero de terciopelo, que en ella se convertía en turbante; unas mechas de pelo ya canoso le caían sobre las orejas. Se sentó, girando nerviosa los numerosos anillos de sus dedos y fumando a la vez. No sé si sabe alguna palabra de español. Yo, por gestos y con alguna expresión sencilla, le he dado a entender mi embarazo. Con un infinito desprecio, negó con la cabeza. Luego me salpicó con una sarta de sonidos violenta y contenida a un tiempo, que tenía la intensidad de un martilleo. Yo junté las manos suplicante; me dejé caer y me puse de rodillas. Ella, alarmada, miró alrededor y tiró de mí. Con un implacable meneo de las manos, rehusó continuar. Y una vez de pie, volvió hacia abajo el dedo pulgar derecho. Para mí fue como para el condenado a muerte en un circo la omnipotente voluntad del césar. Fui tras ella; me retuvo con una irremediable brusquedad, y se apresuró para seguir comiendo a dos carrillos sus pasteles. Yo, oculta en los servicios, después de haber vomitado, me eché a llorar. ¿Hacia dónde miraría?

Por la noche me hallé frente a un Yamam severo.

—Creí que no ibas a cometer una segunda estupidez.

—Es una tercera —he dicho, empeorando las cosas.

Él ha tachado mi primer embarazo con un encogimiento de hombros.

—Ya están ahí mis hijos: quiérelos y tenlos los días que me correspondan.

—¿Es un delito desear uno tuyo y mío también?

—Sí; es un delito. Tú y yo no estamos casados y nunca lo estaremos. Si tanto lo deseas, no te queda otro recurso que volver a España y tenerlo allí.

Unos días atrás había recibido, a través del consulado, la noticia oficial de que a mi marido le habían concedido el divorcio.

—Pero podríamos casarnos. Ya no existe el obstáculo de mi matrimonio.

—Existe el del mío —ha respondido tajante Yamam.

—Tú me habías dado a entender... Yo no sabía que estabas casado ni que tenías hijos.

—Si ésas eran condiciones imprescindibles, ahora sabes ya que no se dan. Vete si quieres irte.

Se ha metido en el dormitorio y ha dejado la puerta entornada. Yo me he visto tan sola que me he puesto a escribir.

Lo dejo aquí, pero no sé qué hacer: no ya mañana o la semana próxima, ni siquiera ahora mismo. No sé si entrar en el dormitorio, o ir al cuarto de los niños, o dormir en el sofá de terciopelo labrado, que esta noche también veo como un irreconciliable enemigo.

Me quedé en el sofá. Yamam apagó pronto la luz. Yo no dormí. Recordé los somníferos de Huesca, pero estaban en los altos del armario y no me atreví a molestar.

Vi amanecer desde la alargada ventana del salón, tras las cortinillas de volantes. Un gris, melancólico, nublado, húmedo amanecer. No tengo a quién recurrir, ni a mí siquiera. ¿En qué se ha convertido mi paraíso? No sólo los sueños, hasta el sueño me ha abandonado. Tuve un ansia vehemente de dormir y de no despertarme...

Por la mañana, sin darme los buenos días, Yamam entró en el cuarto de baño; le preparé una muda y una camisa limpia. Mientras se vestía, me aseé yo. No me habló en todo el trayecto hacia el Bazar. Al pasar por la estación del Oriente Exprés no pude evitar que me invadiese una indecible angustia. No me estaba permitido llorar; hubiera sido la gota decisiva. Como no nos habíamos desayunado, se me fue la cabeza sin querer a los pastelillos que ayer devoraba la madre de Yamam. Me dije: «Estás mejor, puesto que tienes hambre.» No era cierto. El hambre no significa más que un estómago vacío. Qué ventura, pensé, si en mi vida hubieran coincidido el amor y el respeto de los otros, la protección social, «el aplauso de los ruiseñores» de aquella crónica que hoy veo tan distante como si nadie la hubiera escrito nunca.

No tenía ni una lira en mi bolso; las últimas las había gastado en el taxi que me llevó al hotel, del que volví caminando. Para acortar el desierto que me apartaba de Yamam, me acerqué a él, después de haber tenido, en el aseo público común del Bazar, unas náuseas que me partían en dos.

—Necesito desayunarme. ¿Me puedes dar algo de dinero?

Me ha venido a la memoria una frase de Flaubert (quizá tener un libro me habría ayudado anoche): de todas las borrascas que caen sobre el amor, una petición de dinero es la más desastrosa. Me he encontrado miserable y mal pagada; me he encontrado sucia y nada atrayente. Yamam, en silencio, me ha tendido unos billetes. La sonrisa con que se lo agradecí debió de ser la de una ruin mendiga. He tenido que volver al aseo público común, porque la náusea seca no cesaba.

Cuando salí de él, tropecé con el gentío que llenaba el Bazar, en parte para comprar, en parte para protegerse de la lluvia mansa y desangelada que caía fuera. Sin saber por qué, me vino al recuerdo el significado de mi nombre. Un día me entretuve en buscarlo en el diccionario del profesor de latín: un hombre alto, seco, con gafitas redondas y unas manos mucho más chicas de lo que le correspondía. Se murmuraba que había sido seminarista o hermano de no sé qué congregación.

—*Desideria* —me ayudó él a buscarlo—. Aquí está: *desiderium, desiderii,* neutro.

—¿Neutro?

—Sí.

—¿Y el femenino?

—Tu nombre no es femenino, niña, es plural. ¿Ves? «*Valete, mea desideria*», escribió Cicerón. Y quería decir: «Adiós, prendas mías», o «adiós, amores míos.»

Yo repetía, sin ver a la gente entre la que andaba: «Adiós, amores míos». ¿Qué hacía yo allí, en el corazón viejo y mercachifle de Estambul, citando a Cicerón? Algo de mí se estaba entenebreciendo sin recurso.

Esta vez me llevaron a un médico judío. Pienso que clandestino por la forma en que la clínica estaba disimulada dentro de Balat, el antiguo barrio griego. Le ayudaba una comadrona tapada con unos trapos blancos. Mi bajo estado de ánimo recalcó mi preocupación por la falta de asepsia, que me parecía descubrir en todas partes. Yamam desapareció en cuanto me recibieron; se quedó su madre, que le gritó al irse unas frases en un tono muy duro. Yo supuse que eran su negativa a seguir remediando torpezas de él o mías. Según demostró, estaba dispuesta a remediarlas definitivamente; quizá fue eso lo que advirtió a Yamam. Cuando al día siguiente, aún febril y muy cansada, me devolvieron a la casa, Yamam me dijo:

—Por fin hemos salido de esta preocupación.

Por su expresión intuí algo y pregunté:

—¿Qué quieres darme a entender?

—Ya no podrás quedarte más embarazada. Ha habido complicaciones...

Herida como estaba, deduje que la complicación era la que les producían a su madre y a él mis embarazos.

Ignoro lo que han hecho conmigo; no me encuentro mal y, sin embargo, se ha descolgado sobre mí una sábana negra. Cuánta contradicción: ¿por qué, si los embarazos han sido mi mayor martirio —los abortos, mejor dicho—, lamentarme ahora que se han evitado para siempre? ¿Por qué la eliminación de cualquier posibilidad de ser madre, si nunca me lo hubiesen permitido, me causa tal congoja? ¿O es que estoy dispuesta a acongojarme por todo lo que me suceda?

Recaí tres días después. He estado una semana entre la vida y la muerte. Nadie me dice el porqué, si ha sido una infección o una intervención inhábil. Todos repiten: «Ya estás bien, ya pasó lo malo.» Y nada más. El médico, al que, entre nubes, yo adivinaba preocupado y hasta asustado, vino dos veces por día. Como mi vida estaba en sus manos, lo recibía, a pesar de la fiebre, igual que a un ángel salvador; un ángel con una cara reservada y cetrina y de una diminuta estatura. Estoy viva y no sé si lo celebro. Tengo el remordimiento de haberme salvado a costa de mis hijos. Pero ¿cuáles, o es que he perdido la cabeza? Todos los posibles se concretan ahora en el pequeño Carlos, en quien tan tenazmente me propuse no pensar. Durante mi enfermedad me abrazaban, tendían sus brazos hacia mí, sus bocas redondas, sus manos gordezuelas, reposaban su cabeza en mi pecho y yo entonaba viejas nanas que me enseñó, de niña, Marina, para acunar a mis muñecas; luego volvían la cabeza y mamaban, y yo sostenía mi pezón entre dos dedos para que la leche fluyera mejor, abundante y templada... Hasta que me adormecía, si es que esas imágenes no eran ya fruto de mi adormecimiento.

Nunca como en estos días últimos he tenido presentes los paisajes de mi infancia: las calladas montañas, impávidas pero llenas de vida, como fieles amigos que no nos abandonan; los fríos ibones que a veces visitábamos, donde se refleja, invertido, el verdor casi negro y el olor de las misteriosas riberas... Dejábamos atrás el convento de Las Miguelas y pronto comenzábamos a ver la Guarguera y las sierras matizadas desde el verde al morado, desde el pardo al añil. No sé por qué recuerdo, sobre todo, el otoño, cuando ya en Monrepós se divisaba la nieve deslumbrante, las Tres Marías tras el Monte Perdido... Trepaba la tierra hasta el horizonte y, amontonados sobre ellos, el cobrizo de los robles y los castaños, el oro de los álamos, el impávido verde de los pinos sustituidos luego por los abetos, el violeta de las hayas desnudas, el rojo de los cerezos... Los árboles serenos en los que podía trepar y que me sujetaban fieles, sin traicionarme. Antes que nada de lo malo sucediera, cuando gozaba de la certeza de un padre todopoderoso, a cuya orden cicatrizaban hasta las heridas —«Sana, sana, culito de rana»— y se resolvían trabas e impedimentos. Mi padre, heroico e indulgente, que me traía velas de colores que ninguna de mis amigas tenía; las velas con formas de animales fantásticos, que a mí me apenaba encender porque se me gastaban. «Hay más, tontica; te traeré más», pero yo no las encendía. Mi mesilla de noche estaba llena de ellas... «*Valete, mea desideria.*» Adiós, prendas mías, recuerdos, afectos, todo lo que quise antes de saber qué era y lo duro que es el amor.

«Ya no podré teneros», les decía yo a mis hijos esta misma mañana, sentada ante la ventana de la cocina por la que un sol tan indeciso y tan débil como yo penetraba. «No podré ya teneros»... Llamaron a la puerta. Fui a abrirla medio desvanecida. Mandaban una carta desde el consulado. He tenido un sobresalto; al abrirla me temblaban los dedos. Había motivos: era una carta helada de mi hermano Agustín comunicándome la muerte de mi padre, «por si te interesara saberlo, ya que has sido tú quien la ha apresurado».

He apoyado mi frente sobre la mesa; desde los pies, desde más abajo de los pies, desde esta tierra que siento a cada instante menos mía, me ha subido un sollozo... Ya no puedo teneros, hijos ni padres míos. En el fondo, erais lo mismo: eslabones de la misma cadena. Los más imprescindibles. Yo no lo era, ni Yamam lo era. En mi cadena, yo me acabo y la acabo... Miraba por la ventana el cielo extranjero... «Si tu madre te viera...», me decía cada vez en voz más baja. Ya me veis todos; nada puedo ocultaros. Ahora ya estáis todos dentro de mí, hijos míos, padres míos. Ya soy sola yo, vosotros, y sólo en mí existís...

Hasta que he podido llorar, los sollozos me han desgarrado la garganta. *Valete*, esta vez sí, *mea desideria*...

CUARTO CUADERNO

MI CONVALECENCIA, entre una y otra recaída, ha durado más de lo que nadie calculó. Aún ahora no me siento vivir del todo. Es como si la muerte —una especie de muerte contagiosa— me hubiera puesto una venda sobre los ojos para impedirme ver, y querer ver y entenderme a mí misma. No he tenido ánimos ni de levantarme de la cama para sentarme aquí, ni de venir aquí... ¿Para qué?, me preguntaba: ¿para quedarme en una ventana que se abre al mismo aparcamiento y a los mismos cielos ajenos?

Yamam se ha portado muy bien. Los primeros días no salió; después traía por la noche el almuerzo del día siguiente; encargó a una vecina que viniera a verme a media mañana y a media tarde, y él comparecía siempre a la hora de la cena. Cocinaba para mí con esa delectación con que lo hacen los turcos; pero yo apenas si pasaba bocado. Prefería además que me viera lo menos posible. La mayor parte de las noches, apagaba la luz cuando lo oía llegar; no porque haya dejado de quererle, sino para que, por mi debilidad y mi enflaquecimiento, no dejara de quererme él a mí. Pero él hacía la cena y me la llevaba a la cama.

—No estás en situación de perder ni una sola comida.

Durante este tiempo ha dormido en el cuarto de sus hijos, que no venían para no importunarme.

Me asustaba mirarme al espejo: las ojeras lívidas, el arco de las cejas tan pronunciado, los pómulos que me endurecen la cara... La fiebre me hacía sudar, y me encontraba sucia desde el atardecer. Mi único alivio era ponerme los pijamas de Yamam, sus camisas gastadas, y convencerme de que nuestra historia no ha terminado... Lo que otro sabe cualquiera puede aprenderlo; pero el corazón —la única posesión verdadera, origen de todo lo demás— no es más que de cada uno...

Muy poco a poco, tanteando, empiezo a encontrar gusto en el sol que se posa con suavidad sobre esta mesa; en la comida, que antes me revolvía el estómago; en los olores fuertes que suben desde la escalera y las cocinas de abajo, y en los de la ropa interior de Yamam, que han tocado sus axilas o su vientre; en el murmullo continuo de la calle... Las cosas sin ninguna importancia, en las que no había reparado, comienzan a proporcionarme una emoción indescriptible, como si estuviesen recién nacidas y me nombrasen con ternura, agazapadas ahí, a la espera de que volviese a ellas. Ver en el perchero de la entrada la gabardina de Yamam, lo que me da a entender que el buen tiempo ha llegado; meter mis manos en sus bocamangas, o descolgarla y ponérmela, tan grande, y ajustármela con el cinturón y conservarla puesta toda la mañana. Ordenar la ropa en los cajones; colgar sus trajes después de acariciarlos. Limpiar muy despacio y a fondo la cocina, y sentarme un poquito para que me deslumbre la luz que reverbera contra los azulejos... Y recordar el cariño de Trajín, que me habría hecho una guardia constante, satisfecho de que estuviese mala y me fuera imposible salir a la calle sin él; recordarlo en aquel día especial, en el jardín de los jefes de Ramiro, donde había un seto de plumbagos, del que él volvió lleno de motas azules, adornado y precioso, sacudiéndose como un hombrecito al que no le van las cosas de mujeres. Y recobrar el gozo de tener a Yamam, de recibirlo y servirle un vaso de vino, y probarlo después que él dé el primer sorbo; el gozo de tocar sus dedos con los míos sin ninguna fuerza, y abrir los suyos y colocar entre ellos mis dedos y esperar la presión de su mano. Y tomarle la mano y ver su vello, sus uñas, sus nudillos, y decirle «Estas uñas hay que cortarlas ya», y coger el cortaúñas, y, con mucha ternura, írselas cortando mientras él me cuenta cómo le ha ido el día. O presentir sus pasos en la escalera, y preparar la mesa, y encender una vela recordando las mías de colores, y beber agua mientras él bebe vino, y atisbarnos por encima del cristal como si aún fuéramos los cómplices que éramos. Y sentir todo el día ganas de llorar de puro agradecimiento por estar viva y seguir amándolo.

Ayer me llevó a dar un paseo en el coche. Era una mañana limpia y azul como una aguamarina. Frenó junto a un paso elevado bajo el que habían instalado unos cuantos vecinos, improvisadamente, un mercadillo de palomas. Las veía en sus jaulas: blancas, pintadas, zuritas, moñudas con las colas redondas y rizadas, tan diferentes y tan semejantes, con los ojos redondos y amilanados bordeados de rojo. Las habría comprado todas y las habría echado a volar. Yamam tenía las manos sobre los muslos; yo puse las mías bajo ellos, como con frío, y recliné la cabeza en su hombro. Oía el zureo de las palomas y el vocerío de los vendedores ambulantes. Tres o cuatro viejos, enterados de lo del mercadillo, habían acarreado allí sus puestos de frutas, de los primeros helados, de alpiste y cañamones para la mercancía. Se me antojó un helado de limón. Era tan malo que nunca lo hubiera comido en otras circunstancias que esas, en que recibía toda la mañana como una bienvenida en la que no puedes despreciar lo que te ofrecen. Lo comí entre remilgos, como una niña pequeña malcriada... Y me pregunté si no estaría exagerando o prolongando mi desvalimiento, la ineptitud de la convalecencia, para depender más de Yamam, para que él me compadeciese y ni le pasara por la imaginación abandonarme.

Fue con ese helado de limón en la mano cuando comprendí que llevaba un mal camino; que no debía consentirme ser una carga para Yamam; que iniciar una técnica con el fin de retenerlo era el primer paso de la derrota; que necesitaba tener muy claro hasta dónde me permitiría llegar él y desde dónde yo estaba obligada a ser la misma de antes: fuerte, valiente y ágil. Aunque ésta fuera también otra táctica —pero menos molesta para él—, tenía que desterrar el empalago. No era prudente hacer lo que hice el viernes: cortarle un rizo para ponerlo en un guardapelo de mi abuela, con la vana esperanza de que él me pidiera a mí otro. No era prudente suplicarle ningún juramento, ni hacérselo; él ponía una cara de conejo asustado por una trampa de la que temiera no escapar. No era prudente cansarlo con mi amor, ni entregarme de nuevo más y más, cuando en aquellas largas semanas de mi enfermedad quizá algo había sucedido que lo separaba de mí, y era preciso, con cuidado, acercarlo otra vez; no acercarme yo, sino tirar de él y que él viniera, sin darse cuenta, por su pie. A la manera con que él trataba a los clientes. Si había olfateado que, cuanto yo más me entregaba, él se reservaba más, ¿por qué, idiota, aumenté mi ternura? ¿No lo veía distraerse, mirar hacia otro sitio? Tenía que refrenarme, aunque me fuese doblemente costoso; porque, según mis reflexiones en los duermevelas del crepúsculo, había llegado a la conclusión de que el placer con Yamam no iba a bastarme ya, de que tenía que proponerme su conquista interior, apoderarme de él y no dejar que se escabullera nunca. Una tarea intrincada, emprendida además en las peores condiciones.

Esa misma mañana de domingo, después de decidir que mi flojedad se había acabado, vimos pasar por la ribera dos osos con argollas en la nariz, y supliqué a Yamam que frenase el coche, y me bajé, y me acerqué apoyada en su brazo. Un hombre oscuro y con una cicatriz de la sien a la boca, que hacía de amo y por quien sentí una inmediata aversión, los golpeaba con un palo largo, y luego les ordenaba sostener el palo con la torpe dignidad con la que sostiene un falso rey su cetro.

Uno de los osos me observó con una pacífica extrañeza cuando lo acaricié, y me inundé toda de misericordia, porque me sentí mucho más cerca de él que de todo el mundo. «Después de mi propósito, voy a echarme a llorar; qué cobarde me dejó la enfermedad», pensé: «¿Para qué me habré bajado de ese maldito coche?» Pero me hacía sufrir el alambre de sus hocicos y su esclavitud y esa paciencia de quienes habían nacido para la libertad. Se aproximaron unos niños, y reían al verlos balancear sus grandes cabezas de ojos ausentes, sus cuellos vigorosos, sus patas hechas para la carrera y el juego del amor. Descendían luego las garras en un gesto de implorar la limosna, y los niños les daban manotazos. Yo tragaba saliva para evitar las lágrimas. Porque estábamos allí todos retratados, Dios mío: en el hombre oscuro que los explotaba, en los niños feroces que se divertían, en ellos mismos, en los osos, que se dejaban caer de pronto a cuatro patas y arrastraban por el polvo su majestad .

—Vámonos —le dije a Yamam—. Dale algo a ese hombre, pero aclárale que es sólo para sus animales.

—Como que te crees que los saca de paseo para que se distraigan —me contestó riendo.

Nos montamos en el coche sin que le diera nada.

Me recriminé por mi comportamiento y por mi sentimentalismo pueril. «De ahora en adelante —me dije— no irás más a pecho descubierto, salvo que quieras recibir patadas. Si necesitas emplear una estrategia, empléala, por sinuosa que sea. El fin a que aspiras —reconquistar su amor— lo justifica *todo*. (Aun ahora cuando escribo la palabra *todo*, me refiero, en efecto, a todo.) Una amante que defiende lo suyo no se tolera melindres. Y más si ya no es joven, ni está haciendo los primeros escarceos, tan seductores para el amor que empieza, es decir, cuando no es joven ni lo parece; cuando no la resguardan esas nieblas que emborronan los ojos sedientos y embellecen el cuerpo codiciado. Has envejecido en unas semanas demasiado como para dejarte en manos de la casualidad. Proponerte una meta tan alta desde tan abajo es el primer síntoma claro de que ya estás curada. Actúa en consecuencia.»

La semana anterior había cumplido treinta y dos años.

No he tardado mucho en recuperar peso y en mejorar de aspecto. Yamam me dio más dinero del habitual para mis reconstituyentes y mi sobrealimentación, y yo vendí a una vecina presumida un collar de oro que traje de España. Con ello he podido pagarme los masajes en el hotel de Suecia, que me pareció el más europeo y el más indicado. Se ha hidratado mi piel y han desaparecido las arrugas. Compré un buen perfume, y me arreglo con el mayor cuidado. Ahora aparento menos años que antes de la enfermedad; agradezco a mi cuerpo su colaboración. Que el resultado es bueno lo compruebo en las miradas de Yamam, al que había invadido la perezosa inercia de no contar conmigo sino como una manejable compañera de piso. En su opinión nos habíamos transformado en un matrimonio de hecho, que es el más convencional y aburrido de todos, y, por si fuera poco, el más frágil.

Esta mañana he vuelto a repartir publicidad en los hoteles. En el vestíbulo de uno, fumando un cigarrillo, he confirmado que los hombres miraban, primero, mis piernas cruzadas bajo la falda algo subida; luego, mis pechos, firmes a los dos lados del escote en pico; por fin, mi cara, que ya no me aterra ver en el espejo, y a la que doy, si quiero, una expresión jovial y coqueta. No oculto que forzaba un poco mi naturaleza, tan desdeñosa con quien no sea Yamam, y que hubo momentos en que me sentí incómoda al ser examinada con aprobación y hasta con apetito. Pero ha valido la pena ratificar que vuelvo a ser la que era y que estoy de verdad en pie de guerra.

La prueba era inevitable. Ayer Yamam me anunció

que cenaríamos hoy con dos franceses: el delegado de una firma importantísima, que instala en Estambul una filial, y un cliente familiar de la tienda, secretario cultural o algo así del consulado de Francia.

Cuando Yamam ha venido a recogerme, yo estaba ya maquillada, peinada con una trenza recogida y el pelo muy tirante a la española, y un traje de brocado que se vino conmigo y que no había tenido ocasión de ponerme, o por lo menos no necesidad. Me ha inspeccionado de abajo arriba y luego de arriba abajo; yo bromeaba adoptando una postura clásica de maniquí. Se me acercó, y vi resurgir en él las brasas. Habría bastado que yo dejase caer el chal para que su pensamiento se consumara. Sin embargo, he sonreído y he adelantado las dos manos para detenerlo.

—Ya estoy vestida.

Pero sentí tanta satisfacción que me he encerrado un momento en el baño para escribir estas líneas.

—¿Por qué no me dejas pasar? —está diciéndome.

Enhorabuena Desi, y adelante.

La cena de hace tres días ha constituido una victoria. No sé desde el punto de vista del negocio, pero sí del mío propio.

Dentro de lo malo, el delegado francés era un tipo elegante y muy bien educado; adulador desde el primer momento, generoso (se ocupó de mi tabaco y me compró unas flores) y oportuno. (No llegué a saber en ningún momento para qué cenábamos con él. Aunque lo suponía, lo he sabido luego: Yamam aspira a que los suelos de salones y oficinas del nuevo local se revistan con alfombras de su tienda.) El secretario consular, al que —también lo supongo— Yamam habrá ofrecido una comisión, no estaba mal tampoco, pero era más bajo, menos esbelto y menos guapo que su compatriota. Ambos me agasajaron durante toda la cena y se comportaron conmigo como si Yamam no estuviese. Yo, contra lo que me habría sucedido antes, me hallaba en la gloria. En ningún momento se me ocurrió ni pedirle a él fuego, entre otras razones porque los otros dos se desvivían por dármelo. Sé que mi francés no es irreprochable, pero mi acento les hace gracia a los franceses y procuré resaltarlo. Me moví en una línea peligrosa como la de un funámbulo: de un lado, entreabrir la puerta para que no se sintieran excluidos de nada de antemano; de otro, entrecerrarla para multiplicar el deseo de abrirla de un empujón.

No niego que me divirtió el jugueteo; sin embargo, como ninguno de los dos pretendientes —creo que así puedo llamarlos— me interesaba, transcurría el tiempo sin que me decidiera, lo cual excitaba la competitividad de ambos, los mantenía en jaque como dos servidores aspirantes a la blanca mano de doña Leonor, y desconcertaba a Yamam, que me veía *actuar* por primera vez, y asistía a mi actuación como a un partido de tenis, volviendo la cabeza a un lado y a otro sin la más ligera noción de cómo acabaría.

Detesto el coñac, cualquiera que sea su nacionalidad. Esa noche, no obstante, bebí uno francés, y alabé su *bouquet* y el suave golpe que sube desde el fondo del paladar a la nariz. Estuve amable y divertida, es decir, escuché, que es como más divertida y más amable le resulta a un hombre una mujer.

Me percaté, de repente, de que no me había pintado las uñas, y me entraron ganas de echarlo a rodar todo, como una actriz novicia que se equivoca en su primera representación. Me contuve y tomé nota. A cambio, traduje la letra de la jota en que la Virgen del Pilar dice que no quiere ser francesa. Ellos me aseguraron que no les preocupaba, porque en Francia tenían suficientes vírgenes.

—Si todos los franceses son como ustedes dos, no habrá tantas —repliqué.

Conté dos o tres anécdotas chistosas de mi país y,

más que nada, oí anécdotas del suyo; eran vulgares y me repateaban, pero yo fingía estar obnubilada.

El que lo estaba en realidad era Yamam; tal era mi propósito: dejar sentado que *los europeos* éramos afines y lo pasábamos muy bien entre nosotros. En un momento dado, su pie —no podía ser de otro: no había dado justificación tan clara a los demás— me buscó por debajo de la mesa, y yo, con una fastidiosa espontaneidad, me dirigí por encima a él:

—Perdona, Yamam: ¿decías algo?

Él, ruborizado, negó con la cabeza y sacó no sé de dónde una sonrisa postiza. Yo ahondé la puñalada:

—Quizá se le ha hecho tarde. Es que Yamam madruga para abrir su preciosísima tienda del Bazar.

Quería establecer que quien abordaba el posible pretexto de la cena era yo, y me deshice en elogios de los tapices, kilims, alfombras, bordados, etcétera, de Turquía, y concretamente de los de «mi amigo Yamam».

—Cuando a ti te apetezca —concluí para dejar sentado que a mí no me apetecía—, nos vamos.

—¿No quieren ustedes que tomemos una copa en algún lugar grato? —dijo el delegado—. Yo apenas conozco Estambul. Hasta el momento, no he salido del barrio de Galata.

—Quizá no salga usted nunca de él —le replicó riendo el secretario, que se llama Armand y el otro, Denis—. Aquí las familias bien de toda la vida dicen que Mehmet tomó la ciudad en 1453, pero los turcos no la tomaron de verdad hasta 1983, y en coche. Ahora sí que es suya. Se cuenta que las calles de Estambul están pavimentadas de oro; pero el medio millón largo de automóviles que circula por él no deja comprobarlo.

Yamam se levantó. Yo temí un exabrupto; había olvidado que los turcos no son dados a ellos: prefieren otros sistemas de dar a entender lo que pretenden o lo que les fastidia.

—La misma confianza que tengo yo al despedirme les ruego que la tengan conmigo quedándose y disfrutando de una agradable *soirée*.

Yo hice ademán de incorporarme.

—Ah, no se querrá usted llevar a Desia. —Así me había llamado Denis durante toda la cena—. Desia es la reina de esta reunión; sin ella, la noche caería decapitada.

—¿Como Marie Antoinette? —pregunté.

—No, no —dijo Yamam—. Que Desi los acompañe en mi nombre. Los deseos de ustedes son para mí mandatos.

—Qué amables son los turcos —comentó el delegado, subrayando más las diferencias.

Se levantaron también los franceses.

—Ya nos pondremos de acuerdo en qué día pasaremos por el Bazar Cubierto —comentó Armand.

—Cuando quieran.

Yamam estaba delante de mí. Me miraba. Le tendí la mano con la palma hacia abajo. Vaciló, la besó y se fue.

Por descontado, a partir de ese momento dejó de importarme lo que sucediese. Mi representación había concluido; la había hecho para un único espectador que acababa de dejar la sala. Me costó más esfuerzo prolongarla que iniciarla, pero la prolongué. Yo sabía que mi campaña no era cosa de unas horas, y nadie se aprende su papel para una sola sesión.

Nos fuimos al hotel del delegado, quizá el más caro de la ciudad, en el que yo había estado por la mañana repartiendo tarjetas como una asalariada. Ahora nos encontrábamos allí con un vaso en la mano, sentados ante una mesa discreta, y bailando de cuando en cuando. Era evidente que el secretario consular, no sé si soltero o casado, había renunciado en favor de Denis a la posibilidad de conseguirme. Puesta entre la espada y la pared, yo habría elegido a éste. Y, al parecer, estaba entre la espada y la pared. Después de un baile lento, el secretario se despidió muy cordial y no sin mi promesa de volvernos a ver en seguida.

—Al fin, solos —dijo con un incierto sentido de la originalidad el delegado.

—Relativamente —repliqué mostrándole la sala abarrotada.

—¿Quiere que lo estemos un poco más?

Me miraba con unos ojos cuyo color, hasta ese momento, no había identificado: pardos, acaramelados, verdosos, grises, según la luz que les daba; pero, como la luz allí era absolutamente inquieta continué sin saber a qué carta quedarme; en cualquier caso eran bonitos.

—Oh, no —le respondí bajando los míos.

Comprendí por instinto que había llegado la hora del pudor. Lo sentía, pero podía haberlo ocultado perfectamente; sin embargo, lo que interesaba era exagerarlo. Después de la exhibición, el rechazo y la huida para provocar el celo del cazador, que así se creería dos veces triunfante: por la dificultad tanto como por la presa.

—Es demasiado tarde... No vaya a molestarse en llevarme. Pediremos un taxi.

—¿Qué está diciendo? Primero, que la llevaría yo en el taxi: ni tengo coche, ni sabría por esta ciudad tan complicada de la que además no me fío... Segundo, que no quiero que se vaya. No me haga tanto daño.

—No exagere, Denis. Tengo miedo de usted.

Pensaba que es más excitante para un hombre que una mujer tema entregársele. Claro, que con Yamam había obrado al contrario, pero precisamente porque no pensé.

—He hecho muy mal no yéndome con Yamam. Es la primera vez que cometo tal disparate.

El ardid exigía que se dedujera que, ya que no mi primer contacto con un hombre, sí era mi primer contacto con quien no tuviese ningún derecho sobre mí. (La relación entre Yamam y yo no me convenía aclararla.) Yo misma me admiraba de tener tales conocimientos que producían efectos radicales: Denis estaba prácticamente a mis pies y me adoraba, si bien de un modo algo bobalicón. Para no pasarme de casta y de sencilla, continué:

—Ahora tendré que dormir en casa de una amiga íntima, la mujer del homólogo de Armand en el consulado español. ¿Me acompaña al teléfono antes de que sea más tarde?

—Si yo me atreviese... En el hotel tengo una *suite* con un par de dormitorios; le cedo uno y el salón. Acepte, Desia.

—Oh, Denis. ¿Cómo puede pensar...? Es usted un conquistador terrorífico. Y lo malo es que yo soy una boba.

—Lo primero no es cierto; lo segundo, tampoco. Es usted la mujer con más *esprit* y más duende (para decirlo en los idiomas de los dos) que he conocido nunca.

No hablé; lo miré fijamente —sus ojos estaban verdosos— y coloqué mi mano sobre la izquierda suya. Su derecha se apresuró a cubrir la mía.

Denis tiene un cuerpo atlético; pero hace el amor con demasiada suficiencia y demasiada prisa. Por segundos, me recordó a Ramiro. No sé si se propuso dejar enhiesto el pabellón francés y tuvo que sacrificar su propio pabellón, pero con ese cuerpo, que ganaba desnudo, podían hacerse mejores contradanzas. O quizá sea —me acuerdo ahora de Laura— que la rutina (o la costumbre, mejor dicho) no es la enemiga del amor, sino una aliada cuya fuerza hay quien no aprende a utilizar.

No me fue posible abandonarme aunque lo hubiera querido. A cada movimiento de Denis, a cada contacto, a cada beso, yo me repetía: «Yamam hubiera hecho tal cosa, o besado tal sitio, o tocado tal resorte.» El amor físico no se improvisa; menos aún que el otro, que sólo reclama pruebas falseables. En el físico, hay que mostrarlo y demostrarlo todo. Yo me conformé con manifestar una cierta timidez y bastante inexperiencia para no alarmarlo; o sea, interpreté el papel, tan fácil, de la que no sabe casi nada y arde en ganas de que su pareja se lo enseñe todo.

—Desia, me has hecho tan feliz —musitó Denis en mi oído.

—Llámame siempre así —musité yo en el suyo.

Me pareció muy adecuado tener un nombre distinto, como una consigna, para él. Aprovechar su equivocación fue hacer de la necesidad virtud, lo que en nuestras circunstancias no dejaba de ser una paradoja.

Cerca del mediodía, durante el desayuno —con mi mano izquierda entre las de Denis— telefoneé a Yamam. Hacía tres horas que estaba en el Bazar. Le dije que le hablaba desde casa de Paulina.

—¿Estás segura? —preguntó con un tono que no supe cómo interpretar.

—Segurísima, la estoy viendo ahora mismo.

Lo dije sin un titubeo, pero también sin un exceso de firmeza, para que lo entendiera a su gusto. Amaba tanto a Yamam mientras le mentía, o mientras le ocultaba la verdad; tenía que hacerme tanta violencia para no salir corriendo a pedirle perdón...

—¿Cuándo vendrás?

—En cuanto me sea posible. Un beso. —Colgué.

—Te quedas a almorzar conmigo —afirmó Denis.

—Sería incapaz de almorzar con esta ropa de noche, por muy en Estambul que estemos: se me quitaría el apetito.

—Abajo hay *boutiques*. Llamamos y que te suban algo.

—Prefiero bajar yo: no me fío del gusto de las turcas, y menos del de las americanas. Cuando terminemos, me encasqueto esa falda y una camisa tuya, y bajo.

—Que lo carguen a mi cuenta. Y que confirmen por teléfono, si quieren.

—Te lo agradezco, Denis. No he traído dinero.

Él se separó de la mesa. Yo estaba envuelta en una sábana. Me miró con detenimiento.

—Es una lástima que pienses en vestirte... Acabas de decir «cuando terminemos». ¿A qué te referías?

—Al desayuno, por supuesto —sonreí.

Me cogió en brazos y me llevó a la cama. No sé si por su esplendidez, tan poco francesa, o porque escuché algo celosa la voz de Yamam, la segunda función fue bastante mejor que la primera. Yo me distraje, no obstante, un momento: mientras me preguntaba a mí misma si no tendría alma de puta cara. Cuánto me habría gustado que Yamam lo supiera.

Llegué al Bazar a la hora del cierre: lo había calculado. Llevaba un elegante traje sastre azul noche; a poco que se entendiese, se deducía la buena firma. No me puse más adorno que un prendedor de solapa de alta bisutería. Di por supuesto que el pagador iba a ser la empresa del delegado y me pasé un poquito; nunca me había sabido mejor una compra. El saco de tela azul marino en que me entregaron el vestido me sirvió para meter la ropa de la noche anterior, y para producir una primera impresión de viaje, que era lo que procuraba.

Vi a Yamam a la puerta, sentado en un taburete; en otro, su hermano, cuya barriga daba casi en el suelo. Cuando avancé por la estrecha calle del Bazar que desemboca allí, dejé a ambos con la boca abierta. Los muchachos y Mahmud se preparaban para cerrar. Por lo que pudiera pasar entre Yamam y yo, Mehmet huyó a su joyería.

—Yo cerraré —le dijo a los muchachos Yamam. Y a mí—: ¿Pasas?

Entramos y echó el cierre por dentro. No habló. Me tomó con suavidad la cintura y subimos al piso alto. Antes de un minuto me había despojado del traje azul noche, y se había arrancado su pantalón y su camisa; el resto me ocupé yo de quitárselo. En seguida comprendí por qué era insustituible, y cómo habían servido de ensayo preparatorio las dos *séances* del francés: mi cuerpo, fatigado, se abrió igual que una fruta madura.

Yendo hacia casa, al pasar por la estación Sirkeci, un tren silbó. Siempre se me han clavado en el alma los pitidos de los trenes; me suenan a desolación, a despedida, a una aflicción punzante y alargada. Me estremecí. ¿Qué era lo que temía? ¿No poseía de nuevo a Yamam que, de vez en cuando, me miraba de reojo como un experto que calibra una alhaja, o acaso como un chalán que valora una jaca? Sí; lo poseía. Y de ahí exactamente provenía mi temor... El tren volvió a silbar. Yo, a pesar de haberme propuesto mantener una cruda neutralidad, no logré evitar cogerme del brazo de Yamam.

Subimos las escaleras de la casa en silencio, como habíamos venido. Yo sentía fijos sobre mi trasero los ojos de Yamam. Hace tiempo me dijo que ésa era la facción más hermosa y la que más le enloquecía de mi cuerpo.

—Facción, en castellano —le dije muy refitolera—, es una parte de la cara.

—¿Y es que no es una cara todo el cuerpo?

Me detuve en el último rellano y me volví. Yamam tenía apretadas las mandíbulas. Abrió la puerta con una mano poco serena. Me dejó pasar y cerró, sin mirar, con un pie.

—Ven —murmuró.

Me condujo de la mano al dormitorio, y me demostró de nuevo que mi cuerpo no conseguiría olvidarlo jamás.

LLEVO DOS MESES OBLIGÁNDOME a la discreción; no piropeo ni jaleo a Yamam. A veces lo miro con aprobación y espero que comprenda. Participo de todas sus locuras y sus inventos, con la intención de que él encuentre mi cuerpo también inolvidable. Pero no hago comentarios después de sus abrazos; me conformo con quedarme en silencio mirando al techo y fumando un pitillo. Él aguarda la frase y el beso agradecidos, la ponderación o la lisonja con que, en un pasado próximo, solían concluir nuestros actos de amor; pero yo enmudezco.

Lo que no está en mi poder es impedir las explosiones que en mí suscitan sus manos o cualquiera de sus miembros; ésas, no obstante, tampoco él las percibe con mucha lucidez: afortunadamente.

Antes había ocasiones en que yo me reprochaba: «Eres imbécil. Estás hablando como se habla en los libros», y me callaba muerta de vergüenza. Yamam me miraba animándome a seguir, y eso me daba pie para imaginar que acaso los libros turcos expresen el amor y las pasiones con un lenguaje distinto del nuestro, y que a Yamam mis palabras le sonaban inéditas todavía. Ahora estoy más convencida que nunca de que las palabras no sirven para casi nada. Su potencia es escasa; se quedan cortas, como una prenda de vestir a la que el uso y los lavados han encogido. Cuando yo le manifestaba paladinamente mi amor a Yamam, seguro que no me creía, a fuerza de haber oído decir lo mismo y con las mismas expresiones tantas veces. Cuántas mujeres se le habrán declarado, cuántas habrán gritado su nombre atravesadas por él y casi en la agonía. Y todas han terminado de la misma manera: en la indiferencia y el olvido...

Malditas palabras. Al amado no ha de decírsele que él es el absoluto y tú su esclava; él ya lo sabe, pero no se lo cree. No hay que decírselo, sino probárselo. ¿Y cómo? Porque el amado siempre está vuelto hacia otro sitio, entretenido, pensando en otra cosa, hasta que le da el avenate de poseer, y posee y te come y te bebe y te digiere. Como le dije aquella noche al escritor español, a mí lo que más me gustaría es ser un genio del idioma para acertar con la expresión que convenciera de mi amor a Yamam. O inventar otra lengua, si es que la monotonía de la pasión puede expresarse de otra manera que monótonamente. Una lengua no usada todavía, tersa e insólita, con vocablos que pareciesen nombres de pájaros y flores de un universo más cálido y más iluminado, como el universo que yo creí que era Estambul... Malditas sean las palabras, porque hasta para maldecirlas tenemos que emplearlas.

HABÍAN PASADO CUATRO DÍAS desde mi primer encuentro con Denis. Al quinto, tuve un almuerzo con él, agradable y sin posteriores complicaciones. En la mañana del décimo, contentísimo, Yamam me comunicó que había firmado su contrato con la filial francesa, por el que, sobre los planos del arquitecto, se le encargaba alfombrar las salas nobles del edificio.

—Es mucho dinero, preciosa mía, y en buena parte te lo debo a ti.

No aludió más al tema, y pareció incluso arrepentirse de esa breve mención. A lo largo de la mañana, entró en la tienda un turco seco, granujiento y de malísima catadura, que sacó a Yamam fuera. Estuvo ausente una media hora. Al regresar, su satisfacción parecía esfumada; tan visiblemente, que le pregunté si el contrato francés se había derrumbado.

—No; se trata de otro asunto... ¿Querrías hacerme un favor importante?

—Sabes que sí.

—Esta tarde, a las cuatro, llevarás un sobre que te daré a la dirección que en él va escrita.

Dijo una dirección —era una casa de Yeniköy—, que anoté mentalmente.

—¿Eso es todo?

—No puedo decirte más. Tendrás que obrar según las circunstancias. Eres lo bastante hábil y lo bastante lista como para no necesitar asesores.

Almorzamos juntos. Estuvo muy amable. Alardeó de llevar al lado a la mujer más guapa del restaurante, que era demasiado sencillo como para enorgullecerme. Se hallaba en los límites del Bazar, e íbamos antes a él con frecuencia. En realidad, el primer piropo me lo echó el dueño, tendiendo a mis pies el delantal; según él parecía aún más joven que la última vez.

Nos sentamos al aire libre. Desde un árbol central,

una parra irradiaba sus ramas. Al pie había un acuario alto y vacío que servía de techo a una gata con cinco o seis crías. Unas cuantas tiendecillas se abrían alrededor de ese patio; ante una de ellas, dos preciosas alfombras extendidas. Una brisa templada movía las servilletas de papel... Yo miraba enternecida los juegos de los gatitos. La madre comía de un plato que le habían puesto los alemanes de una mesa próxima, hasta que el camarero la espantó con unas palmadas. Los gatos, que habían aprendido ya a lamerse las patas, lo hacían embelesados. Uno no dejaba de mirar hacia arriba, como si esperase echar a volar en cualquier momento; otro, tenía una curiosidad tan grande que la desparramaba por todas las cosas sin detenerla en ninguna, lo cual le hacía parecer autista... Se lo comenté a Yamam. Él me besó en los labios y se levantó para pedir una música. Bajo una sombrilla de propaganda, había una fuente por la que salía el agua de un depósito si se bombeaba con una palanca. Apoyada en el depósito, sin dueño, una tabla de mármol tallada. Los turistas alemanes, desmoralizados por la complicación de los billetes, pagaron cada cual lo suyo cuando se levantaron.

Nuestra comida se prolongó con el raqui y la conversación. Yamam evocaba buenos momentos nuestros, referidos todos a nuestro viaje por Anatolia. Yo me preguntaba la causa de tan pertinaz asociación de ideas. Al final, con su boca muy cerca de mi oído, fue traduciendo la letra de una canción arabesca que empezó a sonar:

—La he pedido yo, y dice: «Tú eres mi nombre y la luz de mis estrellas; el ramo de yerbabuena con que adorno mi té y las huellas de mis dedos... Tú eres el corazón de la tarde en la que soy feliz. Tú eres el barco que me lleva, río abajo, al mar de la hermosura...»

Yo no me quería dejar llevar río abajo. Sobreponiéndome, aprobaba con la cabeza, mientras Yamam hacía suyos, muy bajitos, los versos de la canción.

—«Tú eres el perfume del mundo. Nunca podré despedirme de ti, porque vienes conmigo...»

Sin transición, sacó un sobre y lo puso sobre la mesa.

—He resuelto acompañarte yo. No a la casa del hombre al que se lo has de dar, pero cerca. ¿Vamos?

El trayecto fue largo. Yamam iba tarareando la melodía de la canción y repitiendo algunos versos. Yo los recordaba mejor que él; quizá se los había inventado. Nos acercamos a una de las zonas residenciales del Bósforo, donde la vegetación crece armoniosa entre las casas opulentas y por encima de las tapias de los jardines, como si en la vida todo fuera intachable, y no existiera el mal. La tarde era caliente y perfumada; el césped había recuperado su color verde intenso y los cerezos florecían. Yamam detuvo el coche y me señaló una villa, no muy grande, pero muy bien cuidada.

—Espero que él luego mandará que te lleven. Si es antes de las siete, estaré en el Bazar; después, en el bar de la estación.

Lo miré a los ojos intentando descifrar el misterio de tanta exquisitez. Me besó con denuedo y me abrió la puerta del coche.

—*Ciao* —dijo.

El hombre era un turco inmenso. Debía de ser muy rico; cada detalle de la casa estaba puesto allí para demostrarlo. Desde los amplios ventanales del salón se divisaba el embarcadero y un barco meciéndose en el agua. Mi temor a no entenderme con él se evaporó en seguida: hablaba en cuatro o cinco idiomas, como Ariane, mezclando unos con otros y supliendo con las manos las posibles lagunas. Me ofreció un té o un whisky; acepté, por si acaso, el segundo. Luego saqué el sobre de mi bolso y lo puse ante él encima de la mesa. Él lo abrió sin mirarme. Yo escudriñaba todo, hasta donde mis ojos alcanzaban. Era difícil encontrar algo sobre qué descansarlos; pocas veces había visto una colección de objetos más caros y más feos, combinados con una irresponsabilidad tal que cortaba la respiración. El hombre contaba billetes de dólares que venían dentro del sobre. Al final, resollando como un hipopótamo y enjugándose el sudor, dijo:

—Aquí falta mucho dinero, señora. ¿O señorita?

—Señorita —preferí contestar.

—Demasiados dólares... No sé si Yamim (¿es su nombre Yamim?) sabe a lo que se expone. Está jugando con fuego desde hace tiempo. Mi organización no tolera ni fallos ni fraudes.

Esto es lo que deduje de su gorgoteo políglota. Dejó pasar un minuto, que se me hizo interminable. Yo no tenía la menor idea de lo que podía aducir. De pronto, sonrió, si aquella mueca era digna de llamarse sonrisa.

—Salvo que usted sea la encargada de saldar el total de esta deuda.

—Yo no tengo... —comencé a decir, mientras abría mi bolso, no sé por qué.

—Oh, sí tiene; ya lo creo que tiene.

Movió su sillón para acercarlo al mío. Comprendí: se trataba de una encerrona. Salir de allí no digo ya ilesa, pero intacta, era una utopía: el salón estaba lleno de tiradores para llamar al servicio. Y darle al gordo en la cabeza con algo contundente era una remotísima posibilidad: tendría que conseguir primero que no se levantara, porque medía muy cerca de dos metros. Él, entretanto, reía sacudiendo la cabeza. Destapó un azucarerito de oro y me tendió una diminuta cucharilla.

—¿Quieres?

No era azúcar, por supuesto.

—No, gracias.

Él sorbió por un lado y otro de sus anchas narices. Tocó una tortuga, también de oro, que era un timbre, y apareció un criado vestido de frac.

—Que no se me interrumpa. Si llamase el ministro, que yo lo llamaré; que diga dónde está. Si es mi hija, que la recogerán a las siete donde diga.

Con un gesto despidió al criado. Yo no tenía miedo: veía todo como si le sucediera a otra persona; ni siquiera albergaba rencor contra Yamam. Estaba persuadida de que me podían asesinar allí mismo y tirar mi cuerpo al Bósforo sin que se volviera a oír mi nombre. Era, pues, consciente de que no me quedaba otra salida que pagar lo que le faltaba al sobre. Sólo tenía la esperanza de que el individuo inmenso no gozase de aficiones demasiado horrorosas... Sin el menor motivo, me acordé de mis amigas de Huesca. Fue un fogonazo: las vi en el parque con sus hijos brincando alrededor, y vi a Trajín. Me dije: «No es mal recuerdo para terminar.» Me trajo a la realidad el hombre que, cogida por los hombros, me levantaba del sillón.

No sé qué edad tendría; quizá pasaba de los setenta años, pero eso daba igual: no se me iba a preguntar mi opinión; había que saldar una deuda y nada más; preferí no fijarme en quién cobraba. Cerré los ojos y sentí que me tomaba en volandas y me depositaba, con mucha consideración, sobre un sofá tan gigantesco como él. Se interesó cortésmente por mi comodidad. Afirmé. Se derrumbó a mi lado y me desnudó prenda por prenda, con una exasperante lentitud. Yo seguía con los ojos cerrados, me besó los párpados.

—Así, así —dijo.

Acabó de desnudarme. Yo ya estaba impaciente por terminar como fuera. No sucedía nada. Pasaba el tiempo y no sucedía nada. Lo había sentido levantarse. Abrí los ojos, aunque no del todo. El hombre, con los suyos en blanco, se masturbaba junto a mí. De no ser por sus jadeos, se hubiera oído el vuelo de una mosca; no creo que las hubiera, salvo que fueran de oro. Concluyó con un estertor y su suspiro. Cuando volví a mirar, estaba derrengado en un sillón; ni el cinturón se había aflojado. Pasaron unos minutos. Yo no osaba moverme. Le oí decir:

—Vístete. Eres muy bonita. Me gustas mucho. Siempre que no se lo des a ese holgazán que te ha mandado, coge de esta mesa lo que quieras.

Yo me vestía apresuradísimamente. Miré la mesa. Señalé con el dedo el azucarerito. El hombre se echó a reír.

—Seguro que el contenido se lo darás a Yamam (su nombre es Yamam, ahora lo recuerdo), pero si te gusta...

Enroscó la tapa y me lo alargó. Yo lo guardé en mi bolso.

—Dile que es para uso estrictamente personal, eso sí: que no me entere yo de lo contrario. Ése es capaz de vender a su madre. Y ya le comunicaré a él cuándo quiero que vuelvas.

Tiró del cordón; vino otro criado.

—Que lleven a la señora, ¿o señorita?, donde ella vaya. Adiós. —Me besó la palma de la mano. Yo ya salía—. Dime, ¿de dónde eres?

—Soy española.

—Me lo figuré, tu apasionamiento es típico de España.

Pensé en el apasionamiento de la *Maja desnuda* de mi paisano Goya, y me sonreí. Al fin y al cabo, pasar con nota, a los treinta y dos años, un examen tan minucioso no era moco de pavo.

Mandé al chófer que me dejara en Eminönü. Compré comida para las palomas y la eché por el aire. Todo él fue, a mi alrededor, un batido de alas. Tuve la tentación de tirar también el contenido del azucarero, pero había hecho otro plan. Aún calentaba el sol. Me eché sobre la cabeza el chal que llevaba al hombro y entré a la Mezquita Nueva (que no lo es, tiene más de cuatro siglos). Escondida tras una columna, volqué gran parte del contenido del azucarero en mi polvera, previamente vaciada. Me postré, y me acometió de repente toda la angustia que creí superada. Noté el fresco y la humedad del sitio. Una gruesa turca me puso sobre la cabeza el chal que se me había escurrido, y me tocó cariñosamente el brazo... Con la cara entre las manos rompí a llorar. Sólo un momento; luego me levante y salí. Crucé hacia el puente Galata; anduve un trecho por él y me di media vuelta. Allí estaba Estambul, algo velado por la contaminación y por el polvo que descubre la primavera. En mitad del Cuerno de Oro —de oro, pensaba, sintiendo contra mi costado el azucarero— no sabía si reír o seguir llorando. Tenía enfrente le mezquita de donde venía, el Bazar egipcio, la estación a la que iba a ir luego, el Topkapi, el Serrallo, Santa Sofía, la Mezquita Azul, la postal entera... Nunca más había vuelto a la Mezquita Azul... Entre la bruma el puente sobre el Bósforo.

Y ve el capitán pirata,
cantando alegre en la popa,
Asia a un lado, al otro Europa
y allá a su frente Estambul.

En mi primer viaje, Laura y yo buscamos, yendo en un transbordador, el lugar preciso que inventó Espronceda para que el capitán, sentado, viera lo que ve... Espanté las moscas que subían de los restaurantes del puente... Ya era casi la hora. Caminé despacio hasta la estación donde había sido tan feliz.

Yamam tomaba café en una mesa.

—¿Quieres azúcar? —le dije, poniéndole por delante, con un golpe, el azucarero.

—Con el café turco —contestó sin inmutarse— hay que decir, al pedirlo, la cantidad de azúcar que se quiere. Yo lo tomo con mucha.

—Pide otro para mí, pero esta vez sin azúcar. La tarde me ha acostumbrado a los tragos amargos. —Él había cogido el objeto y lo examinaba—. Es de oro, sí; pero quizá el contenido valga más. —Se lo arrebaté y lo devolví a mi bolso—. Creí que te conocía.

—Nunca has querido conocerme.

—Porque te había aceptado tal como eres, tal como fueras...

—¿Y ahora ya no me aceptas?

Alargó una mano reclamando la mía. Yo miraba alrededor aquel local que también había querido disfrazar al principio. Se me nublaron los ojos. «No —me dije—; no. Ahora quiero conocer a Yamam, cueste lo que cueste.» Alargué mi mano.

—Ahora te acepto, pero a *pesar de todo*. Creo que he iniciado mi viaje de vuelta.

—De vuelta, ¿adónde?

—A ti. —Era preciso aterrizar. Sacudí la cabeza para cambiar de tema; le señalé mi bolso—. Tienes amigos muy interesantes.

—Son anteriores a ti —se excusó. Me había dado la vuelta a la mano y seguía sus rayas, como si me leyera la buenaventura.

—Ahora comprendo algunas cosas —murmuré. Y él también murmuró:

—¿Te apetece que cenemos por aquí, como habíamos pensado, o nos vamos a casa?

Su voz estaba preñada de promesas.

—Vámonos —dije.

Ya me quedaban muy pocas cosas que perder.

AYER POR LA MAÑANA regresé de París. He estado una semana larga. Denis iba a pasar unos días allí; me invitó, y acepté.

De nuevo era preciso elegir, sobre esta cuerda floja en la que vivo, entre dar a Yamam la impresión de independencia, incluso de estar por encima de él, o arriesgarme a perderlo. Nada más decidir que iba, comencé a martirizarme: «Una semana es demasiado tiempo: puede pasar todo en ella. Pero, por otro lado, también estuve meses fuera, antes de liarme la manta a la cabeza, y siempre encontré a Yamam dispuesto a recibirme... Sí; pero era otro Yamam. Y además, tú no sabes lo que hizo entretanto; no creerás que te guardaba ausencias; no te las guarda ahora, conque... Mira, en el fondo da igual que te vayas o que te quedes: nunca va a ser tuyo como tú eres suya. Por lo menos, algo tendrás que contarle a tu regreso.»

El piso de Denis es admirable. En la orilla izquierda, sobre el Sena, que se ve brillar entre los árboles. Un piso para un enamorado de París, como él. Nunca me habían enseñado la ciudad —tampoco estuve tantas veces— con el afecto de ahora. He paseado sola, y hemos paseado juntos. A veces yo iba por las mañanas a las plazas, a los jardines, a los monumentos que la noche anterior me había mostrado Denis, y qué distintos eran... Si no supiese yo a quién amo, habría imaginado que era mi amor por Denis el que engalanaba las fachadas, los árboles, las cúpulas, los campanarios, todo. Denis me enriquece más de lo que nunca me enriqueció Ramiro. Junto a él, una vida sin amor sí se comprendería. Es atento, riguroso, arrogante, correcto y guapo. He visto volverse muchas cabezas femeninas, y alguna masculina, paseando con él... Ay, en el caso de que Estambul no existiera, me quedaría en París. Qué raro que le tuviese antes tanta manía.

Una mañana que Denis tenía libre me instó a ir de compras.

—¿Qué mujer pasa por París sin equiparse un poco?

Lo primero que compré fueron unos gemelos de lapislázuli; eran para Yamam, pero rectifiqué a tiempo y, una vez bien envueltos —«Sí, son para un regalo»—, se los tendí a Denis. Él rozó mi cara con la suya y me besó con levedad. Si le hubiese hecho el regalo por interés, no habría surtido un efecto mejor: se empeñó en que comprara todo lo que veía, todo aquello donde mis ojos se posaban.

—No voy a poder mirar más que el Arco del Triunfo, Denis, por favor...

—No lo mires, por qué tendría que hablar no sé si con el Gobierno o con la alcaldía, y hemos de estar de vuelta en Estambul dentro de nada.

En el amor es higiénico y aséptico. No mejora con el uso, ni conmigo tiene por qué. Me ha acompañado cuanto tiempo ha tenido libre; no me ha exhibido, pero tampoco me ha ocultado. Ignoro si tiene mujer; no me pareció oportuno preguntarlo, y él tampoco me ha preguntado nada. Supongo que es divorciado; pero, si tiene hijos, apostaría a que no los ha visto. La última noche paseamos por la plaza de los Vosgos.

—Qué pena no poder besarte ahí en medio, pero a estas horas cierran el jardín.

—Hazlo aquí mismo. —Le ofrecí mis labios—. Gracias por tu París.

—Mi París ha sido bastante estropeado por reinas españolas: Ana de Austria, María Teresa y, ya el colmo, Eugenia de Montijo.

Hubo un momento —me llevaba del brazo y yo me había dejado caer sobre él— en que al hablarme de algo indiferente (una fecha, o la luna, o qué sé yo) se le enronqueció la voz. Pensé: «Mira que si ahora me pide en matrimonio o quiere unas relaciones fijas...» Me detuve; lo miré de frente:

—Paseos como éste sólo se pueden dar cuando se es libre. Por eso yo no quisiera dejar de serlo nunca. Te lo agradezco de todo corazón.

Nos besamos un poco más a fondo. En realidad, son más peligrosos los hombres como Denis, que no ejercen su poder en la cama.

Por supuesto, había comprado para Yamam otros gemelos. Cuando él y yo volvimos juntos a casa (nunca la había visto tan rematadamente fea, pero tampoco tan nuestra), saqué cubitos de hielo y metí en una cacerola alta una botella de champán; su único mérito era que la había traído yo en mano desde París. Yamam decía desde el salón:

—¿Cómo puedes haberte gastado tanto en comprar una joya en una tienda que no es la de Mehmet? Me tendré que quitar los gemelos cuando vaya a verlo; si no, se moriría del disgusto... Son magníficos, Desi. Gracias.

Salí con la botella y dos copas. En aquel momento lo

amaba más que a todo, y estaba persuadida de que lo amaría siempre. Bebimos el champán de prisa —dos o tres copas—, porque éramos conscientes de lo que nos esperaba al otro lado de la puerta. Pero lo cierto es que no llegamos al otro lado. Sobre el kilim parecido al que le vendí al escritor hicimos ilimitadamente el amor. Si me hubieran preguntado después, no habría sabido contestar en dónde está París.

En realidad, ni siquiera podría contestar dónde estoy yo. Cuando acabo de escribir estas líneas, considero cómo los puentes levadizos que abate el amor físico, en medio de los cuales nos entremezclamos Yamam y yo, una vez concluido, se levantan, y yo lo veo alejarse por la otra orilla sin volver la cara. No sé qué hacer para impedirlo y retenerlo. Presiento que mi viaje a París ha sido negativo. Él escucha la llamada del cuerpo —acaso del suyo más que del mío—, pero hace oídos de mercader a toda otra llamada. Quizá me he equivocado de estrategia. ¿Cómo dar marcha atrás?

YAMAM Y YO hemos viajado a Bursa. No levanto castillos en el aire: por alguna razón secreta le convenía que yo le acompañase.

—Es la primitiva capital del imperio. Célebre por sus melocotones, por sus sedas y por sus baños. Y muy conservadora; hay que tener cuidado... —¿Bromeaba? Quizá no—. Si le llaman *la Verde* (vuelvo a ser, como ves, el guía que conociste), no es por lo que tú puedes maliciosamente pensar, sino por su Mezquita Verde, por su Mercado Verde, por ser la Ciudad Santa y por lo que llueve.

En efecto, ha llovido todo el tiempo. En un café, frente al hotel, Yamam se ha reunido con dos turcos que chorreaban agua: uno, muy grueso, y el otro, muy delgado. Los dos me atisbaban de soslayo. Comprendí que, en ausencia mía, las cosas se habrían desarrollado de distinta manera. Yamam no ha querido separarse de mí ni un solo minuto. ¿Se sentía amenazado? En ocasiones —en el Zoco de la Seda, de un modo marcadísimo—, vigilaba por encima del hombro, como receloso de que alguien nos siguiera.

El regreso lo hemos hecho parte en coche y parte en ferry. Desde un cielo plomizo, llovía sobre el mar de Mármara, de un verde casi negro, plateado levemente en las orillas. Qué distinto este mar del que vi por primera vez, o del que cierra, cerca del Bazar, mis calles predilectas. Este mar está muerto... La lluvia resbala sobre los cristales de las ventanas del ferry, y es como si yo misma estuviese llorando y lo viera todo a través de las lágrimas. Las nubes son muy bajas, sombrías y cerradas. Hace frío. Me estremezco. Por arriba y por abajo, cuanto veo es gris y agobiante...

Sobre el agua espesa cae una lluvia espesa. No se ven las riberas, y el horizonte parece estar al alcance de la mano. Desde que dejamos el coche, Yamam no me ha dirigido la palabra. Me pongo en pie para mirar al exterior.

—Otro invierno —dice Yamam, que continúa sentado.

Su voz me suena abrumada, lastimera y remota. No me atrevo a indagar el porqué.

—Sí; otro invierno que viene —suspiro.

Las ráfagas más claras que se ven en el mar las produce la lluvia que, al caer con fuerza, levanta un poco de espuma. Qué inútil la lluvia sobre el mar. Qué inútil todo... Tras el vaho de la ventana, se va perfilando paulatinamente la costa. Limpio con un guante el cristal, y apoyo la frente sobre él. Me hacen bien su humedad y su lisura.

—¿Qué te pasa? —me pregunta, todavía sentado, Yamam.

—Nada. ¿Qué va a pasarme? Nada.
—Ya llegamos —dice tras una pausa.
—¿Dónde llegamos? ¿Qué más da ya? —musito. Me penetra en los labios el frío del cristal, y no sólo en los labios.

ESTABA ORDENANDO EL ARMARIO: me agobia la ropa mal distribuida. El corazón me dijo que tendría toda la noche para ordenarlo. Al abrir la parte de Yamam, eché en falta bastante ropa suya. Últimamente con frecuencia deja de venir por las noches. Hace dos fines de semana estuvieron aquí sus hijos. Los traía su abuela. Le dije que él no estaba, que había salido de viaje, o eso me había dicho. Sonrió de una forma siniestra; dijo *günaydin* sacudiendo la mano, ya de espaldas, y se llevó a sus nietos. La oí reírse escaleras abajo.

En el armario encontré estos cuadernos. Hacía mucho que no escribía: ¿para qué lo iba a hacer si ya no me consuela? A Yamam lo veo en el Bazar, o aquí cuando viene, cansado y silencioso. De vez en cuando me indica con quién debo salir, qué debo averiguar. Es duro para mí reconocerlo, pero ya no me importa. Haré lo que me diga; ojalá me pidiera más a menudo cualquier cosa: eso querría decir que confía en mí, o que me necesita.

A Denis lo he dejado de ver; ya no tendría sentido. Denis cumplía una misión, o la cumplía yo a su lado. Si Yamam obtuvo lo que se proponía, la misión se acabó. Ya es estúpido imaginar que, por verme solicitada, Yamam se sienta atraído por mí. Lo he interpretado tan mal como a un desconocido. No me queda otro recurso que estar aquí por si vuelve, o verlo en el Bazar cuando levanto los ojos de las cuentas o los palotes de Mahmud. Estoy tan sola que hay días en que me hago la encontradiza con alguna vecina —hasta con la que se ha hecho integrista de gabardina y de pañuelo— para obtener una sonrisa humana. Muchas tardes visito a Ariane.

—A esta señorita le está estallando el corazón —me dijo la penúltima vez—, y no quiere reconocerlo.

—Soy feliz, Ariane. De veras.

—Cuando se es feliz no se hacen tantas visitas a viejas bigotudas.

Ariane y Mahmud, sin enterarse, son quienes todavía me sostienen.

En el Bazar deambulo sin rumbo; procuro interesarme por alguna pareja, seguirla, saber qué busca y ofrecerme a ayudarla. Todos desconfían. En Estambul los extranjeros siempre piensan que cualquiera desea sacar tajada de ellos. Tienen razón; no puedo reprochárselo...

Un día estuve a punto de recurrir a Paulina. Cogió ella el teléfono; yo no me atreví a hablar. Oí cómo decía «cerdos» y colgaba.

La semana pasada me fui caminando hasta la Mezquita Azul. Atravesé el espacio sombreado por árboles que la precede; la vi más majestuosa e impasible que nunca. Entré, y tenía el fulgor de un acuario. No miré sus vidrieras ni sus azulejos. Sentí un desgarrón dentro de mí, y me arrodillé en el lugar reservado a las mujeres. Dentro de aquel espacio sagrado es como si, de una incomprensible manera, me recuperara; recuperara parte de cuanto había perdido. En el amor estaba pasando de una zona que creí conocida, y que era sólo habitual, a otra insospechada, toda en tinieblas. Di con la frente en el suelo. Aquel gesto humillante me pareció de una significación total: la revelación repentina de una vida diferente, de un destino que era el mío, pero llevado a sus postreras consecuencias... No entendí nada; sólo mi sufrimiento, como un modo de volver a mí misma después de haber estado trastornada o extraviada... Levanté la cabeza, pero no sabía dónde mirar. Aquélla no era una iglesia católica, en que hay retablos y tabernáculo. Cerré los ojos; el rostro de Yamam y su cuerpo se hacían más presentes. Qué trayecto tan largo había recorrido...

En él perseguí —o así empezó todo— el placer, no el amor. ¿Qué esperaba ahora? También el placer me había perseguido a mí, y nos dimos de manos a boca uno con otro. Los deseos satisfechos, provocados y satisfechos, me habían producido una impresión de plenitud, de conformidad con el mundo... Durante mucho tiempo ni siquiera me paré a considerar que Yamam existía fuera de mí, distinto de mí. La separación entre él y yo no existía; el placer nos juntaba, nos unificaba. No me pregunté nunca «quién es, de qué vive, quién lo rodea». Él estaba ahí desnudo para complacerme, y yo, desnuda para complacerlo a él, sin antecedentes, sin más datos que la presencia, que se desvanecía en el abrazo y retornaba luego. Recordé que ni le había hablado de la muerte de mi padre...

Abrí los ojos. Miré hacia arriba. Vi la cúpula grandiosa. Desde las vidrieras más altas descendía una luz indolente y rosada. Por los grandes vitrales más bajos se filtraba otra azul mate. La de poniente entraba por mi espalda y relumbraba en la azulejería. Al fondo, en el *mirhab* dorado, había unas lámparas pequeñas. No tardarían en encenderse los miles de bombillas en círculos. Todo era luz; pero yo permanecía a oscuras. En esa oscuridad pensé: «Yo era los dos, y los dos eran yo.» A mi lado ahora había un fantasma que sólo se concretaba cuando yo lo tocaba, para dejar de ser hasta un fantasma. Ahora ya era yo sola... Antes el deseo nos hacía naufragar; a su través, yo buscaba a Yamam y lo sumergía y lo ahogaba en mi deseo. Y en los interludios, sosegada el ansia, yo me miraba en el espejo de Yamam, que se miraba en mí, y no había más realidad que ésa... No entiendo lo que digo, pero sé que fue así... Sin embargo, lo único que me consuela hoy es que cualquier cambio me será favorable; para bien o para mal, cualquiera. Hasta la muerte; quizá la muerte sobre todo.

Cuánto ha cambiado el contenido de estos cuadernos. Fueron un entretenimiento o un recordatorio, y se han transformado en un estercolero donde no me atrevo a volcar todo lo que mi alma necesita volcar para sobrevivir...

Pero ¿qué hacía yo en aquella mezquita? ¿A quién buscaba? ¿No había sido Yamam mi dios, o mejor dicho, no fui yo mi dios? ¿No me había sometido a ese ser supremo que ahora se disipaba? Yo convertí mi amor en algo sagrado y adorable... Ahora podría explicar, cuando había dejado de creer en él, aquel dogma de la Trinidad que tanto me confundió de niña: el amor del Padre a sí mismo es el Hijo, y el amor recíproco de uno y otro, el Espíritu Santo. Y existe éste tan real como ellos, a la vez que ellos, como Yamam y el amor a Yamam... Pero uno de los dos había muerto, y yo no sabía cuál. Hubo un tiempo en que pensé que no lo necesitaba; que mi amor era tan grande que lo excedía... Hace una semana, en una mezquita, ya demasiado tarde, llegaba a la conclusión de que el amor exige el sacrificio de cada uno; por ser precisamente sagrado, exige el sacrificio. La adoración significa la renuncia total, la muerte voluntaria.... Quizá si yo muriera —y la idea me agradaba— Yamam pensara en mí como hasta ahora no lo ha hecho, y creyese por fin cuánto lo amo. No es que mi muerte fuera una venganza, pero me conforta entenderla de ese modo... Aunque es probable que las mujeres que él conoce dijeran: «La española se mató por él», y eso las atrajera más, y así también mi muerte colaboraría a mi sustitución, a mis reiteradas sustituciones en sus brazos...

Me puse en pie. Salí atropelladamente. La tarde caía fuera sin apelación. Los últimos grupos de turistas montaban agotados en un autobús semejante a aquel en que encontré a Yamam. El aire movía las ramas de los árboles; dos de ellas producían aquel quejido que me trajo a la memoria el columpio de mi niñez. En mitad de la noche que se acercaba me encontraría absolutamente sola.

Entonces descubrí que no me había calzado. Me senté para hacerlo, y surgieron unos vendedores. Me hablaron en muchos idiomas; el más joven se dirigió a mí en español.

—¿Quieres comprar postales de Estambul? —Negué con la cabeza—. ¿Por qué? —me preguntó ofendido. De un tirón me arrancó del cuello una cadena de oro, de la que colgaba el pequeño ojo de la suerte de Yamam. Todos ellos echaron a correr.

Aún la tarde era infinitamente delicada, y el aire, una luz tibia. Venido desde el Mármara, estremecía las hojas de los altos castaños. «¿Por qué tengo que sufrir yo? ¿Por qué tiene que sufrir nadie entre tanta hermosura?»

ESTA MAÑANA ME SUCEDIÓ algo inverosímil. No es un mal signo contarlo en este cuaderno: vuelvo a salir de mí, donde me había escondido.

Nada más despertarme —estaba sola— me propuse dar una vuelta por los hoteles para cerciorarme de su provisión de tarjetas. Al salir del segundo tropecé con un hombre que también salía. Me cedió el paso. Me volví para darle las gracias, y descubrí que era Pablo Acosta. Al mismo tiempo sentí vergüenza —yo llevaba en la mano un mazo de tarjetas— y una irreprimible alegría. La segunda se sobrepuso a la primera; con naturalidad le tendí una tarjeta.

—Es la dirección de la tienda de Yamam —le dije como si continuáramos una conversación.

Le echó una ojeada y se la guardó en un bolsillo. Estábamos frente a frente. Pablo retrocedió un paso para observarme como quien observa un bicho raro. Luego, sonriendo, tiró de mí y nos abrazamos. Yo tenía un nudo en la garganta que me impedía hablar. Me condujo a un sofá del vestíbulo. Nos sentamos sin que me soltara las manos. A mis ojos había desaparecido la decoración que nos rodeaba, los clientes que entraban y salían, los botones con chaleco bordado y fez, y los camareros que atendían las mesas. Veía sólo el campo de mi infancia, los prados encendidos por el sol, las montañas azules y moradas, la serenidad de los veranos, la naturaleza adusta y acogedora. Miraba a Pablo, pero tampoco lo veía como estaba frente a mí, sino al adolescente fuerte, bromista, que tenía ya, como mi padre, el don de apoyar; que me acompañaba a casa llevando mis libros y los suyos como si no llevara nada; alto ya, honrado y buena persona ya... Pablo me hizo una castañeta delante de la cara. Me desperté y le sonreí.

—Bueno, ahora dime cómo estás.

—Bien —respondí.

—¿Y por qué estás mal? Cuéntamelo todo.

—Tampoco entonces fui feliz, no creas, aunque ahora me lo parezca.

—¿Cuándo es entonces? ¿Quieres decir de niña y de jovencita?

Me había entendido; me había adivinado. Él, que traía recuerdos como para llenar aquel vestíbulo y poner boca abajo mi vida, me entendía sin necesidad de palabras.

—¿Y ahora? —preguntó.

—Sí; soy feliz... No debo siquiera preguntármelo; cuando me lo pregunto, sé que no aspiro a la felicidad, sino a otra cosa más definitiva. De eso no hablo... Yo me metí en un berenjenal sin nada que me guiara, pero también sin nada que me estorbase... Es cuestión mía, Pablo.

No me había soltado las manos.

—Ya lo sé; por eso te estoy preguntando a ti.

—Sería largo y complicado de contestar.

—Tenemos tiempo. ¿Almorzamos juntos?

—Dime antes qué haces tú aquí.

—Lo mismo que tú: asuntos profesionales.

—¿Yo? —me reí.

—No me refiero a las alfombras, de las que por lo visto te sigues ocupando; me refiero al amor. Tú eres una profesional del amor, en el buen sentido de la palabra, o sea, en el terrible.

—¿Qué sabes tú? —me sonreía.

—Estás hablando con un policía eficaz.

Dudé si me hablaba en serio o no, si vislumbraba o si sabía; pero no me importó. Yo descansaba en su rostro, de facciones tan correctas y tan armónicas que sólo después de cierto tiempo se daba una cuenta de lo guapo que era. Hay caras que gustan a primera vista y luego cansan; con la de Pablo sucedía al contrario: nada llamativa al principio, se iba desvelando su interés hasta juzgarla más atractiva cada día... Ya con verlo me encontraba mejor. Y, ahora que me encontraba mejor, no me apetecía hablarle de lo mal que me había encontrado.

—Sólo almorzaré contigo si me prometes no preguntarme nada.

—Hecho.

—¿Cuánto te quedarás?

—Varios días, o un mes, según pinten las cartas... Pero tú tampoco deberás preguntarme. Respetemos los dos los secretos profesionales. Conversaremos de lo anterior a ellos. O no conversaremos si no quieres.

Comimos en el Pasaje de las Flores. Entremeses fríos, que yo le iba explicando como una cicerone competente: el *clérigo mareado*, los *muslos de mujer*, mejillones fritos, menudillos a la parrilla y pescado. No sé de qué hablábamos: de nosotros, quitándonos la palabra, provocando y entrelazando recuerdos como cerezas; de la gente que pasaba casi chocando con nuestra mesa. Reíamos, y yo me negaba a rememorar nada que no se relacionase con Pablo. Temía echarme a llorar. De haber llorado, habría sido de gratitud, pero eso tampoco me aventuraba a decirlo. Qué vida tan opuesta la mía si me hubiera enamorado de Pablo... Bueno, siempre confiamos en que, de amar a otra persona, nos habría ido mejor. Los conocidos suelen ser mejores amigos que amantes; a los amantes no los conocemos... Con qué facilidad habíamos reanudado nuestra amistad; qué pocas veces él o yo levantamos la mano para decir *top secret*. Hasta esa mano en alto, en lugar de hacernos recelar, nos hacía reír. Pablo era, de cuantas personas había tenido a mi alrededor, aquella cuya aparición resultaba en este momento más llovida del cielo. Y, sin embargo, hasta tropezármelo, no había pensado en él.

Ante nosotros cruzó una pareja abrazada. Se produjo un silencio. No sé qué pensó Pablo. Yo, que el amor es lo irremediable; que, por muchos recuerdos que brillaran encima de aquel mantel, los del cuerpo son más indelebles. El cuerpo tiene mucha mejor memoria que el espíritu; tiene siempre presentes y a la mano sus llagas, sus cicatrices, los olores que lo han estremecido, los júbilos que lo han multiplicado, el sabor de alimentos que no sustituirá ningún otro sabor... Aquella pareja me había vuelto a mi presente: desastroso, pero lo único que poseía. Fui yo quien rompió el silencio.

—El amante es invulnerable porque, al ser el cómplice de su enemigo, ha embotado sus armas.

—¿Hasta qué punto es cómplice? —Me miraba con tal atención que se me hizo insoportable.

—De eso sí estoy segura: hasta el final, hasta lo último. —Yo no lo miraba; trazaba con el tenedor rayas sobre el mantel—. Lo que me preocupa es lo otro: ¿hasta qué punto es amante?

—Supongo que una respuesta te conducirá a la otra.

Se produjo una pausa.

—¿Me encuentras muy cambiada?

—Sí; cambiada, sí. Casi una persona distinta... Pero yo soy el cómplice de esta Desi también.

Lo dijo con mucha seriedad. Yo, por su seriedad, me sentí tan avalada que me eché a reír.

Quedamos en almorzar juntos también al día siguiente. Pablo tenía una cita, y le pedí que me permitiese acompañarlo hasta su hotel; al fin y al cabo, yo llevaba años viviendo en Estambul.

—Quiero ser un poco tu mentora.

Lo que en el fondo no quería es que me dejara en

ningún sitio concreto: ni en mi casa, ni en la tienda. Prefería ocultarle mi vida, de momento.

Al llegar a su hotel me rogó que esperara. No tardó. Me bajó una botella de buen vino de Rioja.

—Un obsequio a mi mentora. Para que brinde por su salud y por la mía. Me aconsejaron que, como un modo de abrir caminos, trajera cosas de éstas; he visto que el consejo era válido. Contigo, aún no lo sé.

Nos besamos en las mejillas.

—Hasta mañana.

—No te olvides. Adiós, hasta mañana.

Anoche, cuando menos lo esperaba, llegó a casa Yamam. Le costó abrir la puerta, y supuse que venía preocupado. Así era. No le hablé de mi encuentro en la mañana: no me habría escuchado. Ya estoy acostumbrada a ocultarle mis cosas y a que él me oculte las suyas... Le pregunté qué sucedía; me miró, sorprendido de que hubiese intuido su inquietud.

—Depende mucho de ti.

—Tú dirás —dije, mientras pensaba: «Es por eso por lo que ha venido.» Yo tenía puesto un salto de cama de color ciclamen—. ¿Quieres un vaso de vino de España? —Pensé: «Si me pregunta dónde lo he conseguido, le hablaré de Pablo.» No me lo preguntó.

—Sí, ¿por qué no?

Abrí la botella y bebimos. A la segunda copa, mudos aún los dos, le pregunté si tenía un poco de cocaína. Alzó las cejas.

—¿Para ti?

—Y para ti. Así podremos hablar con más soltura.

Hizo las rayas sobre una revista que había al lado de la mesa. Las esnifamos con un billete sucio enrollado. Seguimos bebiendo. Pasaron unos minutos y preparó otras rayas.

—¿No te importa que me duche?

—No es necesario —repuse—: la ducha te destrozaría el efecto del vino.

Soltó la risa, se puso en pie y dio la vuelta a la mesa. Yo servía otras copas.

—¿Vamos?

—Bebe primero.

—Por nosotros.

—Siempre por nosotros.

Bebimos. Acto seguido comprobé una vez más que el cuerpo lo anota todo, lo retiene todo; que, a su lado, el alma es una amnésica, una pobre y llorona olvidadiza de la que hay que olvidarse. Tumbados, fumamos un cigarrillo con la última copa de vino en la mano.

—¿Qué era lo que dependía de mí?

—Mañana irá alguien a la tienda; no me fío de él. Me han dado un soplo hoy. Irá sobre las cinco. Me gustaría no estar. Recíbelo tú. Conquístalo. Quítamelo de encima. Si las cosas van bien, manda a Mahmud a la tienda de mi hermano, y apareceré yo. Si van mal, mándale que me diga... No sé, que el vino era muy bueno; yo comprenderé y veré lo que hago.

—¿Tiene algo que ver con el hombre del azucarero?

—En cierta forma, sí.

—El cómplice de su enemigo... —recordé en voz baja.

—¿Cómo? No te he entendido.

—Nada; que está bien. Haré lo que me pides.

—Nos va en ello la vida —murmuró enredando sus dedos en mi pelo.

Tardamos en dormirnos, cada cual por su lado.

El segundo almuerzo con Pablo no resultó tan bien como el primero. No le pregunté sobre su cita del día anterior, pero noté que él ya estaba inmerso en lo que le había llevado a Estambul. Y no es que estuviese menos pendiente de mí; sin embargo, había más baches en la carretera por la que íbamos uno en busca del otro. Aun así, me daba pereza separarme de él para ir a la tienda; pereza y algo más, como supongo que le da al matador dejar el burladero para encararse con un toro que sale del toril. Nos sorprendimos los dos mirando a la vez nuestros relojes.

Quedamos en que al día siguiente lo llamaría yo y, si no estaba, le dejaría un teléfono para que él me llamase. En realidad no tenía más teléfono que el de la tienda, escrito en la tarjeta; pero seguramente la habría perdido ya. Todavía tomamos un café —él, sin azúcar, yo, con mucha— y nos despedimos a la puerta del restaurante.

—Como dos hombrecitos —comentó él, saludándome con la mano hasta que doblé la primera esquina.

Fui al Bazar. Estaba sólo uno de los muchachos. Faltaba poco para las cinco. Le dije, más o menos en turco, que aguardaba a un cliente importante; que me dejara sola con él; que, si lo necesitaba, lo llamaría; que estuviese atento a la tienda, pero apostado en la puerta de la de enfrente, que vende maletas. No había hecho el muchacho más que irse; yo estaba, de espaldas a la entrada, colgando una arandela de un kilim verde y rojo que se había soltado. Oí en castellano: «Buenas tardes.» Me volví. Era Pablo. Por su cara de relativo asombro comprendí que tenía delante al hombre que esperaba.

—¿Estás comprando alfombras? —me preguntó con una risa ambigua. Yo, seria, le contesté:

—No; vendiéndolas.

—Pues enséñame alguna.

—Con mucho gusto. Me alegra que hayas conservado la tarjeta que te di ayer.

Por un ligerísimo fruncimiento de cejas me di cuenta de que no lo había hecho y que su presencia se debía a otras causas que yo empezaba a columbrar.

—Ahora vendrá mi marido y así os conoceréis. —Alcé una mano y llamé al muchacho sentado enfrente—. Ve en busca de Yamam. Está en la tienda de Mehmet.

Luego me dispuse a enseñarle las alfombras que había más a mano, en un alto rimero. Desdoblaba apenas una punta y hacía un leve comentario. Pablo me interrogaba, fingiendo interés, sobre la procedencia o el tamaño o la antigüedad; yo contestaba mecánicamente. Ambos recapacitábamos a marchas forzadas —estoy segura— sobre la razón de nuestra coincidencia en hora y sitio. Yo di un paso inseguro, pero urgente.

—Mi marido es muy celoso.

—No sabía que fuese tu marido.

—No seas antiguo... Será mejor que simulemos no habernos visto nunca. Nos llamaremos de usted si te parece.

—Muy bien, muy acertado. Pero procuremos no equivocarnos o sería para ti peor aún.

—Ayúdeme a abrir ésta, por favor —le señalaba una alfombra—. Es especialmente buena; le gustará. En la tienda hay de todas las clases, de todos los tamaños, para todos los fines, de todas las materias (hasta de borra) y de todos los precios. Ésta es una alfombra de Hereke, de seda. Estamos orgullosos de ella; es difícil que haya en el mundo otra con mayor número de nudos por centímetro cuadrado...

Él me oía como quien oye llover.

—Es usted una buena vendedora.

—Gracias. Temo que usted sea un buen policía. Me habría gustado que ni usted ni yo estuviéramos aquí ejerciendo nuestras funciones.

—No sé de qué funciones me habla.

—Mejor —dije—. Ignoro cómo esta alfombra ha venido a nuestras manos... Tiene una historia preciosa: la muchacha que la tejió murió el mismo día que acabó de tejerla, como si sólo esperara para morir rematar esta obra primorosa. ¿Ve? Sus dibujos poseen como un temblor, como un presentimiento...

—Magnífica vendedora. E imaginativa.

Antes de que yo oyera nada, él se volvió. Yamam entraba en la tienda; me miró con alarma. Yo sonreí.

—Te he mandado llamar para presentarte a un compatriota. Es don Pablo Acosta, muy interesado en piezas importantes, según me ha dicho... Hace tanto que no hablaba con un español que me agrada sobremanera su visita.

Se saludaron con aparente naturalidad.

—¿Querrá un té, señor Acosta? —le ofreció Yamam.

—Con mucho gusto.

—¿De limón, de naranja o de manzana?

—Simplemente de té.

—Eso digo yo siempre —dije, y nos reímos.

Yamam encargó a Mahmud que pidiera las infusiones, si es que lo eran. Yo no miraba a Pablo, ni creo que él a mí.

—Le estaba mostrando la alfombra azul de Hereke.

—Una joya —añadió Pablo.

Yamam se dirigió al montón del fondo y entresacó algunas alfombras. Las conocía por su envés o por su tacto; jamás se equivocaba.

—Esta Bergama es de las más antiguas que hay aquí: una maravilla. Se necesitaría permiso de exportación, pero nos sería posible conseguirlo para usted... Esta Van Kilim es una labor kurda; mire qué sobriedad y qué pulcritud...

Los muchachos se miraban entre sí, porque Yamam estaba quebrantando la norma de oficios del Bazar. Abría las alfombras, las dejaba caer una sobre otra y las miraba sin desviar los ojos hacia Pablo. Éste se comportaba como un cliente apasionado: se inclinaba, tocaba el tejido, las volvía una y otra vez.

—Esa que tiene usted en la mano —mentí— estuvo a punto de llevársela N. —Dije el nombre del escritor español.

—Pues parece que entiende más de alfombras que de literatura: la suya, no me gusta; esta alfombra, mucho.

—Mire esta Yagciberdir —seguía Yamam—: procede de Kayseri, una de nuestras ciudades de mayor porvenir, donde se mezclan todavía las más grandes industrias con las más pequeñas artesanías puras... Y esta Milas se la compré a una gran familia venida a menos.

Llevaba con ella todo lo que va de siglo. A pesar de ello, está flamante: observe cómo resaltan los colores de la orla de flores, tan infrecuente...

Mahmud trajo los tés y nos sentamos. Quise poner en un aprieto a Pablo, para ver si salía airoso de él. Como si fuera un guiño de connivencia.

—No habías llegado, cuando me dijo el señor Acosta que estuvo en Bagdad. —Me dirigí a él—. Antes de la guerra, supongo.

—No; durante la guerra, pero con Irán.

No pude evitar una sonrisa. Me volví de nuevo a Yamam.

—Y que allí las alfombras son todas de fabricación reciente.

—Excepto los tapices voladores —bromeó Pablo—. En Damasco me sucedió un caso curioso. Me hacía los honores un director general de Correos o algo así. Me llevó a la Bab Tuma, la puerta de un barrio más bien cristiano, para enseñarme alfombras en un almacén grandísimo de dos plantas. No vi nada interesante. El funcionario repetía: «Si lo sé, si lo sé; yo las que tengo las he comprado en Londres.» Aquella misma tarde encontré en el zoco, en un sitio sucio, pequeño e insospechado, yendo yo solo, entre espantosos objetos dorados y falsos tapices de seda con cisnes y ciervos, la alfombra que ahora está en el comedor de mi casa. Con una dimensión desusada: cinco por tres, que era lo que me convenía... Cuando el funcionario la vio se tiraba de los pelos. Y se los arrancó del todo cuando le dije el precio.

Yamam reía. Continuaba interrogándome con los ojos, pero reía ya.

—Qué extraño que los sirios no lo engañaran a usted. Son todavía más peligrosos que nosotros.

—No sea modesto. Los vendedores más excelsos que conozco son ustedes.

Mahmud trajo otros tés. Entraron en la tienda dos alemanas de mediana edad. Yamam fue a atenderlas. Pablo y yo continuamos nuestra comedia.

—Es muy simpático su marido.

—Sí lo es.

Conversábamos con fluidez; Yamam se nos incorporaba cuando se lo permitía la atención de la tienda. Los muchachos desdoblaban y doblaban kilims y alfombras.

—Creo que me llevaré éste —me indicó un kilim no muy grande— para compensar la lata que le he dado.

—El de este kilim es un trabajo muy del Bósforo; en ninguna otra región del mundo se podría haber hecho.

Fue entonces cuando —de entrada no supe con qué idea— él comenzó su charla sobre Ío, que duró el resto de la tarde.

—Se trata de uno de los mitos más desperdigados y más fértiles. No obstante, qué pocas cosas claras hay en él. O, por lo menos, qué pocas indiscutibles.

—Yo no voy a servirle de nada; sé de Ío lo que sabe todo el mundo...

—No es el suyo un destino muy de agradecer. —Hizo una pausa y me miró—. Me refiero al destino de Ío, no al de usted. Quizá para la Humanidad, sí; pero no para ella. Siempre he pensado que quien tiene un sino personal feliz no es productivo para los demás. Y, por si fuera poco, suele importarle un rábano no serlo... Hay muchas discusiones, o muchas variedades, de este mito. Yo he elegido que Ío fuese hija de Ínaco, el río de la Argólida: un río siempre acaba en el mar, aunque sea a través de su hija...

Pablo rió. Yo le prestaba una atención relativa, porque también debía atender a Yamam, al que pude, por fin, hacer un gesto tranquilizador.

—Yo sólo sé algo de Ío a partir de su enamoramiento —comenté por cumplir.

—Natural. —Me miró de nuevo en otra pausa—. Sin embargo, no se enamoró ella, sino Zeus de ella. Ío era sacerdotisa de Hera, la esposa de Zeus. Cuando el dios la amó acabó por abandonarse, muy mal aconsejada, a su amor; es siempre tan persistente y pertinaz el amor de los dioses... —Me escrutaba con sus ojos por dentro de los míos: ¿por qué?—. Hera, celosa, espió a los amantes y los sorprendió. Como si fuera una simple burguesa, quiso vengarse de Ío; para impedirlo, fue por lo que Zeus la convirtió en ternera, una ternera blanca. Hera la exigió para sí y se la dio a guardar a Argos, el pastor. Los dioses siempre se enmarañan unos con otros. Zeus confió a Hermes el rescate de la ternera, y lo consiguió, pero matando a Argos. Hera, al ver a Ío libre, se airó y tramó una nueva venganza: ató a los cuernos de la ternerilla un tábano, que le picaba sin cesar en la cabeza y la enloquecía y la aturdía... Qué hermosa metáfora del amor, ¿no opina usted? La obsesión, la venganza, el suplicio del tábano. Uno transporta siempre a su íntimo enemigo... Ío huyó, recorrió el mundo con rumbos inciertos, y otra vez las versiones del mito son aquí variadas. ¿Hacia dónde viajó?

—Fue al Bósforo —dije yo—. ¿O no? Por lo menos eso significa tal nombre: *el paso de la vaca...* Y, al no poder resistir más la constante inclemencia del tábano, como usted dice, se precipitó desde un acantilado al mar, y se ahogó, y descansó.

Pablo me miraba y se reía. Yo estaba completamente seria.

—Ésa es una versión que no conocía yo. Las mías dicen que la fugitiva, tras atravesar el Bósforo, llegó a Egipto; siempre hostigada, pero también guiada, por su tábano. O que fue al Cáucaso, o al País de las Amazonas, hasta acabar en Etiopía. Pero viva, no muerta; no descansada, como tú, perdón, como usted asegura. En cualquier caso parece que en Egipto, por fin, fueron felices Ío y Zeus, y allí crearon una nueva mitología, o sea, una nueva familia: el buey Apis, por ejemplo, es su hijo; y a ella siempre se la identifica con la diosa Isis... La atormentada ternera llegó muy alto: hay quien la confunde con la Luna, que pasta en la pradera de estrellas, que a su vez son los mil ojos de Argos. Ío es también las fértiles crecidas del Nilo, y quizá la personificación de toda la raza jónica. Pero, desde luego, sea lo que quiera, se trata del mito más arraigado en la antigua Bizancio, que es donde ahora estamos. El mito de Ío, la loca enamorada. O la enamorada loca.

Hubo un silencio. Yamam atendía en el piso de arriba a un matrimonio.

—Qué policía más atípico eres, hijo mío —dije en voz baja—. De todas formas, aunque sólo sea para ahorrarle padecimientos, me quedo con mi versión: la ternera trastornada se ahogó en el Bósforo.

—Como quieras; pero los mitos están hechos para explicar lo inexplicable, y tu versión es sólo una historia de cuernos en todos los sentidos. Es decir, muy poca cosa.

Yamam se sentó con nosotros.

—Desi, ¿has invitado a cenar a tu compatriota?

—No se me ha ocurrido. Quizá porque pienso que usted estará muy ocupado. Pero nos haría felices si aceptase cenar con nosotros.

—Feliz yo si me permitieran invitarlos.

—Ah, no; eso sí que no. ¿Vendrá? —le pregunté.

—De mil amores.

—Y más cuando les diga que, por un compromiso de familia que me transmitió mi hermano a primera hora de la tarde, no podré ir con ustedes. Pero Desi me representará sobradamente bien. —Se volvió a Pablo—. Desi es también Yamam. Confío en ella con toda mi alma. Váyanse ya. Aprovechen la luz que queda, y disfruten.

Pablo y yo nos quedamos desconcertados. Mientras doblaba el kilim elegido por él, me dijo Yamam al oído:

—Haz lo que sea con él; *lo que sea* —subrayó las palabras—, con tal de enterarte de cuánto sabe, a qué ha venido y por qué me sigue a mí.

Sin proponérselo, Yamam acababa de sembrar la suspicacia entre el único amigo que tenía cerca y yo.

Fuimos a cenar a Bebek, a un restaurante en una colina bajo el cementerio griego, cerca de un muro sagrado del siglo VI. Yo había estado en un almuerzo, y me pareció oportuno para lograr cierta intimidad. Nos la arrebataron por completo una orquesta griega y la costumbre, no menos griega, de tirar platos al suelo en lugar de aplaudir.

Pablo se divertía, lo cual me convenció de que no era la intimidad lo que él buscaba.

—Si yo fuera ellos —decía por los músicos— no habría escogido de ninguna forma esa carrera.

Todo era ruido: los globos que estallaban, la música griega tan vital como reiterativa, el coro de los clientes que iban allí atraídos sólo por el escándalo, el estruendo de la vajilla...

—Los platos hay que tirarlos boca abajo para que se rompan mejor —dijo Pablo.

—Se ve que has roto muchos.

Los griegos y los armenios, con los traseros hacia fuera, bailaban unas danzas femeninas y viriles a la vez; los americanos también, pero haciendo el ridículo; y había una mujer que bailaba flamenco, o lo intentaba. De pronto, cuando nos mirábamos uno a otro entre ensordecidos y espantados, una muchacha nos vació encima una fuente con pétalos de rosa, y eso lo arregló todo.

Pablo, ya fuera, me propuso ir a una discoteca desconocida para mí.

—Es un poco tirada, no te asustes: hay jóvenes de tres o cuatro sexos y de no muy buena clase, prostitutas en paro, travestidos y hasta agentes del narcotráfico y de la anticorrupción. O sea, lo peorcito.

¿Había hecho hincapié en lo de narcotráfico, o fue una aprensión mía? La discoteca, cerca de Taksim, era aún más estrepitosa que el restaurante y pésimamente atendida. Pablo me arrastró a una mesa donde había un hombre de piel casi negra, enorme bigote y gafas de sol que chocaban más en aquel ambiente tenebroso. Habló con él muy bajo y en inglés. Tomamos un whisky y salimos corriendo de aquel antro.

—Te debo una compensación. Mi hotel es el sosiego edénico comparado con estas bullangas. Te invito a la penúltima allí.

Yo llevaba toda la noche preguntándome qué hacer. Someter a interrogatorio a un interrogador especializado era una estupidez; tratar de seducirlo, un incesto; aplazar la cuestión como si nada hubiera sucedido, un recurso paupérrimo. Por eso dije:

—Pablo, estoy de ti hasta la coronilla. En ningún sitio me has consentido pagar en nombre de Yamam, y ahora quieres llevarme a tu hotel. ¿Con qué fin?

—Con el de hablar de nuestras cosas.

Eso era claramente lo mejor.

—Me parece una magnífica idea. Vamos allá.

Subimos a su habitación directamente. Yo sólo bebía agua. Cuando estuvimos ya servidos, me arriesgué a coger el toro por los cuernos. (Ay, el mito de Ío se me ha incrustado en la sesera.) Rompí a hablar por las bravas:

—Lo que tenía que estar haciendo en este momento, no sé muy bien por qué, era seducirte.

—Por mí, no te prives. No te costaría nada: siempre me has gustado... Pero ¿a qué viene esa antigualla a lo Marlene? Cualquier cosa que tú desees saber, y de la que yo pueda informarte, no tienes más que preguntarla.

Le conté —sin entrar en muchos pormenores, pero con sinceridad— mi historia con Yamam. Mientras él me la oía contar, yo me desintoxicaba; la percibía corriente, vulgar. «Convencional» fue la expresión de Pablo.

—Una mujer que se enamora de un guía turístico es como la niña que se enamora de su profesor; se trata del único, del Yamam, del que está sobre los otros, del que más sabe, del que resuelve todo y del que conduce. No tiene nada de particular.

Es decir, yo había sido, hasta para romper con las convenciones, absolutamente convencional. Pues estaba lista.

—Quizá sea por haber nacido en Huesca y haberte casado con un *huesqueta* ufano de serlo y de encarnar el espíritu tradicional... Allí, nada de industrias, nada de novedades. Los canónigos, los funcionarios, los comerciantes de siempre, los agricultores y alguna profesión liberal de las de antes. Allí es igual ser de izquierdas o de derechas, ácrata o ultra. Si participas activamente del atributo de haber nacido en Huesca, ya estás con la pequeña burguesía, tan autosatisfecha, que se beneficia y ostenta el control social. Allí nada de inmigración renovadora; sólo las instituciones fundamentales: la familia, el cine, el vermú después de la misa del domingo y el Coso, por donde se pasea para enseñar lo que se estrena... De ahí te viene tu convencionalismo, aun en el terreno amoroso.

—Mi cursilería, quieres decir. ¿Y tú?

—Yo no he consumado ninguna historia de amor, tan sólo alguna anécdota.

—Pues entérate: todas las historias de amor se asemejan muchísimo. Lo que sucede es que los dolores que no sangran no se respetan nunca. Hasta que el tábano no siembra alrededor la tragedia, todo el mundo opina que eso les pasa a todos... Y quizá el que les pase a todos le quite prestigio, pero no aminora el dolor de cada uno.

Me había irritado. Se acercó a mí; estábamos rodilla con rodilla.

—Por lo que me has contado y por lo que yo sé, no puedo darte más que el consejo que te daría cualquiera, incluyéndote tú: vuélvete a España... —Me cogió las dos manos—. Escúchame, Desi: toda tu rutilante historia se reduce, si se mira bien, o sea, si se mira sin estar implicado, a una historia de narcotráfico. Tu viaje de luna de miel a Anatolia, ¿para qué crees que sirvió? Ahora entra morfina base por las fronteras del Este. Hay laboratorios muy cerca de ellas que la transforman en heroína, la *browm sugar* turca. La policía lo sabe, como sabe que los laboratorios legales, los que fabrican medicinas con el opio nacional, fabrican mucho más de lo que les corresponde. Y decomisa alguno, o parte de su producción, de cuando en cuando, para disimular, porque ella misma está implicada hasta las cejas... Tu Yamam iba recogiendo heroína o morfina, y dejando (mejor, sembrando) coca, como parte del precio o el precio entero, bajo la tapadera de los kilims. Toda esa frontera con Irán (Siirt, Batma, Bitlis) es la zona más caliente, donde opera la mafia turca, cuya parte más importante, la kurda, es la que financia la guerrilla... —Yo iba a hablar—. No me interrumpas; si no, no te desengañaré nunca, no podré. Las alfombras que tú recibías en Huesca llegaban a Madrid impregnadas con heroína. El proceso es muy simple: se disuelve en agua templada y se empapan el kilim o la alfombra, que se ponen luego a secar y se facturan. En Madrid volvían a meterlos en agua más caliente, y el resultado se trataba con una base, amoníaco o cualquier otra, para volver alcalino el medio; así se forma un precipitado, que se deja reposar un día antes de separarlo del líquido; luego se seca al sol, o con un baño de arena, y sanseacabó: ya están listos los tapices para mandarlos a Huesca o donde sea...

»Permite que te lo repita, Desi: obedece por última vez a Yamam, y sedúceme. Sedúceme si no te repugno demasiado; pero vuelve a España después. O espérame y nos volvemos juntos... Sepárate de ese hombre. Siempre te ha utilizado. No sólo de la manera que, a simple vista, se percibe, sino de muchas otras: como criada, como cómplice, como dependienta, como mujer anuncio, como auxiliar de su narcotráfico. Te ha utilizado como un rufián utiliza a su coima.

—Todos nos utilizamos unos a otros, Pablo. Todos. Y ésta es mi vida... —Supe que estaba llorando porque Pablo me tendió su pañuelo—. Yo no me pregunto, como tú me preguntas, hasta qué extremos he llegado; no lo quiero saber. Ni estoy llorando por eso, créeme, sino porque tú pones de pie una parte de mí que había olvidado: cuando estábamos sin contaminar, cuando el deterioro no había comenzado, y no iba el futuro a ser lo que es.

—Nunca el futuro es lo que iba a ser —dijo despacio. Me tenía abrazada. Mis lágrimas habían salpicado su solapa—. Nunca, nunca —repitió—. En esa época yo te quise tanto...

—Podías haberlo dicho —dije casi riendo.

—Debía de haberlo dicho, pero tú no me diste la menor oportunidad. ¿Habríamos creído a alguien que nos profetizara que una noche estaríamos abrazados así, en la habitación de un hotel de Estambul? Y lo más increíble, sin embargo, es que estemos abrazados así, sea donde sea. Porque yo, Desi, te sigo amando todavía. —Separé mi cabeza de su hombro, intenté mirarlo, él la empujó contra su pecho—. No te preocupes; después de lo que me has contado te siento tan alejada de mí, tan imposible, que hasta puedo declararte mi amor. Mejor dicho, puedo decirle a esta Desi de hoy, que amaba a aquella otra Desi: la que no sé dónde ha huido con el tábano, como Ío, en el testuz.

Me besó en la frente. Yo subí poco a poco la cabeza, y lo besé en los labios. No sé por qué lo hice.

Un coche del hotel me trajo a casa. Cuando montaba en él:

—Mañana te llamaré —le dije a Pablo—. Para salvar a Yamam, que es un simple eslabón de la cadena, te diré dónde comienza y quién la maneja... No me quieras salvar a mí condenando a Yamam: esa injusticia jamás te la perdonaría.

He llegado a casa reprochándome haber contado tan mal mi historia; haber producido a Pablo la impresión de estar convencionalmente enamorada y ser convencionalmente correspondida, o no serlo en absoluto. En el momento que he entrado aquí, el influjo distanciador de Pablo ha desaparecido y se me ha desplomado encima la verdad. Quizá para miradas ajenas cualquier amor sea convencional; pero yo sé que en mi caso —y en todos— esa idea es falsa. Nunca sabrá Pablo hasta qué punto, y quizá yo tampoco. Ahora mismo imagino a Yamam en otro sitio, con otra persona o solo —acaso sea peor solo—, y siento cómo se me descoyunta el alma. ¿Por qué mi amor, tan autosuficiente como yo lo creo, no puede reposar sobre sí mismo?

El tábano no es el amor, sino la desazón que fragua los deseos amorosos; la que va por delante de ellos, sin que su saciedad la satisfaga, porque ella aspira al absoluto, a la última certidumbre que sólo está en la muerte. Con qué terquedad ese tábano me cerca. Esa evidencia de que no me cumpliré sino en el amor que me destroza y que fue gloria mía; en el amor que no me permite descansar, sino que inagotablemente se renueva como un hidrópico que bebe y bebe, y la bebida le acrecienta la sed. Es la insatisfacción permanente la ley del corazón, la ley del tábano, que se levanta sobre una pobreza y un vacío que él, lejos de enriquecer, pone aún más de manifiesto. Yo creía haber llegado a la unidad con Yamam, haber obedecido al destino; ahora veo que sólo era mi destino, no el de los dos; que nunca fui yo el destino de Yamam... Él se ha amado a través de mí, se ha buscado en mí; y yo no me he amado a través de él, sino al contrario, también yo he amado a Yamam a través de mí. Y sólo porque reflejaba —y reflejo— a Yamam, yo me respeto y continúo viva.

¿Cuál es la causa de su desamor? No me hago otra pregunta. Y la contestación, sin embargo, es fácil: él no se entregó nunca a mí, no se entregó del todo en cuerpo y alma, y cuando lo hizo, parcialmente, fue persiguiendo su propia realidad, sin renunciar a ella, sin ahogarla en la mía. Él sigue siendo él cuando yo ya no soy yo. ¿De quién será la culpa? Cuando un amante no obtiene la respuesta que anhela es que carece de la fuerza necesaria para provocar su reflejo en el otro. Es que el otro le es ajeno. O sea, que Yamam me desama no sólo porque no se ha entregado y conserva su ser sin hundirlo en el mío, sino porque la expresión de mi amor es excesivamente posesiva, y lo asusta como asusta a un niño un gigante.

Quizá él estaba previsto para una convivencia ordinaria, negligente, y yo le he demandado una reciprocidad insaciable que le acobarda más cada día. Me siento enloquecer, y la causa de mi locura es lo único a lo que no estoy dispuesta a renunciar, porque es lo único que me ata a la vida.

No veo más que una solución, imposible para mí: encaminarme hacia otras experiencias de amor que me sumerjan en una especie de permanente placer físico. Pero a mí me está vedado: sólo con Yamam mi cuerpo goza, se olvida y vibra y canta. La soledad se ha hecho mi huésped en esta casa. Me serviría quizá mirar fuera, enterarme de lo que pasa en el mundo, comprender la infinitud de las penas humanas, de la sangre de los oprimidos, pero no puedo hacerlo: mi mundo es él. Sólo veo a Yamam, y vivo ante Yamam, bajo Yamam, de Yamam, desde Yamam... Todas las preposiciones le preceden a él y a él me llevan. Yamam es mi ablativo. Mi ablativo absoluto...

Después de escribir esto, pienso si no será tal dependencia mía precisamente lo que le ha sugerido a él una confusa dependencia de mí. Como una subordinación a mi gozo físico, que él, desde el exterior, contempla y conoce mejor que yo misma. Yamam ha de sentir cierto pavor ante el estremecimiento desmandado, ante mis convulsiones amorosas, cuando sobrepaso la cima a la que no le es posible llegar a él. El deseo del hombre lleva en sí mismo su fin; es un simple medio para el placer femenino, ni siquiera un medio para la procreación. Yo he tenido a veces la sensación de que la Naturaleza entera estaba pendiente de mi gozo... Cuando me asalta el paroxismo y desfallezco como el que toma impulso dando un paso hacia atrás, ¿no se sentirá Yamam usado por mí, no usada yo, como esta noche decía Pablo? Mis gritos, si los doy, los ronquidos que me queman la garganta y me la secan, mis furias incomprensibles para él, esos mensajes del placer que no se dirigen ni a él ni a nadie, a pesar de ser él quien los provoca, ¿no lo habrán alejado de mí como de un peligro, como una cascada que no se comparte, como un secreto cuya posesión no es suya y del que, por tanto, le indigna presenciar los efectos?

No; no es comparable. Mi deleite no es comparable con la muerte; el de Yamam, sí. Él se inflama, se exalta, tiembla, eyacula, y decae y se apacigua. Entretanto yo río, yo lloro, jadeo, clamo, y mis orgasmos no son más que un boceto, un cañamazo donde el placer borda su intrincado paisaje. Y si mis gozos son descargas como las de Yamam —lo que no creo—, cuanto más numerosos, más se multiplican y más crecen. Y yo, en medio de ellos, no estoy ni satisfecha ni insatisfecha, ni saciada ni insaciable, sino siempre dispuesta a recomenzar... Y Yamam, sobre mí o al lado mío, observándome, cayendo en la cuenta de que hacer gozar no es poseer, de que me escapo por las vías de un derroche por donde él no puede acompañarme; de que, al proporcionarme placer, abre un canal a mi barco, una puerta por donde yo me alejo de él en lugar de solidarizarme.

Luego, sí; luego se lo agradezco. Pero en esos instantes yo estoy sola, embriagada como una posesa, como una bacante campesina, a la que, desde abajo, Yamam ve ascender y evadirse. Y nunca es previsible lo que sucederá, porque el deleite navega y va y vuelve por diversos itinerarios cada vez. Y Yamam, confundido, provoca con un gesto una reacción distinta a la que con ese mismo gesto provocó, no ya el día anterior, sino hace unos minutos. Y de arriba abajo mi cuerpo está traspasado por él; mis orejas, mis rodillas, mis párpados, mis muslos, mis nalgas, mis poros, todos los orificios, por pequeños que sean, lo reciben y lo acogen. Cada combate es una encrucijada, y Yamam está en todos los caminos, pero sin nombre, sin rostro, o con la máscara mojada del placer. Y así como yo puedo sentir su esperma como culminación suya, él no siente cuándo culmino yo, si es que dejo de culminar para otra cosa que culminar aún más. Ni puede medir —yo tampoco— el peldaño al que trepa una contorsión mía, un fruncimiento, la agitación de mis piernas o una lubricación... Porque en mi placer nada tiene que ver con nada, y él no lo entiende. Ni entiende el final, ni los trayectos.

Por eso comprendo que se indigne. Comprendo que él prefiriera que todo estuviese debajo de mi vientre, que mi placer se pareciese al suyo, que lo consumáramos a la vez, casi idénticos, fluyendo los dos. Pero no es eso; no es así. Cuando él está colmado y se adormece, yo estoy en el principio de la gloria; cuando él ha experimentado su pequeña muerte, yo yazgo deslumbrada por lo que aún me espera; cuando él emite la prueba de su gusto, yo no dejo ninguna de los esplendorosos míos; cuando él respira entrecortado, yo corro mi carrera de obstáculos refulgentes, al saltar cada uno de los cuales palpo a ciegas los cielos... Cuanto más gasto, más tengo, mientras él ha de ahorrar y recuperarse; mientras él se hunde en una noche de fatiga, en mí amanece, todo se rearma y se ilumina; mientras su gozo le parece una exaltación de la vida, de la que pende como un ahorcado, mi voluptuosidad va a más voluptuosidad y a más vida y a mayor despilfarro de ella. Tanto, que nunca, al comenzar, pienso que llegaré tan lejos, con los ojos en blanco, tanteando —pero no por la oscuridad, sino por el deslumbramiento— hasta donde se agotan mis poderes, que es donde recibo otros más altos todavía, más extenuantes, más ofuscadores.

Quizá por todo esto (de lo que ni él ni yo somos responsables), acaso presumiéndolo, sintiéndose apartado, Yamam, que en un principio se consideraba orgulloso de ser la causa, se considere ahora la víctima y el instrumento que se utiliza una y otra vez. Y de ahí que vuelva, por no verlo, la cabeza a otro lado. Si es así, ¿cómo convencerlo de que no es cierto; de que lo amo más que a todas las cosas; de que, aunque no me provocase tales delicias, lo seguiría amando? No me creería nunca, porque casi ni yo lo creo al escribirlo.

A LA SIGUIENTE MAÑANA, nada más encontrarme con Pablo, le di las indicaciones para llegar a la casa del inmenso hombre del azucarero de oro. Pablo se burló de mí.

—Ya lo sabía, Desi —me dijo—. Pero yo no tengo autoridad aquí. Yo no puedo meter a nadie en la cárcel, ni abordarlo en la calle diciendo «Policía», ni interrogar a nadie. Todo lo que puedo hacer es aportar los datos a la policía turca. Sin embargo, me temo que ella tenga aún más datos que yo. Muchos de sus miembros están muy bien comprados. La élite de esta policía no es mala, pero el conjunto es flojo... Yo estoy aquí de manera oficiosa; porque los indígenas tardan mucho en decidirse. He venido a meterles prisa y a que sepan que estamos al tanto de los diversos jueguecitos que hay aquí. Si al menos interrumpiesen sus envíos... Por eso vine, y me quedé por ti; pero ahora he de irme. Sabiendo que sigues aquí por propia voluntad y que, en medio del desastre, estás contenta, me pasa contigo lo que con esta policía: no tengo facultades operativas. Sólo puedo rogarte que lo pienses. Decídete antes de que las cosas empeoren. Dentro de tres meses regresaré. Regresaré a recogerte, si me dejas...

Me he despedido de Pablo con el sombrío presentimiento de que no lo veré más.

YAMAM LLEVA MÁS de una semana sin aparecer por aquí.

Ayer por la mañana estuve en el Bazar igual que siempre, como si nada de particular sucediese. Di sus clases a Mahmud, que adelanta más porque me ve más triste. Pero tuve que esperar a Yamam, que antes habría sido incapaz de abandonar la tienda. Apareció hora y media después con una muchacha muy joven. Es una francesa; se llama Blanche; trabaja en la empresa de Denis. Se han conocido durante la instalación de las alfombras.

—De eso vengo —me ha dicho Yamam, sin el menor interés en que lo creyera.

Yo he olido —y no es una metáfora— que venía de hacerle el amor a la muchacha. Es rubia y, como su nombre, blanca. Ahora no está gorda, pero engordará; se le presienten ya sus poderosas caderas y sus grandes pechos. Es decir, le aguarda un buen porvenir a ojos de Yamam. Hablábamos de las alfombras que han llevado, por seguir la corriente y no manifestar mis celos, cuando he visto encenderse los ojos de Yamam.

—Ahora no puedo atenderte como tú te mereces —me ha dicho—. Como os merecéis... ¿Por qué no cenamos juntos esta noche? ¿Queréis recogerme aquí a las siete, y seguiremos esta interesante conversación?

Yo me despedí y salí antes que Blanche, por si aún tenían algo que decirse.

Paseé por el Bazar, que suscita cada día más en mí una paz semejante a la del ojo del huracán. Me siento protegida por la gente, por sus empujones, por su algarabía, por el convencimiento de que sus hurtos y sus sisas evitan crímenes mayores. Me habría gustado fumarme un narguile con un turco de pelo blanco y tez muy morena, sentado a la puerta de un almacén de zapatos. Lo pensaba así cuando tropezó conmigo un cargador, doblado por un increíble montón de frutas. Y del cargador fui de tropiezo en tropiezo: con unos aldeanos aturdidos ante el lustre de la gran ciudad; con unos amedrentados turistas que se amparaban entre sí, no menos aturdidos que los aldeanos, aunque dándoselas de conocedores; con un par de mujeres, vuelta una hacia otra, con los charchaf cubriéndolas del todo... Me envolvía el olor de las especias, de la piel recién curtida, de las lonas crudas, de las barritas de los perfumadores; un olor que venía de las tiendas profundas donde la luz del sol jamás entró. Me envolvía el ruido de los punzones y martillitos de metal. Me envolvía el parpadeo de las luces artificiales y de la natural, habitada por el polvo. Me envolvía el roce de quienes se cruzaban conmigo, extrañados quizá de verme sola entre la multitud. Más sola de lo que se imaginaran.

Al pasar por delante de la joyería de Mehmet vi en el escaparate mi pequeño azucarero. Me acordé de que aún tengo la coca guardada en casa, encubierta a los ojos de un Yamam que no va. Dentro de la tienda vi a su madre; ella me vio también, porque rió llevándose la mano a la boca, en la que le falta ya algún diente.

Luego me he ido, despacio, al Bazar egipcio, como si me arrastrara el aroma que iba a recibirme allí: las especias mezcladas con la carne, el clavo de Zanzíbar y la vainilla fresca de Madagascar, las suelas de zapatos y sandalias, los dulces, el tenue olor de las flores y plantas del mercadillo anexo... Yamam me había dicho:

—No sé por qué se le llama Bazar egipcio, *Misir Çarsi*. Quizá porque se le dio el nombre de la palabra turca que designa el país de los faraones: *Misir,* o sea, maíz.

Era cuando Yamam me lo explicaba todo, y lo que él no me explicaba para mí no existía.

Con un nudo en la garganta, atravesé el mercado de los animales, sin mirarlos y deseando mirarlos. Me duelen —y ayer por la mañana más aún— los pájaros enjaulados, a los que se priva hasta del sitio para aletear, los conejillos de ojos aterrados, los diminutos peces... Y, sobre todo, me duelen los cachorros de perro, tan vivos y tan expuestos a ser martirizados o a ser desatendidos; tan vivos y tan cerca de la muerte.

No pude evitar acercarme a una jaula formada por unas piezas sueltas de tela metálica. Al verme, se pusieron de pie los cachorrillos, acezantes, buscando en mi mano la comida o la caricia. Trajín estaba allí, entre ellos, con unos ojos cargados de reproches... He sentido mi tristeza igual que un fardo insoportable encima de mis hombros. Yo era como el cargador con que había tropezado en el Bazar... Por encima de los cachorros más pequeños, uno, para lamer mis dedos, se ha apoyado en la tela metálica y ha deshecho la jaula con su empujón. Todos los perrillos, como en un juego, moviendo el rabo, han salido corriendo, entre los gritos de su vendedor y del resto de los vendedores, bajo cuyos tenderetes se ocultaban. Perseguida no sé por qué ni por quién, con los ojos llenos de lágrimas, yo también he huido.

Después fui a tomarme un café a la estación, como si me despidiese no sabía tampoco ni de quién ni de qué. «Siempre me he tenido a mí misma; bien o mal, pero siempre me he tenido. Ahora empiezo a dejar de tenerme; empiezo a preguntarme para qué. Mala cosa», pensé mientras el café se enfriaba. Me vino a la memoria de repente una advertencia que mi padre nos hizo un día —o quizá varios: la infancia se recuerda amontonada, como un arca revuelta— a mi hermano y a mí. Volvíamos del colegio. Quizá uno de nosotros había tenido un descalabro en las calificaciones. Mi padre nos consolaba: «No hay que ser el mejor de todos, ni intentarlo; hay que ser el mejor de uno mismo. De las varias Desis que hay dentro de ti, es preciso que aspires a ser la mejor de todas. Nada más. Y en realidad será ella la que te diga si lo has logrado.» Aparté a un lado el café. No; no lo había logrado: no era la mejor Desi que pude haber sido. No estaba contenta conmigo a aquella hora en que la niebla había descendido antes de lo previsible y se hacía tarde para recoger a Yamam. «Recogerlo, ¿para qué?», me volví a preguntar, y no supe qué responderme.

En el puerto la gente corría, comía bocadillos de jurel o caballa, había cumplido su jornada, volvía a su casa en Asia. En el puerto se vendían castañas, roscos de sésamo, pitos de agua, lotería, refrescos, trompos de colores, cebollas crudas, pepinos, barajas, avellanas... En el puerto la gente llamaba por teléfono, se besaba, se reía a gritos, se abrazaba, se despedía como para no volver a verse, se embarcaba y estaba viva, viva, viva. Y tan cerca asimismo de la muerte...

Cuando llegué al Bazar, Blanche ya esperaba allí. Soltó una carcajada por algo que Yamam le susurró al oído. Yo me sentía extraña; me arrepentí de haber vuelto. Yamam me atrajo, me besó en la mejilla, y me dijo bajito:

—Voy a ver hoy si de verdad me quieres.

«Estamos, desde hace tiempo, en época de exámenes —pensé—. Salimos a un examen por día. Y yo no tengo que ser la mejor de todas...» Le sonreí y le respondí:

—Ya sabes que te quiero. Si no te quisiera, ¿qué pintaría aquí?

La mirada de uno de los muchachos se detuvo un momento más de lo normal en mí; los ojos de Mahmud estaban empañados. ¿Qué significaban aquellos ojos y aquella mirada? ¿Qué sabían que no supiera yo?

Yamam cerró la tienda, y fuimos a cenar.

Durante la cena, él habló sin descanso. Tenía la euforia artificial que se desprende de él cuando ha tomado cocaína. Sentado entre las dos, nos tocaba, excitado y sonriente.

—El amor —se dirigía a mí— necesita permanentes pruebas de que está bien establecido y de que es un negocio firme. Pero, como todo negocio, es aleatorio; puede quebrar. Por eso hay dos preceptos que tiene que cumplir el buen amante, y el buen negociante también: el primero, no perder, conservar lo que tiene —dejó una mano sobre mi brazo—; el segundo —se dirigía a mí y luego a Blanche—, no poner toda la fortuna a una carta, distribuirla bien, emplear en varias direcciones lo ahorrado. El amor no ha de arriesgarse en su totalidad; hay que tener reservas por si acaso.

Yo le decía que no con la cabeza. Yamam me alzó la cara empujándome con su dedo la barbilla.

—Quien no lo hace así, acaba por necesitar para subsistir a la otra persona; no ahorra, se vuelca entero, y su preocupación, en consecuencia, le hará ser un mal amante. El amor es un juego; es un negocio suplementario. No el negocio que nos da de vivir, sino el que nos alegra la vida.

«¿Que nos alegra la vida?», me preguntaba yo.

—Para alegrarnos de verdad no tiene que proponerse nada, ni llegar a ninguna parte, ni satisfacer del todo el deseo siquiera... Tiene que prolongar las caricias, ser una mariposa que no se pose en ningún sitio, so pena de que la cacen y la metan en una caja atravesada por un alfiler. Ha de entrar por todas las rendijas lo mismo que un perfume, y rozar como roza una brisa: la palma de la mano —había cogido la de Blanche—, las coyunturas de los dedos —tomó los míos—, los rizos del pelo, los de las axilas, los pómulos, los labios... Todo es susceptible de conquista, todo tiene su propia complacencia. ¿Qué es eso de zonas erógenas y zonas neutrales? Sobre todas riñe su batalla el amor, mielecitas mías. La penetración es un gesto convencional —otra vez oía yo esa palabra—, uno más, pero no el definitivo, ¿verdad que no? En el hombre la declaración de guerra —se echó a reír— es muy visible: se levanta la espada; pero en la mujer también hay síntomas, vosotras lo sabéis mejor que yo: no sólo la humedad de vuestros rinconcillos, sino la rebeldía de vuestro espadín y la de los pezones... Ahí tenéis, bajo la seda, unos pechos que aumentan de volumen, y un corazón que se acelera, y la respiración que se agita, y algunas contracciones que a lo mejor alguna de vosotras siente ya en algún sitio —volvió a reírse—. Os veo ruborizadas, azúcares míos, no sé por qué... El amor ha de ser una sorpresa: no porque los dos cuerpos sean distintos, sino porque están siempre por descubrir, sobre todo si son más de dos: las corvas, las ingles, la tersa cara interior de un muslo, la tersa piel del falo, los pies, la redondez de los hombros, la cavidad que oculta un pecho y que revela al levantarse...

Hablaba de la alegría de los niños cuando se observan, entre el misterio, unos a otros; de la curiosidad de los niños, que mezclan lo que nos parece porquerías a los mayores con su propia saliva, y meten los dedos para tocar lo que ven y lo que quieren ver, y hablan con sus propios órganos, que tienen prohibido mirarse, y se los huelen.

—El amor hay que hacerlo con los ojos, y con la boca, y con la nariz, y con la lengua, para que saboree todo, y con el oído, para que escuche los gemidos y el movimiento de las tripas y el chasquido de la carne al despegarse entre el sudor... Es un hambre que no debe saciarse. Es como comer aperitivos; como saltar y caer, para volver a saltar y no caer del todo; una voracidad que mordisquea, con el fin de no agotar lo inagotable, con el fin de no dejar de desear.

Bisbiseaba a veces cerca de una, a veces cerca de otra, y se le veía la nuez cuando echaba atrás la cabeza para reír, y nos daba de comer con su mano, y nos rozaba la lengua con su dedo, y yo miraba a Blanche arrebolada, y adivinaba que ella me miraba de reojo a mí, y Yamam nos miraba a las dos...

Fuimos a casa, los tres en el asiento delantero del coche, por indicación de Yamam.

—Os recomiendo prudencia —dijo alegremente—. Me gustaría ir a mí entre vosotras, pero quizá sea mejor que vaya Blanche en medio.

Blanche acariciaba el pantalón hinchado de Yamam. Él, por detrás de ella, me decía:

—¿Ves? No ha entendido nada.

En un semáforo me acarició la nuca. Yo, a través del cuerpo de Blanche, que había recostado la cabeza en el hombro de él y cerrado los ojos, acariciaba el muslo de Yamam. Metí bajo él la mano, hasta que sentí que me la rozaba la mano de la francesa, que suspiró débilmente.

En casa sucedió todo como había dicho Yamam. Lo que se califica de accesorio fue lo principal. Las manos de Yamam conducían las nuestras; él, como un sacerdote entre sus neófitos, distribuía, gobernaba, hablaba muy despacio y muy quedo, aprobaba o advertía: «No tan fuerte.» «No tan de prisa.» «Así, más, más.» El cuerpo de Blanche y el mío se ceñían entre sí y con el de Yamam. Nuestras tres bocas buscaban su acomodo. Yamam nos volvía, nos invertía, nos mudaba de posición, hasta que supimos lo que queríamos y lo buscamos con una ofuscada sabiduría, igual que la del niño que mama con habilidad por vez primera.

Descansábamos y retornábamos. Yo saqué la cocaína, y tomamos un par de rayas, que separó Yamam riéndose de mi ocultación y bendiciéndola. Y retornábamos y descansábamos. Y comprendía yo en la práctica que los enamorados no tienen que satisfacerse recíprocamente sus necesidades. Eso es una pobretería; tienen que suscitarse necesidades nuevas, deseos nuevos sobre los que no están obligados a salir triunfantes, sino a alargarlos y a ensancharlos. No tienen que agotar los últimos veneros, sino mojarse en ellos los labios, y regresar a la sed y a la busca y al hambre. Y cambiar el ritmo de las retribuciones, y ser tan sutiles que nada de lo ocurrido pueda relatarse, porque no son hechos que ocurren, sino insinuaciones, sino perplejidades, de estupor en estupor y de ala en ala.

Yo, en la refriega, no sabía distinguir de quién era el cuerpo que tocaba, la mucosa en que se hundía mi lengua, el sudor que lamía, la pierna que pasaba sobre mi cuello, el hombro sobre el que descansaba mi cabeza, qué mano retorcía mis pezones o se introducía entre mi carne, qué pie mordía o chupaba o besaba. Y ni siquiera sabía distinguir si era la primera vez que percibía ese sabor, o ese olor, o realizaba aquel gesto, porque la reiteración nunca era exacta y siempre revestía la trascendencia de algo irrepetible.

Cuando todavía la consumación estaba lejos, o ni siquiera estaba prevista, entreabrí los ojos y vi el cuerpo moreno y tan conocido de Yamam y el cuerpo blanco y apretado de Blanche. Y los tenía abrazados y ellos abrazaban mi cuerpo. Cerré de nuevo los ojos y olvidé...

Al volver en mí, me recibieron las palabras tiernas de Yamam, que nos hablaba como a dos niñas. El sentimiento de vacío que me asalta siempre al terminar, una vez más lo llenaba Yamam con sus palabras, con su ternura, con sus tarareos de no sé qué canciones, como si quisiera prolongar todavía la semiconsciencia que me embarga. Cerré los ojos para no encontrarme de nuevo con la realidad. Yamam estaba junto a mí, y lo sentía; lo demás no importaba, ni siquiera que hubiese una testigo... Yo entré en nuestro nirvana; las nieblas del deseo urgente se habían retirado; se había retirado la apariencia, el brillo, la colaboración, el mentido espejismo, la tentación también. ¿Qué importaba?

Besé la mano de Yamam. La besé antes de que me sobreviniera la pena, no por haber sido usada, como había dicho Pablo, sino por no haber cumplido mi aspiración: la soledad con él. Yo había respondido a su demanda; él, a la mía, no. En otro tiempo, en otros lugares, en éste sobre todos, él había sido enteramente mío... ¿Había concluido el éxtasis? No; aún me quedaba la voz de Yamam, la mano de Yamam. Blanche dormía. Quizá él y yo no habíamos dejado de estar solos. ¿Cómo iba yo a pensar que él era para mí un extraño, cuya presencia después del amor no se comprende? ¿Cómo iba yo a pensar que Yamam y Blanche eran lo mismo para mí? Preferí no pensar nada. Volví a besar su mano.

Recordaba —más de lo que creía poder hacerlo y mucho más de lo que me habría gustado— aquella sesión de amor. (¿Por qué la llamo sesión, como a las de Denis?) Después de ella, con Yamam, durante varios días, tuve una relación puramente comercial. Quiero decir que lo veía en la tienda; le ayudaba en cuanto estaba en mi mano y me permitía mi alumno fiel Mahmud; lo sustituía en ocasiones; cuidaba y recibía a sus hijos los fines de semana y en la fiesta de la Ruptura del Ayuno, que cayó por entonces. (Fui yo quien compró sus regalos, acordándome de aquella muñeca que él nos había pedido a los españoles cuando lo conocí hace ya tanto. ¿Hace ya tanto?)

Por casualidad, pensando en Blanche, salté a Denis, su jefe, y me propuse llamarlo, sin saber bien por qué, como no sé, en general, el porqué de mis actuaciones desde hace un tiempo. Telefoneé al consulado francés, y me dijeron que vivía en Estambul, pero que no podían darme el número de su casa; me dieron el de la empresa. Me cité allí con él. Tenía curiosidad por ver las alfombras, y por comprobar si entre ellas estaba —y así fue— el kilim burdeos que una tarde había desaparecido del salón de casa, debajo del sofá de terciopelo labrado.

En el trayecto a la oficina recordaba con simpatía el viaje a París y la manera limpia y apresurada de hacer el amor de Denis, tan opuesta a mi experiencia última. Éste era un ejecutivo también en el sexo; no preguntaba la opinión de su *partenaire* —él la llamaba así—; lo mejor para él era una mujer casi frígida que correspondiese a su frigidez o a su velocidad, oponiéndole la resistencia justa para que él demostrase su fuerza y su poder de arrastre. Se trataba de un hombre de gestión —de bastante buena gestión—, pero nada más. No gastaba más tiempo del preciso en una operación —en una sesión— de amor; no derrochaba nunca. Las menudas y cómplices lubricidades se desterraban; eran detalles que oscurecían la luz de la verdad. La verdad era el orgasmo, compartido a ser posible por buena educación y por cierta propensión a la simetría. Probablemente lo sacarían de quicio un gesto imprevisible o una reacción inesperada. No es que fuese como esos hombres que, igual que un pistolero marca en su colt el número de muertos, marcan en su pene el número de orgasmos de su pareja; no llegaba a tanto, pero la multiplicidad de éstos lo habría dejado profundamente satisfecho de sí mismo, y, en agradecimiento a tal exaltación, habría querido un poco más a su *partenaire*.

Así pensaba mientras subía en el ascensor de la oficina. Me reproché haber cambiado tanto de opinión sobre Denis; pero me excusé luego, ya que, en el fondo, siempre había opinado así, lo que ocurría era que me había dejado de ser útil: útil para Yamam, por descontado. «¿Lo ha dejado de ser en realidad? —me dije de pronto—. ¿No podría yo emplearlo como arma contra Blanche?» No es que tuviese el menor remordimiento por nuestra sesión, ni estuviera arrepentida, pero no podía compartir a Yamam, aunque mi placer hubiera sido mil veces mayor que el que a solas sentía con él, y me bastaba.

Nada más recibirme Denis en su despacho, entendí que las cosas entre él y yo no eran como antes.

—No creí que me telefonearas, ni que quisieras verme, una vez conseguido el contrato para Yamam.

—Los occidentales siempre opinamos —insistí en el plural— que los turcos, y quienes los rodean, sólo se mueven por razones comerciales. Somos injustos, Denis... Por otra parte, te recuerdo que te acompañé a Francia después de conseguido el dichoso contrato.

Salió de detrás de su mesa preguntando: «¿Después?», como si saliera de un mostrador, y me tendió la mano. Yo le alargué la mía de forma que no tuvo más remedio que besármela. Su frialdad me salpicaba. De súbito se abrió una puerta distinta de aquella por la que yo había entrado, y apareció, precipitada, Blanche.

—Denis, *chéri*... Ah, perdón, ignoraba que tuvieras visita.

Desapareció cerrando la puerta.

—¿Una amiguita? —le sonreí.

—Oh, no —dijo vagamente—. Claro, que uno tiene

derechos cuando se siente abandonado por una persona de quien tanto esperaba.

—Si te contara lo sucedido —le mentí—, me darías mil excusas por lo que acabas de decir.

Parpadeé para dar a mis ojos una expresión de desencanto. Por cambiar de conversación, me enseñó los kilims y las alfombras que Yamam le había endosado. Eran recientes, y sólo tenían de bueno la combinación de sus colores con los de las tapicerías y los paneles. El kilim secuestrado del piso estaba en el despacho de Denis. No pude por menos que sonreír ante la destreza de Yamam.

Pasamos por algunos departamentos y atravesamos un pasillo; en una habitación pequeña y luminosa, que daba a un jardín vecino, habían instalado a Blanche. Me la presentó, y nos saludamos con indiferencia. En sus ojos adiviné una súplica; estaba dispuesta, por conveniencia propia, a concedérsela. Mi intención era ruin; pero, si ella me arrebataba a Yamam, yo le arrebataría a Denis. Quizá ella, por interés, tuviera que elegir, y elegiría a su jefe. Era bastante hacedero ganarle la partida, dado que yo apostaba con absoluto dominio del juego, en el que no intervenían ni mi corazón ni mi bolsillo... ¿Mi corazón tampoco intervenía? Sí; pero no con respecto a Denis. De una pared colgaba un grabado del Sena.

—Recuerdo —dije deteniéndome ante él con intención— nuestros paseos, cuando todo parecía posible, y entre nosotros sólo iba la esperanza.

—Es cierto —replicó Denis, tomándome del brazo y llevándome fuera.

—Adiós, señorita —le dije a Blanche—. Este despacho es el más bonito de toda la oficina; procure que no la muden nunca de él.

Supuse que la velada amenaza surtiría un efecto de indecisión muy favorable para mí.

Ni que decir tiene que ese día, después de almorzar, Denis se ofreció a enseñarme su nueva casa en Galata. Puse un pretexto que sonara a pretexto. Le agradecí la comida, y me despedí de él dejando claro que me había herido su actitud.

—No puede ser que tardemos tanto como esta vez en volver a vernos.

—De ti depende —repuse—. Tú has interpretado de un modo muy doloroso para mí mi alejamiento. Si te confesara que fue para protegerte a ti y al respeto y al cariño que te debo... Si te dijera que lo de Yamam y yo desembocó en un asunto embarazoso, ajeno a mí, pero en el que me vi inmersa, y que me llevó a pensar que se me vigilaba y se controlaban mis amistades... Si te dijera que la primera tentación que tuve fue la de correr a tus brazos y protegerme en ellos, y que la resistí para no causarte daño... Sólo cuando ha pasado todo y he comprobado que, respecto a mí, nadie nunca pensó nada, y que no era más que una falsa alarma mía; sólo ahora te he venido a buscar. Y para recibir una terrible acusación... Me voy, Denis, me voy...

Me llevé un pañuelo a la nariz; moví la cabeza sin sentido. Denis me abrazó, me atusó el pelo.

—Perdón, perdón... Te quería tanto... La decepción fue tan grande...

—No más que la mía de hoy.

—Desia, ¿estamos en paz? Di que sí, Desia.

Levanté las pestañas, aún cargadas de lágrimas.

—Si tú lo quieres, sea.

Me besó.

—¿Te apetece que cenemos mañana?

—Si tú lo quieres... —repetí.

Ahora escribo esto, sin prever qué sucederá mañana. Me muevo por impulsos, como quien ha perdido la última dirección de su camino. No sé si voy cuesta abajo o cuesta arriba; no sé si lo que hago es bueno o malo. Sólo tengo un propósito: recuperar la atención de Yamam. No puedo ser objetiva ni moral; no puedo ser leal siquiera. Por tener a Yamam conmigo —«conmigo para siempre» pienso ahora, aunque sé que cada día tendrá su propia batalla—, por tener a Yamam haré todo, esté o no esté en mi mano. Todo en legítima defensa, todo en defensa propia, porque no me canso de insistir en que Yamam es mi vida y en que no quiero otra. Dicen que los enamorados son quienes mejor aprecian la armonía y la hermosura de este mundo; dicen que en él estamos para ser felices, en contra de quienes lo han convertido en un valle de lágrimas. Puede; pero qué trabajo nos cuesta tocar con la punta de los dedos la felicidad. Nos cuesta tanto, que no podemos evitar preguntarnos, absortos en el esfuerzo, por qué es por lo que luchamos. Yo, en la tarea, me he dejado mucho más que las uñas.

LAS RELACIONES CON DENIS se han restablecido —más bien se han instituido— sin dificultad. Marcharon en seguida lo mejor posible, que tampoco es viento en popa, transformándonos en una especie de matrimonio rutinario y digno.

Como yo no quería faltar del apartamento de Yamam, por si aparecía él, ni del Bazar, por causa de Mahmud, insinué la posibilidad de encontrarnos a la hora de la siesta. Denis se resistió; él sí que es convencional hasta la exasperación. Acordamos tácitamente —la *politesse* ante todo— vernos las noches de los miércoles y de los sábados, por supuesto en su casa.

Para él supone una verdadera fiesta: mesa servida por un restaurante caro, cena fría, velas y champán. Cada noche yo me sorprendo esperando que llegue el invitado, que no es otro que yo. Me hace regalos delicados, ya que no muy costosos, quizá para no exagerar la diferencia entre nosotros. Una noche aludí a la imperiosa necesidad —dije la conveniencia— de trabajar. Quizá en su propia empresa puesto que conocía el idioma francés y Estambul. Él contestó que se ocuparía de eso, y a partir de entonces yo descubro en mi bolso un sobre con dinero. No cada noche, claro: él no quiere insultarme, simplemente sentirse satisfecho y recompensado por el hecho de mantener a una mujer con clase, como amablemente me repite.

La verdad es que yo, pese a su elegancia, no me engaño. Con o sin proyectos futuros, con o sin intrigas que justifiquen ante mí misma mi comportamiento, no me engaño: soy una prostituta. Reconozco que aprendo con Denis del amor físico —decir sobre el sexo sería demasiado— más que en toda mi vida. Él es constante y triunfador, no como Ramiro (hablo sólo de este campo), pero me deja en el polo Norte, no como Yamam, y yo puedo ejercitar, mientras él goza más o menos, todas mis facultades de deducción, aunque es cierto que me bastaría ser una mediana observadora.

Si escribo esto y me acuso de esto es para distraerme de otras cosas peores.

Siempre se ha dicho que la prostituta es una mujer de placer. Y es verdad, pero de los otros. Ella, para ejercer mejor su trabajo, debe permanecer en la orilla; conformarse con poner a disposición de su cliente los elementos necesarios para el disfrute. (No, desde luego, un disfrute exagerado ni loco, sino correcto, rápido y eficiente.) Como cuerpo sexuado, ella ha de anularse. O sea, entre la prostituta y su pareja no hay verdadera diferencia de sexos: sólo hay uno, y una forma peculiar de masturbación asistida.

Lo que ocurre es que yo soy una especie singular de prostituta: he de reír, llorar, gritar —no mucho— a veces, trasponerme; pero no es preciso que sea una actriz excelsa: Denis, a pesar de la *Comédie Française*, está muy dispuesto a aceptar cualquier terremoto que su pene provoque. Es curioso comprobar que la prostitución es lo contrario del libertinaje. Nada más medido, nada más ahorrativo, ni más semejante al trabajo de cualquier ser humano. Porque es un trabajo y se acabó. Mi cuerpo es un medio para ganarme la vida —no sólo mi vida diaria, sino la vida cuyo nombre es Yamam—, y no un medio para llegar al placer. Denis y yo, aunque él lo ignore, nos compenetramos en tal sentido: él desea gozar con mi cuerpo, y yo, a través de su goce, dirijo mis proyectos. Para ello, no necesito ir disfrazada de puta, cosa que le agradezco; no necesito ocultarme tras el uniforme de la vulgaridad. Muy al contrario, me preocupo más que nunca de mi aspecto, ya que en él se apoya su deseo, y resulto más que nunca elegante. En cambio, sí coincido con mis colegas callejeras en la prisa; estoy anhelando que Denis termine cuanto antes. Y no es que él se demore, porque suele llegar a la meta casi inmediatamente después de haber salido, y rechaza cualquier entretenimiento que lo distraiga de ello. Me recuerda a un cazador de Huesca que, si iba a cazar perdices y se le cruzaba, ofreciéndosele, un conejo, jamás le disparaba. «He dicho que a perdices, y a perdices. Pues menudo soy yo...»

Puede parecer que las prostitutas nos entregamos con armas y bagajes. Pero no es cierto; sólo entregamos las armas y los bagajes. Persistimos tan incontaminadas después como antes; no sólo ilesas, sino intactas, porque la desnudez es sólo un envase laboral como el mono azul de un metalúrgico. Denis, al mismo tiempo que solicita mi colaboración, aspira a hacerme gozar, sin advertir que cualquier deleite mío sería una simulación, o que, si se produjese, sería una imitación del suyo: el breve estremecimiento de la eyaculación. Desde mi atalaya de no comprometida, acecho el estertor, la tensión, los ojos enlunados o vueltos de mi amante, y sé qué hacer para estimularlo, para enloquecerlo —siempre con el tolerable enloquecimiento del cuerdo riguroso— y, por fin, por fortuna mía, para descargarlo. Y lo sé precisamente porque, cuando estoy con él, lo que mejor me funciona, casi lo único, es la cabeza. El resto de mi cuerpo es pura asepsia; no huelo ni a mí misma, sino a meticulosa higiene íntima.

A veces, mientras Denis me hace el amor (o lo que sea), me entretengo imaginando la desgracia de una puta que se enamorase de un cliente y quisiese atenderlo entregándosele de todo corazón. Me la figuro olvidada de su oficio, recreándose con él, encendiéndose, no contentándose sólo con su pene y sus testículos, sino aumentando su jurisdicción a todo el cuerpo. Y me figuro al cliente que, sobrecogido ante aquel alud, reclamaría daños y perjuicios, y nunca más pagaría por acostarse con semejante loca de atar.

Escribir estas trivialidades y chabacanerías no me ha distraído de lo mío. Ojalá pueda descansar esta noche.

HAY DÍAS —MAÑANAS— en que paso por el Bazar y me quedo sólo un rato para darle su clase a Mahmud. Yamam está cordial y distante a la vez, como con una antigua amiga. Ignoro si conoce mi relación con Denis, aunque sospecho que sí la sabe Blanche; pero Blanche no será tan torpe como para arriesgarse denunciándome.

Ya afirmada mi posición, ayer comencé a madurar a Denis. En vista de que no había atendido mi petición de trabajo, para sugerirle la posibilidad de que me ofreciese el de Blanche, he comenzado a manifestar celos. Primero, de un modo general; luego, ya decididamente «de aquella gordita blanca que el día que te vi en tu oficina te llamó de tú, y *chéri*». Él me ha mirado a la vez con alarma y con vanidad; ha intentado calmarme; me ha jurado y perjurado su devoción por mí; me ha ofrecido toda clase de garantías. Pero no ha desmentido que antes hubiese un asuntillo entre ellos. De que ya no lo hay estoy segura. Sin embargo, que no lo haya me preocupa también, porque puede lanzar a Blanche en brazos de Yamam. Y tampoco delatarla a Yamam es una buena táctica, porque él tiene una manga demasiado ancha siempre que espere sacar algo de alguien.

Lo que yo aspiro a conseguir es que Blanche, que vino de Francia, sea devuelta a Francia en el momento más favorable para mí.

Hacía semanas que no había visto a Ariane. Ayer se presentó en la tienda su criada Harife. El calor era enorme. A través de Yamam me contó la tragedia. Su señora, a pesar de tener dinero en el banco, como no podía salir de su casa porque había empeorado mucho, se encontraba de hecho en la miseria. Harife había estado poniendo para la casa todo su dinero; ya no tenía más. Trató de recurrir a los huéspedes, pero los de mayor confianza se hallan de vacaciones, y el joven español acompaña en Capadocia a un grupo de turistas. Ariane se está muriendo: no come y sufre una continua descomposición.

—Yo no sé llamar por teléfono, y sólo hablo turco, y la señora no querrá aceptar nada de nadie —se lamentaba.

—Pero ¿no dices que está inconsciente? ¿Qué más le da entonces de dónde venga la ayuda? ¿En qué sitio cobra la pensión que le pagan?

Me dijo el nombre del banco. Fuimos a él; conocían a Harife después de tantos años. Se unió a nosotras dos un empleado con quince millones de liras turcas, que estaban allí muertas de risa y sin cobrar. Nos dirigimos a casa de Ariane. Verdaderamente se encontraba en las últimas. Le tomé la mano derecha, y puse su huella en el recibo. Luego, por medio de Denis, pedí una ambulancia al hospital italiano. Allí se recuperará.

Anoche —era martes— conseguí, permaneciendo en la tienda hasta la hora de cerrar el Bazar, que Yamam me trajese a casa. Contaba con un poco de coca y una espléndida botella de vino de Borgoña, cuya procedencia no es dudosa.

Después de brindar, jugueteé con una onda de su pelo, con un botón de su camisa, con la hebilla de su cinturón. Bromeábamos; nos reíamos. Poco a poco se restauró nuestro mundo y se alejaron todos los demás. No aseguraría que él se apasionara, pero mi pasión lo arrastró, y él, por hombre, no quiso echarse atrás. La pasión aventa, como un vendaval, el resto de los afectos, el resto de los recuerdos. Mi desorden, o mi pasión desordenada, se enfrentó con ventaja al nuevo orden de Yamam, que desconozco. Y me cercioré de que mi pasión aumentaba porque algo se le contraponía, porque algo la resistía y le plantaba querellas. No era cuestión ya de decir «te amo», sino de destruir cimientos nuevos, de recuperar, de obtener otra vez de las médulas el acuerdo que durante mucho nos ha unido.

Mientras me preguntaba por qué mi pasión había anidado, tenaz e invariable, en aquel cuerpo, en aquellos párpados, en aquella nuez; por qué se negaba esta persona a diluirse en mí; por qué no se me había dado ninguna opción para elegir; mientras me preguntaba si podía concebir otra forma de vida en que él no estuviese, me di cuenta de mi derrota: una derrota no elegida tampoco, sino impuesta a lo tonto por un ser desentendido del infinito papel que mi vida le ha adjudicado. Una derrota sin triunfador.

Llegué a la cama con un sabor amargo, porque la victoria de una noche no aleja de ningún modo mi fracaso definitivo. «La guerra —me decía— la he perdido, a pesar de que la escaramuza de hoy la gane con todos los honores.»

Se ha repetido que nadie puede ser feliz en un mundo desgraciado; pero ¿hay acaso obstinación mayor que la de quien procura su felicidad en un mundo infeliz? La contradicción aumenta nuestro empecinamiento y nuestras fuerzas, ayer lo comprobé. Desatentadamente defendí mi *nosotros* contra el *ellos*, que son el resto entero de la Humanidad. Mi amor crece siempre en circunstancias de confusión; mi tábano, cuanto más se excita, más me excita y me atormenta. Si yo encontrase un camino indiscutible, sin vacilaciones, mi pasión por Yamam se transformaría en la sosegada vinculación con Denis. El más tierno enamorado es el más sádico también, porque su confesión de dependencia no es más que la exigencia de un resarcimiento a costa de lo que sea.

Por eso ya no puedo manifestarme como una tierna enamorada. Tengo que reconquistar a sangre y fuego; emplear la máquina de placer que es el cuerpo de Yamam hasta sus últimos engranajes. Anoche ningún órgano, ninguna facción tuvo la exclusiva de la vehemencia, a todos los puse a contribución. Yo era la agente, la invasora, la mantis religiosa, es decir, la devoradora. No descuidé ni di más valor al espasmo que a la carcajada, al movimiento que a la inmovilidad, a la camiseta que al vello de su pecho: todo se alió para lograr mi efímero trofeo. Mi trofeo de una noche...

Dentro de la cabeza me ronroneaban unas palabras de Yamam, al principio del viaje a Anatolia, en nuestro segundo encuentro: «Cuando te conozcas a ti misma —pero desde un punto de vista instintivo, no racional: ése no sirve— entonces sabrás que debes obedecerte, desatar las ataduras que te han impuesto miles de años, lanzarte a ciegas y desacatar las órdenes que no procedan de tu interior. Así llegarás a ser tu guía. Yo ahora soy tu lazarillo porque no ves; ya se te abrirán los ojos para que tú los cierres cuando quieras. Y entonces tu deseo será el mío, o el mío el tuyo, y caminaremos libres, esclavos sólo uno de otro, como dos niños por un bosque feliz.»

Durante toda la noche no hice más que seguir, con los ojos bien abiertos, ese consejo, mejor, ese mandato. Y también esa experiencia, en la que abrazarse no conduce sino a un nuevo abrazo, y cada gesto reviste mil aspectos distintos y adquiere mil distintas intensidades.

Después de dos semanas en el hospital italiano, a Ariane la devolvieron a su casa ayer. Hoy fui a verla. Estaba acostada y muy empequeñecida. Ni me reconoció, ni entendió nada de lo que le decía. Me dispuse a despedirme para siempre sólo de un cuerpo. Me incliné, la besé en la frente. Y, de improviso, le oí decir con toda claridad:

—Vete, Desi. Vete de Estambul.

No dijo más. Volteó un poco la cabeza, y murió.

Sé que he perdido a una amiga con quien no fui lo bastante sincera, y a la que, por tanto, hería con mi escudo. Quizá ella me habría ayudado, pero no la dejé. Tal era, sin duda, su intención final. Tendría que llorarla, pero no me es posible. Lo he intentado, y no puedo.

El tira y afloja con Denis me aburría. Hoy he tenido que hacerle una escena —nunca mejor dicho—, acusándolo de engañarme todavía con Blanche. Le planteé algo que nadie debe plantear jamás: un dilema.

—O ella o yo —le he dicho.

Para probar la certeza de sus protestas de amor, le conminé a que la indemnizara y la mandara a Francia. Unas relaciones «serias y conscientes» como las nuestras no podían estar a expensas de una jovencita atolondrada que se lía con sus superiores. Él me ha prometido que en el plazo de una semana lo conseguiría. Después de fingir un ataque de nervios, aún me temblaba el cuerpo. Ya han pasado, o están a punto, los tres meses de Pablo, y yo quiero tener resuelto mi problema cuando él llegue. Mi único problema, el que atesta mis noches y mis días, el que me ha obligado a tomar (lo que no hacía desde que llegué la última vez) los somníferos de mi amiga Felisa, de los que ya no me acordaba.

He seguido visitando el Bazar; ocupándome de Mahmud, mi única obra humana; sonriendo a Yamam; ensalzando su poder sobre mí, y disimulando el mío sobre él. En realidad, temo que Blanche sea una francesita dócil, con una vida erótica sometida a la de su hombre, que subraye el prestigio de éste: un prestigio que acaso yo he puesto en cuarentena. Conmigo Yamam se había sentido liberado de tal obligación de dominio, y llegó a comprender que su cetro no era el pene, como creía al principio —«toma tu cetro y no lo dejes»—, sino que el pene se había convertido en un poste para atarlo como víctima de la tortura, o para ascender hacia la recompensa de la cucaña, o desde el que ver paisajes jamás imaginados. Un poste compartido que desarrollaba un millón de funciones...

Sí; todo es —o era— verdad, pero ¿y si al cambiar encuentra un deleite inédito entre los blancos muslos de su amiguita?

Esta tarde me reprochó Yamam el no estar nunca en casa; me alegró pensar que me había visitado. Con expresión dolida le repliqué:

—¿Cómo puedes decirme eso? No salgo sino para dar un paseo que siempre acaba aquí. ¿A qué hora estuviste?

—A las diez de la noche.

—¿Qué día?

—El miércoles.

—Claro, estaba cenando con Denis, al que me encontré el martes por casualidad.

—¿Con Denis? —Me miró con demasiada fuerza como para que no me causara pánico—. ¿Qué sabes de Denis?

—Pues mira, ahora que lo dices, no mucho: es un francés que tiene una oficina con alfombras tuyas, alto, maduro...

—No digas más sandeces. —Me puse en guardia—. Por si no lo sabes, ha venido tu amigo el español.

—¿Quién? ¿Pablo Acosta?

No me habló más. Media hora después me despedí con una espesa sombra dentro.

He acudido con puntualidad a mi cita con el ginecólogo. Me había encontrado unos bultitos bajo un pecho que me alarman. No tanto por el peligro mayor, sino por el que se califica de menor: lo que me faltaba ahora es que me tuvieran que extirpar un pecho. Ante mi insistencia, me dará los resultados el lunes, dentro de cuatro días.

Al entrar hoy en la tienda, Yamam me ha mirado de un modo muy especial. He sentido de nuevo miedo de él. Se ha acercado a mí, me ha agarrado los brazos... ¿Por qué he pensado en Blanche?

—Acaba de irse el hermano pequeño de Mahmud. Vino a darnos la noticia. Por bañarse en el Bósforo, cosa que tenía prohibida, se ahogó ayer tarde. No han recuperado el cuerpo todavía.

Sentí como si me tirasen de la sangre para abajo. Me senté en el largo banco del fondo, donde Mahmud, con la lengua entre los dientes, dibujaba sus sumas y sus restas, donde ya no las dibujará nunca más. Se han acabado para siempre su voz agria, su sonrisa un poco picuda, el embeleso de sus ojos. Muerto... Ya no tenía excusa alguna para seguir yendo a la tienda. Ya no le soy útil a nadie. Nadie me necesita. No soy para nadie más imprescindible... No dejo de pensar en el cuerpecillo de Mahmud flotando en aquellas aguas sucias, o trabado en el fondo. No dejo de pensar en su corta vida, tan repleta de tribulaciones. Cuánta injusticia, Dios. La vida me está deshojando como a una margarita.

En la tienda me tapé la cara con las manos, y sentí sobre mi hombro la mano de Yamam.

HOY ME HA COMUNICADO oficialmente Denis que Blanche ha sido indemnizada, despedida, y abonado su billete de regreso «por no ser de imprescindible cometido en la oficina, una vez comprobadas las necesidades de personal». Pero ya no me afecta. Me arrepiento de haber puesto en marcha este desalmado mecanismo.

Hablé con Pablo. Quería verme hoy; pero es sábado y quiero quedar bien con Denis que tan gentilmente se ha portado conmigo. Nos veremos mañana.

LA CENA CON PABLO ha transcurrido ágil y cómoda; él tiene la virtud de romper el tiempo y la distancia. Hemos continuado una conversación interrumpida. Le he hablado de Ariane y de Mahmud; él a mí, un poco de pasada, de su trabajo.

Los envíos de alfombras tratadas ya han cesado; pero está seguro de que no se encarcelará ni se juzgará a los culpables: sería tirar de una manta con demasiados implicados dentro. Así las cosas, nada le queda a España por decir.

—En ocasiones, qué adorable resulta una justicia tarda y corrompida —he comentado, mientras él me amenazaba con la mano.

Celebro la suerte de Yamam tomando una copa con Pablo en su habitación. De una manera sutil, pero clarísima, me propone hacer el amor. Al fin y al cabo, ha venido por mí. Yo estoy contenta: la libertad de Yamam no corre peligro. Me dejo besar. Sin embargo, no puedo ser deshonesta con él. Con Pablo, no. Por eso, llena de ternura, aplazo hasta mañana la respuesta.

—Mañana hablamos, ¿eh? Mañana hablamos, y verás como todo saldrá bien.

Espero de corazón que mañana salga bien todo, sea lo que sea.

EPÍLOGO

EL LUNES, por la mañana temprano, recibió Pablo Acosta una llamada. Era Desi. De forma un poco embarullada, pero risueña, le dijo:

—Hemos quedado para esta noche, ¿no?, pero me gustaría que hubieses leído ya entonces unas páginas escritas por mí. Lo considero necesario para que se desarrolle bien lo nuestro y termine como es debido. Ven a buscarlas a mi dirección. —Por primera vez se la dio—. Yamam no está ni en casa ni en Estambul; ha ido fuera unos días. Yo tengo que salir de compras; si llamas y no abro, la llave estará debajo del felpudo; como ves, siempre convencional. Y los papeles, sobre la mesa de la entrada... No vengas, por favor, hasta después del almuerzo: a las cinco o así.

Pablo Acosta fue a la dirección indicada. No abrieron la puerta; utilizó la llave del felpudo. Entró en aquel piso pequeño, desangelado y triste, con dos pares de zapatillas junto a la puerta, casi sin luz; de momento, sólo la que entraba por una ventana apaisada, a través de unos visillos con volantes. Dio la luz eléctrica, porque el día estaba gris y mate. Sobre una mesa había unos cuadernos; al lado de ellos una caja vacía de delicias turcas. Ojeó los cuadernos; parecían escritos con la letra de Desi, que él aún recordaba. Se arriesgó a entrar más dentro, no por otra cosa que por conocer la vivienda, bastante humilde, de su amiga. Vio la cocina, descuidada y no muy limpia, y un dormitorio con dos camas, sin duda de dos niños, también vacío. En el otro dormitorio, sobre la cama, vestido, yacía el cadáver de Desi. Aún no estaba frío del todo, pero fueron vanos los intentos que hizo para reanimarlo. La muerte se había producido muy poco antes. Numerosas cajas de somnífero estaban desparramadas por el suelo. Por lo demás, todo aparecía en orden.

No encontró teléfono. Bajó a llamar desde la calle al puesto de policía más cercano; lo ayudó un amable transeúnte. Subió de nuevo y esperó. Cuando llegaron sus compañeros turcos, se identificó, y les explicó muy por encima lo sucedido. Él pensaba quedarse en Estambul —les dijo— mientras se cumplimentaban los trámites precisos. El cuerpo se lo llevaría a España. No supo por qué había decidido eso sobre la marcha.

Al quedarse solo, se dispuso a leer los cuadernos de Desi por si le proporcionaban alguna pista del porqué de su decisión. Empezó por el final del cuarto cuaderno. De él dedujo dos consecuencias: primera, la posibilidad de que el doctor hubiera dado un diagnóstico tan adverso que le arrebatara a Desi toda esperanza. Segunda, la noticia de que Yamam estaba fuera de Estambul significaba que Desi y él se habían entrevistado, puesto que ella, la noche anterior, no lo sabía, y sí por la mañana.

Luego abrió el primer cuaderno y comenzó a leerlo.

Era de noche avanzada cuando terminó la lectura del cuarto. Aún no había comparecido nadie. Bajó para telefonear de nuevo, y tropezó con dos camilleros en la escalera. Dejó que se llevaran el cuerpo de Desi, pero él permaneció en el piso. Ojeó de nuevo los cuadernos. Convencido de la imposibilidad de descubrir por qué se mata una persona. «Sencillamente no porque tenga razones para morir, sino falta de razones para seguir con vida.» Acaso todo estaba ya dicho en los cuadernos... O no, y la causa era que Desi había dejado de amar y se sentía incapaz de confesárselo a sí misma. O incapaz de seguir engañando, o de seguir siendo engañada, y eso la indujo a recuperar el amor propio que la empujó a la muerte.

Ahora le dolía que se hubiesen llevado el cadáver de Desi. Le habría gustado preguntarle, inclinarse sobre ella, indagar en su rostro. Lo que había hecho era leer sus escritos, en lugar de interrogarla a ella que no mentía jamás, quizá salvo en lo que escribió.

«Mañana saldrá bien todo», dijo anoche, cuando nada había resuelto aún. Y, sin embargo, él había temido que estuviese en el límite de su resistencia. Lo que ocurrió es que no la comprendió bien. Se había confundido: atribuyó su debilidad extrema, su agotamiento, su falta de ímpetu de anoche a su consentimiento en entregársele; a su consentimiento en ser suya «para siempre», como él había siempre soñado.

Si esta mujer amó bien o amó mal —se decía, invadido por un dolor creciente— nadie puede afirmarlo con certeza. Un amor no se mide ni por su duración ni por su violencia... Y ningún hombre será apto nunca para opinar con sensatez de lo que acontece en el corazón de una mujer enamorada.

Fue a la cocina a ver si encontraba algo que comer. Ya no tenía sentido seguir allí, pero le asaltó un hambre repentina y feroz, como si fuese una venganza. Desde el almuerzo no había tomado nada. Preguntándose por qué no lo vio antes, lo que encontró fue un papel a medio quemar. La única frase clara era: «el tábano me ha forzado a elegir entre el dolor y la nada. En el amor o se crece o se muere...». Quizá iba a dejarle a él alguna explicación, y luego olvidó lo que quería decirle. O se arrepintió. O prefirió negarse a reconocer que moría por no haber sido amada de verdad nunca... Aunque acaso quienes los sufren ignoran sus propios excesos: ¿quién podría decir que Yamam no la amara? Ni siquiera ella misma, a la que probablemente le sobrevino un gran cansancio y un gran hastío, y le urgió echarse a dormir...

El hambre había desaparecido. Se fue a su hotel reflexionando sobre lo poco que sabemos unos de otros los humanos; es natural que sea así, dado lo poco que nos conocemos a nosotros mismos. «Qué policía tan hábil: estar con la mujer que amaba y que unas horas después se suicidaría, hablar con ella minutos antes de que lo hiciese, y no sólo no advertirlo, sino creer que no tardaría más que unas horas en estar por fin entre sus brazos.»

A la mañana siguiente se presentó en la clínica del doctor cuyo nombre y dirección aparecían en una receta en el bolso de Desi. El ginecólogo le aseguró que la había visto el martes o el miércoles; pero que el lunes aún no había tenido el resultado final de los análisis. Ahora sí lo tenía y, como había supuesto, los pequeños bultos eran quistes sin importancia. La salud de la señora era por tanto buena, y no se hallaba bajo una amenaza mayor que el resto de los mortales.

A pesar de que trató de agilizarlo, los trámites del traslado del cuerpo se eternizaban. El jueves, el policía al que le había dado la orden de traer a Yamam en cuanto regresara, lo telefoneó y lo citó en un puesto próximo al Bazar. Nada más llegar, los dejaron a solas.

Yamam volvía de un viaje a Ankara. No; no había ido solo... Con Blanche, una chica francesa... No; de Desi no sabía nada desde el lunes. (Pablo lo dudó por una ráfaga de ansiedad que le brilló en los ojos.) No; él no tenía nada que ver con aquella mafia turca de que le hablaba. (Pablo había querido dejar claras las pruebas para que Yamam sintiese la debilidad de su posición.)

Fue en ese instante cuando le dijo que Desi había muerto.

—¿Muerta? —exclamó Yamam—. ¿Está usted seguro? ¿No será desaparecida lo que quiere decir?

—Muerta —repitió Pablo—. Desde el lunes a mediodía.

—No es posible: el lunes la vi yo a primera hora de la mañana.

—Lo sé; ella me lo comunicó por teléfono. ¿Por qué fue usted a verla, o por qué ella fue a verlo a usted?

—Fui yo al piso. ¿Ha sido allí donde...? —Pablo afirmó—. Fui al piso a decirle que estaría fuera unos días.

—Para huir de la policía. Usted supo que yo venía a Estambul a echarle los perros y...

—No; yo supe que usted estaba aquí, pero no me fui por eso... Desi había conseguido que el director en Estambul de una firma francesa expulsase de su oficina a mi amiga Blanche y tratase de devolverla a París. Yo estoy interesado en ella. Enterado del comportamiento de Desi, quise darle una lección. Crea usted que estaba deseando librarme de esa loca... Perdóneme, está muerta, pero es verdad lo que le digo. El lunes, después de pasar la noche en el pequeño apartamento de Blanche, que ella en adelante no podrá pagar, me dirigí a casa y le planteé la cuestión a Desi: me iba con Blanche tres días y esperaba no encontrarla allí cuando regresase. Blanche tendría que quedarse a vivir en el piso, puesto que Desi, ella misma, había hecho imposible cualquier otra solución.

—¿Cómo recibió la decisión de usted?

—Como si la esperara. Me dio la mano; luego me la pasó levemente por la mejilla, y me dijo: «Gracias por todo. No te preocupes; a tu vuelta no estaré aquí.» Me dijo también: «Que seas feliz.»

Pablo tenía bastante, no quiso escuchar más. Miró a aquel turco vulgar. Se preguntó si le mentía. Se respondió que acaso habían mentido todos, incluso él; que también Desi se engañaba al escribir sus cuadernos; que la absoluta verdad no existe, y que cada uno es víctima de su propia verdad, la sepa o no, la diga o no la diga.

Al salir del puesto de policía levantó los ojos al cielo. Estaba azul; en él volaba una gran bandada de aves migratorias. Ese día comenzaba el otoño. No distinguió lo que eran, pero le parecieron cigüeñas. Pensó en Desi y la vio sonriendo. Luego pensó que, de una manera muy distinta de como lo proyectara, se la llevaría a España de regreso con él.

Índice

Este libro se imprimió en los talleres
de Printer Industria Gŕafica, S. A.
Sant Vicenç dels Horts
Barcelona